D0235991

La cuisine thaïe

La cuisine thaïe

Une cuisine exotique et épicée :
traditions, techniques,
ingrédients et recettes

JUDY BASTYRA et BECKY JOHNSON

traduit de l'anglais par ARIEL MARINIE

Édition originale publiée en 2003 en Grande-Bretagne par Lorenz Books,
une marque d'Anness Publishing Limited, sous le titre *Thaï Food and Cooking*

Responsable éditoriale : Joanna Lorenz
Éditrice : Linda Fraser
Rédactrice en chef : Susannah Blake
Rédactrice : Jenni Fleetwood
Photographe : Nicki Dowey
Préparation des plats : Lucy McKelvie
Styliste : Helen Trent
Maquettiste : Nigel Partridge
Responsable de fabrication : Wendy Lawson

Traduction de l'anglais : Ariel Marinie

Distribué par
Sélection Champagne Inc.
Montréal, Québec
(514) 595-3276

ISBN 2-84198-218-1
Dépôt légal : juin 2004
Imprimé en Chine

NOTES

1 cuil. à café = 0,5 cl – 1 cuil. à soupe = 1,5 cl.
Sauf indication contraire, les œufs utilisés sont de taille moyenne.

Sommaire

HISTOIRE

Terminée au sud par une longue péninsule étroite qui touche à la frontière malaise, la Thaïlande est située au cœur du Sud-Est asiatique. Au nord et à l'est, le pays a des frontières communes avec le Myanmar (l'ancienne Birmanie) ; au nord et au nord-est il borde le golfe de Thaïlande.

Loin de se limiter aux régions qui constituent aujourd'hui la Thaïlande, l'histoire de ce pays englobe une grande partie du Sud-Est asiatique. Au fil des siècles, de nombreux peuples se sont établis dans la région, et les frontières y séparant les différents pays se sont estompées.

Le nom, la forme et l'identité du pays ont changé avec les mouvements et migrations des différents peuples. Ces influences restent perceptibles dans la Thaïlande contemporaine. La religion thaïlandaise est une version adaptée du bouddhisme indien, le langage se présente comme un amalgame de plusieurs langues, et l'alphabet est fondé sur les écritures môn, khmère et indienne.

Jusqu'à une époque récente, la Thaïlande préhistorique était considérée comme un néant culturel, mais les archéologues ont découvert des preuves de l'existence d'une société de l'âge du bronze dans les environs de la ville d'Udon Thani, au nord-est du pays. Parmi les découvertes figuraient des pots en céramique dont certains datent de 3000 av. J.-C. L'histoire plus récente de la Thaïlande, qui a défini le pays tel que nous le connaissons aujourd'hui, peut être divisée en cinq périodes distinctes.

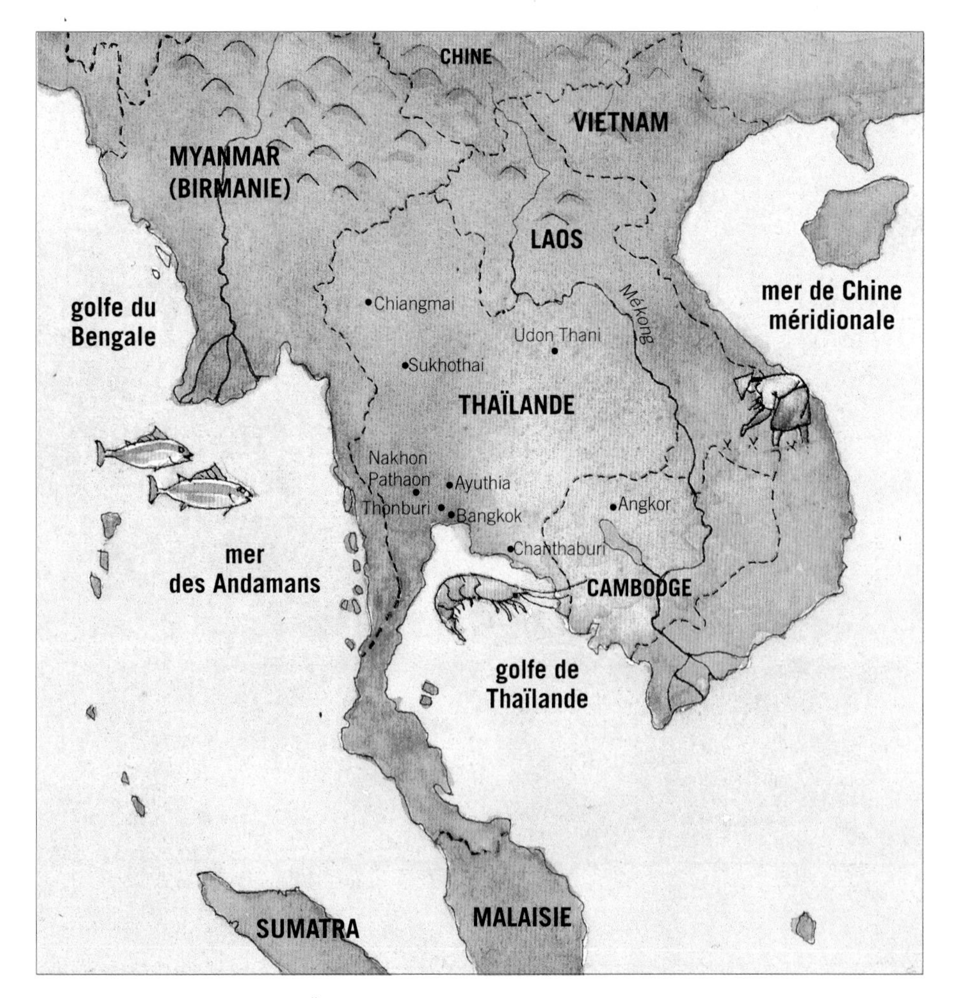

Ci-dessous – *L'histoire de la Thaïlande dépasse les frontières du pays tel que nous le connaissons pour englober des régions voisines du Sud-Est asiatique.*

LA PÉRIODE TAÏ ET NAN CHAO

Au début du Ier siècle de notre ère, le sud de la Chine accueillait diverses communautés tribales. Les deux plus importantes étaient les Taï et les Nan Chao, qui devaient ensuite migrer et s'établir dans le nord de la Thaïlande.

Peu à peu, les Nan Chao étendirent leur puissance sur les États voisins. La Chine attaqua cette tribu afin de la soumettre et de protéger ainsi les relations commerciales avec l'ouest. Cependant, l'agression tibétaine à l'ouest, qui prit la forme d'une série de guerres politiques, allait finalement conduire les Nan Chao et les Chinois à s'allier.

On pense que le peuple taï migra plus loin au sud afin de garder son indépendance par rapport à la Chine. La plupart des Thaïlandais actuels sont des descendants de cette ancienne tribu.

La plus grande partie de la région, de nos jours considérée comme territoire thaïlandais, fut occupée par différentes tribus, notamment les Taï et les Nan Chao. Les tribus les plus influentes étaient celles des Môns birmans et des Khmers cambodgiens. Dès le Xe siècle, les Môns s'établirent dans le centre de la Thaïlande et formèrent de petits royaumes bouddhistes dans la région située entre Nakhon Pathaon, sur le plateau de Korat, et Chiangmai.

Au XIe siècle, les Khmers maîtrisèrent les Môns. Leur influence s'étendit progressivement au Cambodge, au sud du Laos et à la Thaïlande, et Angkor devint leur capitale. À la même époque, les Chinois se heurtaient à l'hostilité farouche des Mongols (d'Asie centrale), qui avaient conquis de nombreux États chinois.

Au XIIIe siècle, les Nan Chao tombèrent à leur tour sous la domination des Mongols, ce qui obligea les hordes d'immigrants Nan Chao à s'unir aux tribus taï du nord de la Thaïlande. Les peuples taï adoptèrent de nombreuses techniques militaires mongoles, ce qui, aidés de leur supériorité en termes d'organisation, leur permit de soumettre les Khmers à leur domination. Le royaume indépendant de Sukhothai fut fondé en 1238.

LA PÉRIODE SUKHOTHAI

À cette époque, le peuple taï était connu sous le nom de Thaï. Les Thaïs appelaient cette région le royaume de Sukhothai, tandis que les Chinois l'appelaient le Siam et nommaient ses habitants les Siamois.

Ces dénominations furent adoptées par d'autres étrangers.

Les souverains du Sukhothai donnaient à cette période le nom d'« aube du bonheur », et elle est souvent considérée comme l'âge d'or de l'histoire thaïlandaise. Elle passait pour représenter l'état idéal d'une terre d'abondance gouvernée par des rois paternels et bienveillants. L'une des plus importantes découvertes archéologiques illustrant cette vision des choses est une tablette sur laquelle sont gravés ces mots :

Ce Sukhothai est bon :
Dans l'eau, il y a du poisson
Dans les champs, il y a du riz
Quiconque veut commercer
Peut commercer
Le roi ne profite pas
De ses sujets
Leur visage
Rayonne de bonheur
C'est cela, la prospérité.

Le plus célèbre des rois du Sukhothai fut Rama Kamheng le Fort, à qui l'on attribue l'invention du premier alphabet thaï. Son règne vit aussi la naissance du commerce international.

Le royaume du Sukhothai prospéra jusqu'en 1350, époque à laquelle un dirigeant Môn, Ramadhipoti, partit vers le sud et fonda le royaume d'Ayuthia. La puissance d'Ayuthia s'étendit peu à peu, aboutissant à la conquête de la capitale khmère d'Angkor et à l'assujettissement du royaume de Sukhothai.

LA PÉRIODE AYUTHIA

Les monarques d'Ayuthia absorbèrent d'emblée les influences culturelles khmères. À l'inverse des rois paternels et accessibles du Sukhothai, les souverains d'Ayuthia étaient des monarques absolus et portaient le titre de *devaraja* (roi-dieu).

Durant la première partie de cette période, Ayuthia étendit sa souveraineté sur les principautés thaïes les plus proches et entra en conflit avec ses voisins. En 1767, des envahisseurs birmans réussirent à prendre Ayuthia.

Cependant, malgré leur victoire écrasante, les Birmans ne gardèrent pas longtemps le contrôle du royaume. Un jeune général appelé Phya Taksin, et ses partisans se réfugièrent à Chanthaburi. Sept mois à peine après la chute d'Ayuthia, Taksin et ses hommes revinrent en bateau vers la capitale, chassèrent les Birmans et reprirent le contrôle du royaume.

Ci-dessus – *Une statue du Bouddha trône parmi les ruines de Wat Mahathat à Sukhothai, la première capitale thaïlandaise.*

LA PÉRIODE THONBURI

Après cette victoire, le général Taksin s'autoproclama roi et établit sa capitale à Thonburi – plus proche de la mer – afin de faciliter les échanges avec l'étranger, l'arrivée d'armes, ainsi que la défense et la retraite en cas de nouvelles attaques des Birmans. Cependant, l'absence d'autorité centrale depuis la chute d'Ayuthia conduisit à la désintégration du royaume, et Taksin passa l'essentiel de son règne à essayer de réunifier les provinces.

LA PÉRIODE RATTANAKOSIN

En 1782, après la mort du général Taksin, le général Phya Chakri couronné sous le nom de Rama Ier, devint le premier roi de la dynastie des Chakri. Son premier geste fut de transférer la capitale royale de Thonburi à Bangkok (qui s'appelait à l'origine Krung Rattanakosin), de l'autre côté du fleuve, et d'y faire construire son palais royal. Phra Bouddha Lertlah, Rama II (1809-1824) poursuivit l'œuvre de son prédécesseur.

Le roi Phra Nang Klao, Rama III (1824-1851), rétablit les relations avec les nations occidentales et développa les échanges avec la Chine. Mongkut, Rama IV (1851-1868), conclut des traités avec certains pays européens, évita la colonisation et créa la Thaïlande moderne. Il fut à l'origine de nombreuses réformes économiques et sociales. Chulalongkorn, Rama V (1868-1910), poursuivit les réformes entreprises par son père, abolissant l'esclavage et améliorant le bien-être du peuple ainsi que le système administratif. Vajiravudh, Rama VI (1910-1925), introduisit la scolarisation obligatoire et initia d'autres réformes dans le domaine de l'éducation.

Pendant le règne de Prajadhipok, Rama VII (1925-1935), la monarchie absolue se transforma en monarchie constitutionnelle. Le roi abdiqua en 1935 ; son neveu, Ananda Mahidol, Rama VIII (1935-1946), lui succéda. En 1939, le nom du pays change – le Siam devient la Thaïlande –, marquant l'avènement d'un gouvernement démocratique. Le roi Bhumibol, Rama IX, accède au trône en 1946.

LES TRADITIONS

Ci-contre – *Des moines prient, leurs pieds repliés sous eux afin d'éviter qu'ils ne pointent vers la statue du Bouddha.*

Le comportement social des Thaïlandais à l'égard du costume, de la religion et de l'autorité tend à être plus conservateur que celui des Occidentaux. Les coutumes et l'étiquette thaïlandaises sont intimement liées aux fondements bouddhistes et aux enseignements qui en découlent. Les Thaïlandais ont une religion très douce qui influe sur leur comportement et leur manière de vivre. La société thaïlandaise n'aime ni les confrontations ni les éclats, les dissensions publiques étant considérées comme une marque de faiblesse et d'absence de contrôle de soi.

Les Thaïlandais sont très polis et s'attendent à une attitude courtoise en retour. Toute manifestation de colère envers un Thaïlandais l'embarrassera et ne l'incitera guère à se montrer conciliant. Même si les Thaïlandais sont en général très tolérants, il est essentiel de respecter leurs coutumes afin d'éviter tout malentendu.

SE MONTRER RESPECTUEUX

Les visiteurs étrangers doivent s'efforcer de s'habiller de façon correcte, car les Thaïlandais trouvent indécents les vêtements qui dévoilent trop le corps (robes courtes, épaules nues et shorts). Dans les temples, il faut porter un pantalon ou une jupe longue et avoir les épaules couvertes ; l'accès est interdit aux personnes habillées de façon jugée indécente. Il faut toujours se déchausser pour pénétrer dans un temple.

Dans la culture thaïlandaise, la tête est considérée comme la partie la plus sacrée du corps. C'est pourquoi il est très mal vu de la toucher. Les Thaïlandais sont choqués lorsque quelqu'un leur donne une tape amicale sur la tête ou se tient penché au-dessus d'une personne plus âgée et plus sage que lui, une telle posture impliquant une supériorité sociale.

Les pieds sont la partie la moins sacrée du corps. Quand on s'assied par terre, il faut éviter d'avoir les pieds pointés vers une autre personne, car c'est insultant. Il faut aussi éviter de les pointer vers une effigie religieuse ou un autel. C'est pourquoi la plupart des Thaïlandais replient leurs pieds sous eux lorsqu'ils sont assis par terre.

Toucher quelqu'un revient à empiéter sur son espace intime, aussi la poignée de main n'existe-t-elle pas en Thaïlande. Le salut traditionnel thaïlandais est le *wai* : on joint les mains et on les élève vers le visage tout en inclinant légèrement la tête. Pour saluer les moines, les dignitaires ou les personnes de haut rang, on doit élever les mains jusqu'au niveau du nez. Les enfants se contentent d'incliner la tête, le *wai* étant considéré comme déplacé de leur part. Le *wai* est un geste très utile pour les visiteurs qui ne connaissent pas l'étiquette thaïe. Si vous avez l'impression d'avoir offensé quelqu'un, faites le *wai* dans sa direction pour obtenir son pardon.

Les démonstrations publiques d'affection entre hommes et femmes sont également peu admises. Vous verrez parfois les couples se tenir la main, mais les gens bien élevés ne vont jamais plus loin.

Ci-contre – *Une jeune femme joint ses mains et baisse la tête pour le* wai, *salut thaï traditionnel.*

LES RÉGIONS

La Thaïlande se partage en quatre régions géographiques distinctes – le Nord, le Nord-Est, le Centre et le Sud – ayant chacune leurs propres caractéristiques.

LE NORD

Ayant des frontières communes avec le Myanmar et le Laos et étant caractérisé par des montagnes boisées et des vallées fertiles, le nord de la Thaïlande se situe dans le célèbre Triangle d'or. La région n'a vraiment été intégrée au reste de la Thaïlande qu'au cours des cent dernières années et, pour les tribus montagnardes, cette intégration est encore en cours.

Le Nord abrite de nombreuses tribus ; les mieux connues sont les Karens, les Akkhas, les Lisu, les Yaos, les Méos, les Lahu et les Hmongs. Chaque tribu a sa propre culture, son propre dialecte et son propre costume. Autrefois, les membres de ces tribus gagnaient leur vie grâce à la culture de l'opium, mais aujourd'hui ils cultivent des fraises, des pêches, des pommes de terre et des arbres fruitiers. Ils sont renommés pour leur artisanat, notamment pour leurs tissus colorés et leurs bijoux en argent ; leurs villages sont devenus des attractions touristiques.

LE NORD-EST

Cette région est un haut plateau semi-aride, consacré principalement à l'élevage et à la culture du maïs et du riz. C'est la région la moins développée et la plus pauvre du pays, mais elle comporte des paysages d'une beauté spectaculaire – montagnes boisées, parcs nationaux et terres arables vallonnées. Appelée *I-San* par les Thaïlandais, elle est bordée au nord et à l'est par le fleuve Mékong et par le Laos, au sud par le Cambodge. Beaucoup de résidents du nord-est de la Thaïlande appartiennent à l'ethnie des Laotiens.

LE CENTRE

Cette région fertile, en grande partie plate, s'étend des montagnes occidentales qui forment la frontière avec le Myanmar jusqu'au plateau oriental. Son prolongement vers le nord est le Nakhon Sawan, où les fleuves Ping, Wang, Nan et Yom s'unissent pour former le Chao Phraya (le fleuve des Rois), qui traverse le pays jusqu'à Bangkok avant de se jeter dans le golfe de Thaïlande. Cette partie du pays s'étire entre les montagnes occidentales jusqu'au golfe de Thaïlande et est riche en sites historiques ; c'est là que se trouve Bangkok, la capitale et le principal point d'accès au pays.

Le fleuve Chao Phraya irrigue la plaine centrale qui est la première région productrice de riz du pays et qui fournit une importante proportion des réserves mondiales. C'est de là que viennent les riz les plus parfumés. Le Chao Phraya, principale artère du pays, alimente un réseau complexe de canaux qui irriguent des vergers florissants et des jardins potagers. Ce fleuve accueille des marchés flottants et permet une vie fluviale sans équivalent. C'est dans la plaine centrale que l'on produit les meilleurs fruits et légumes du pays, notamment les durians, les mangues, les goyaves, les pomelos, les papayes, les choux, les champignons, les concombres et les potirons.

LE SUD

Géographiquement, le sud de la Thaïlande s'étend sur tout l'isthme de Kra depuis Chumphon, au sud de Bangkok, jusqu'à la frontière malaise, avec le golfe de Thaïlande à l'est et la mer des Andamans à l'ouest. Cette région est plutôt montagneuse, avec de riches gisements minéraux. Une jungle luxuriante couvre les montagnes calcaires rocailleuses nourries de pluies qui tombent pendant huit mois de l'année. Le Sud possède aussi des plantations de caoutchoucs et de cocotiers, des parcs nationaux, des montagnes boisées, des cascades et des cités historiques. Il comprend aussi des îles tropicales aux plages bordées de palmiers.

Ci-dessous – *Les nombreux cours d'eau du centre de la Thaïlande sont à l'origine d'un mode de vie fluvial : la plupart des voyages, transports et échanges s'effectuent par voie d'eau.*

LA GASTRONOMIE THAÏLANDAISE

Utilisant des ingrédients simples d'excellente qualité, la cuisine thaïlandaise repose sur cinq saveurs fondamentales qui se retrouvent dans des proportions variables pour produire une merveilleuse diversité de mets. Tout en employant ces cinq saveurs de base, les cuisines régionales possèdent leurs propres caractéristiques et offrent un grand nombre de spécialités locales. La tradition du Palais royal joue aussi un rôle important dans la préparation des plats, notamment en ce qui concerne leur présentation, toujours très soignée.

LES CINQ SAVEURS

Les cinq saveurs de base de la cuisine thaïlandaise sont le salé, le sucré, l'acidulé, l'amer et l'épicé. Toute la gastronomie repose sur de subtiles différences de proportions, afin de varier les goûts à l'infini.

Le salé

Cette saveur renforce et fait ressortir le goût des autres ingrédients. En général, elle n'est pas utilisée sous forme de sel de table, mais d'ingrédients salés. L'un des plus répandus est le *nam pla,* sauce à base de poisson fermenté, tandis que le *kapi,* pâte de crevettes salée, donne un goût caractéristique aux mets. Parmi les autres condiments servant à donner une saveur salée aux plats thaïlandais, on citera la sauce à l'huître thaïlandaise (plus douce et plus « huîtrée » que son équivalent chinois) ; la sauce de soja légère ; la sauce de haricots jaunes claire ou foncée ; les crevettes ou poissons séchés (que l'on peut moudre pour les ajouter aux soupes ou aux salades) ; les prunes salées ; les légumes en conserve salés comme le chou ou le daikon.

Le sucré

La nourriture thaïlandaise est en général légèrement sucrée. Aux plats salés on ajoute souvent des ingrédients sucrés, tels le sucre de palme et le sucre de coco, pour faire ressortir le goût des herbes et des épices. Parmi les autres agents édulcorants courants, citons la sauce de soja noire, que l'on obtient en faisant fermenter de la sauce de soja à l'aide de mélasse, les condiments à l'ail et le sirop de riz brun. On emploie aussi parfois du miel.

L'acidulé

Le jus de citron vert est l'un des condiments acidulés les plus courants, car non seulement il donne un goût acide mais il fait aussi ressortir les autres saveurs. Le tamarin acide, souvent vendu sous le nom de tamarin mouillé, donne également un goût acidulé aux aliments. Ces deux ingrédients attendrissent la viande et le poisson. Différents vinaigres, comme le vinaigre de coco, le vinaigre blanc distillé ou le vinaigre de riz, moins acide, apportent un goût acidulé aux aliments.

L'amer

L'amertume des plats thaïlandais est due aux herbes et aux légumes vert foncé. Comme ce sont souvent les principaux ingrédients des recettes, leur amertume doit être contrebalancée en ajustant les quatre autres saveurs de base.

L'épicé

Bien que la cuisine thaïlandaise ait la réputation d'être très épicée, il existe des plats qui le sont moins. Cependant, les Thaïlandais supportent bien les mets épicés y étant habitués dès l'enfance. Le principal ingrédient épicé est le piment, vendu frais, séché, en pâtes et en sauces *(priks).* Avant l'introduction du piment en Thaïlande, on se servait de grains de poivre, qui sont encore utilisés, pour épicer les aliments. Le gingembre, l'oignon et l'ail peuvent aussi servir à relever les plats.

À table, divers condiments à base de piment – piments séchés écrasés et pâte de piment – permettent aux convives d'assaisonner les mets à leur goût.

Ci-contre – *Une cuisinière thaïlandaise prépare un plat frit traditionnel.*

Ci-contre – *Dans tout le Sud, les villages côtiers vivent essentiellement du produit de la pêche.*

La cuisine du Nord-Est est généralement très relevée et recourt davantage au piment que celle des autres régions. Elle trahit également une influence laotienne prononcée. À l'occasion des fêtes, on sert un plat traditionnel du Laos, le *khanom buang* – des crêpes croustillantes garnies de crevettes séchées et de germes de soja.

LA CUISINE DU CENTRE

La cuisine traditionnelle du Centre, notamment dans les villages isolés, est souvent plus ordinaire que celle des autres régions. Un plat typique consiste en riz mélangé avec des légumes frits, accompagné de poisson pêché dans la rivière la plus proche ou dans une rizière, et d'une salade d'œufs salés, de piments et de ciboule arrosée de jus de citron.

Cependant, à Bangkok, vous pourrez goûter les spécialités régionales de toute la Thaïlande. Cette ville est un véritable paradis pour les gourmets, avec d'innombrables cafés et restaurants, marchands ambulants et commerces flottants.

LA CUISINE DU SUD

Les poissons et les coquillages abondent dans le Sud, région presque entièrement entourée de rivages. De nombreux plats sont à base d'écrevisses, de crabes, de moules, de calmars, de crevettes et de coquilles Saint-Jacques. On peut les servir en soupe, les faire griller, les cuire à la vapeur ou encore les ajouter à un curry.

De nombreux pays et cultures ont influencé cette cuisine, avec une importante présence musulmane, comme le montre la gastronomie locale. Le curry à la Mussaman dénote une influence indienne, tandis que le satay vient d'Indonésie. Les spécialités de Songkhla et de l'île de Phuket, peuplée en majorité de Chinois, trahissent l'influence chinoise.

Les cocotiers poussent en abondance dans cette région, fournissant le lait qui permet d'épaissir les soupes et les currys ainsi que l'huile de friture. La noix de coco fraîche est utilisée tant pour les plats salés que sucrés. La région produit aussi des noix de cajou et des ananas. En général, la nourriture est extrêmement relevée.

LA CUISINE DU NORD

À la différence du reste de la Thaïlande, où l'on aime le riz jasmin, les septentrionaux préfèrent le riz gluant, que l'on peut rouler en boule et tremper dans des sauces et currys. Les currys sont en général légers du fait qu'il est difficile de se procurer le lait de coco utilisé dans les autres régions comme agent épaississant. Les plats tendent aussi à être moins relevés qu'ailleurs. Parmi les ingrédients originaux utilisés dans le Nord, citons la viande de buffle et les coléoptères géants.

L'influence du Myanmar et du Laos est perceptible dans de nombreux plats du Nord. Le traditionnel curry de poulet et de nouilles, le *koi soi,* et le fameux gaeng *hong lae* (curry de porc) viennent de Birmanie. Le *nam prik nuum,* une sauce fumée moyennement relevée servie avec le poisson d'eau douce poché et le porc frit croustillant, trahit l'influence laotienne. Le repas *kantoke* est une tradition (*kan* signifie bol). Les convives s'assoient par terre autour d'une table basse et se servent dans les différents plats qui sont constamment remplacés par l'hôte ou l'hôtesse.

LA CUISINE DU NORD-EST

Les Thaïlandais du Nord-Est aiment les nourritures insolites. Parmi les mets prisés, citons les œufs de fourmis, les asticots, les sauterelles, le curry d'escargot et le poisson fermenté. Même si beaucoup de Thaïlandais affichent une sorte de mépris pour les goûts aventureux du Nord-Est, les restaurants de Bangkok servent des spécialités de cette région, tels le *som tam* (salade de papaye verte), le *laap,* plat épicé à base de viande crue émincée, et le *haw mok plat,* crème de poisson cuit à la vapeur dans des feuilles de bananier.

LA TRADITION DU PALAIS ROYAL

La tradition qui consiste à décorer et à bien présenter les aliments vient de la cour du Grand Palais à Bangkok. Derrière les murs du palais intérieur vivait une importante communauté féminine qui était presque totalement coupée du monde extérieur. Les nobles rivalisaient pour faire entrer leurs filles au palais, où elles apprenaient à diriger une maison, à tenir un ménage et à développer des talents susceptibles d'impressionner un mari potentiel. La préparation des aliments constituait l'essentiel de leur formation. On accordait une égale importance au goût et à la présentation. De nombreuses heures étaient consacrées à la préparation culinaire et à la présentation de chaque plat.

L'un des savoir-faire les plus impressionnants transmis de génération en génération était la sculpture des fruits et légumes. Les femmes apprenaient à transformer divers fruits et légumes en créations artistiques élaborées. Les grosses pastèques comme les plus petits piments se métamorphosaient sous leurs doigts en fleurs magnifiques, tandis que les potirons et les racines de gingembre devenaient des motifs abstraits compliqués ou de ravissants oiseaux.

À mesure que le temps passait et que les comportements évoluaient, le Grand Palais changea, et l'environnement polygame fut finalement aboli sous le règne du roi Rama VI. Cependant, beaucoup des femmes qui vivaient au palais répugnèrent à aller vivre ailleurs, et l'une d'elles au moins y résida jusqu'en 1960.

Ce qui était jadis une cité à l'intérieur de la cité, avec ses rues, ses maisons, ses lacs artificiels et ses boutiques, n'est plus aujourd'hui qu'un fantôme coupé du monde extérieur. Mais certaines des anciennes femmes du palais qui sont encore en vie continuent de venir s'asseoir chaque jour dans ses jardins.

Malgré les changements survenus à l'intérieur du palais, beaucoup de ses traditions sont toujours perpétuées à l'extérieur de ses murs. L'art de sculpter les fruits et les légumes continue de symboliser la bonne chère dans tout le pays, et les recettes qui y furent inventées et perfectionnées se retrouvent aujourd'hui sous diverses formes sur les tables thaïlandaises.

L'une des recettes du palais les plus remarquables est le *foi thong,* mélange de jaune d'œuf et de sucre dont on fait des fils dorés. Parmi les autres mets traditionnels, citons le *look choop,* mélange de pâte de haricots et de lait de coco moulé en forme de fruits, et le *mae grob,* plat salé à base de nouilles de riz croustillantes et de crevettes arrosées d'une sauce aigre-douce.

L'art des décorations florales est une autre tradition du Palais royal qui a survécu jusqu'à nos jours. Cet art consiste à enfiler des fleurs colorées et parfumées pour en faire d'élégantes couronnes et guirlandes. Elles symbolisent aujourd'hui l'élégance et le raffinement, et on les retrouve dans toute la Thaïlande, notamment à Bangkok, où elles servent souvent à décorer les restaurants, les boutiques et les demeures privées.

Ci-contre – *Le Palais royal, à Bangkok, abritait une immense communauté féminine qui étudiait et perfectionnait l'art de présenter les mets.*

MANGER À LA MODE THAÏLANDAISE

Pour les Thaïlandais, manger est toujours un plaisir et constitue l'un des aspects importants de la vie quotidienne. Le déjeuner peut consister en un bol de soupe aux nouilles acheté à l'un des nombreux marchands ambulants et avalé rapidement, mais on peut aussi le prendre chez soi, en famille. Quels que soient les plats, les repas sont toujours un agréable moment de détente.

À la maison, les repas, à base de riz *(khao),* sont généralement pris en commun. En thaïlandais, « manger » se dit *kin khao* (« manger du riz »). Le plus souvent un bol de riz est posé au milieu de la table et le reste des plats et les condiments sont disposés autour. Il est poli de commencer le repas en prenant une cuillerée de riz qui symbolise l'importance de cette céréale dans la culture et le mode de vie thaïlandais.

L'hôte ou l'hôtesse se sert du riz en premier avant d'en offrir aux autres convives. Il est essentiel de ne prendre que de petites portions de chaque plat. Une fois le repas terminé, il doit toujours rester de la nourriture dans les assiettes et dans le plat de service, ce qui est une façon de rendre hommage à la générosité de l'hôte ou de l'hôtesse.

L'influence bouddhiste est évidente dans la façon thaïlandaise de servir les repas. Ils ne doivent jamais être proposés en grande quantité. Par conséquent, les aliments, coupés en petites bouchées ou en lanières, sont offerts d'une façon qui semble parcimonieuse.

Les aliments étant déjà coupés, le couteau est inutile. On mange avec une cuillère et une fourchette. Celle-ci, que l'on tient dans la main gauche, permet de pousser la nourriture dans la cuillère, que l'on porte à la bouche. Il est impoli d'y porter la fourchette. On n'utilise des baguettes que pour manger des nouilles à la chinoise. Dans les territoires du Nord, on fait des boulettes avec le riz gluant et on le mange avec la main droite – les Thaïlandais affirment qu'il est meilleur ainsi. Il est très grossier de se lécher les doigts et de se moucher à table.

LES REPAS TRADITIONNELS

Les repas sont généralement informels, et il n'existe pas de règles fixes concernant les horaires. On distingue les plats salés et les plats sucrés, mais à l'intérieur de ces deux catégories tous les plats sont présentés en même temps. Les convives se servent dans un ordre indifférent.

Le principal repas est en général le dernier de la journée. Le repas traditionnel comprend plusieurs plats servis dès qu'ils sont cuits. Le riz à la vapeur s'accompagne souvent d'une soupe claire (que l'on peut manger au début ou à la fin du repas), d'un plat cuit à la vapeur, d'un plat frit, d'une salade et d'une sauce relevée comme le *kruang jim,* le *nam pla* ou le *nam prik.* Les condiments incluent des piments séchés écrasés, des piments frais hachés, des condiments à l'ail, du concombre, des tomates et des ciboules.

Après le plat principal, on sert des fruits frais et un dessert. Les desserts thaïlandais sont très différents des desserts occidentaux. Généralement à base de fruits ou de noix de coco, de riz et de farine, ils sont souvent très sucrés, avec une saveur délicatement parfumée.

Ci-dessus – *Une femme thaïlandaise déguste un bol de riz sur un marché fluvial.*

Lors des grandes occasions comme les fêtes ou les mariages, les plats sucrés sont plus élaborés et incluent du *foi thang* (des fils de sucre dorés) ou du *takaw* (tapioca, farine, sucre et noix de coco) servi dans des feuilles de bananier.

Bien entendu, en temps ordinaire, les Thaïlandais mangent moins. Pour le petit déjeuner, ils peuvent prendre du *khao tom,* c'est-à-dire du riz cuit dans deux fois son volume d'eau, qui a la consistance d'une soupe similaire à celle du *congee* chinois. Ce plat de riz peut être agrémenté de petits morceaux de poulet, de porc ou de poisson cuits ou être servi nature, accompagné d'œufs, de sel et de cornichons. Le déjeuner est un repas léger composé de nouilles ou de riz frit. Le dîner est toujours le repas le plus substantiel de la journée, mais il se présente comme une version beaucoup plus modeste du repas traditionnel.

LA CUISINE DES RUES

Ci-dessus – *Un marchand ambulant prépare une collation pour une cliente sur un brasero posé dans l'un des paniers de son* hahp.

Où que vous soyez en Thaïlande, vous rencontrerez inévitablement les fameux marchands ambulants, bruyants et dynamiques, qui préparent les plats et les font cuire dans la rue, sur les cours d'eau et au marché. Les mets proposés varient autant que le terrain et la culture, et cette cuisine des rues est réputée fraîche et savoureuse. Elle fait partie du mode de vie thaïlandais, et tous l'apprécient, indépendamment du statut social et des revenus.

Flâner dans les rues thaïlandaises met tous les sens en éveil. Les marchands ambulants vantent leurs produits d'une voix retentissante, frappant des pots de métal avec des cuillères, agitant des cloches, faisant résonner des gongs et criant les noms des aliments exotiques, tandis que des arômes alléchants s'échappent de leurs woks et autres ustensiles.

En Thaïlande, le vacarme que font les marchands ambulants est aussi familier que le klaxon des automobilistes. Ce qui rend leur cuisine si attrayante, c'est la rapidité de sa préparation, la fraîcheur des ingrédients employés et son faible coût. De nombreux politiciens ont essayé d'interdire cette activité sous prétexte de problèmes d'hygiène et d'encombrement des rues, mais cette cuisine fait tellement partie de la tradition et de la culture thaïlandaises que leurs efforts sont restés vains.

LES ÉTALS DES MARCHANDS AMBULANTS

Il existe en Thaïlande une incroyable diversité de petits restaurants ambulants, depuis les simples étals et les braseros jusqu'aux trolleys et aux bicyclettes. Ces étals de fortune sont souvent des affaires familiales. Le plus courant et le plus élémentaire est le *hahp,* un bâton de bambou aux extrémités duquel sont accrochés des paniers que le marchand utilise pour porter les ingrédients ainsi que les ustensiles de cuisine et le brasero. Il pose le bambou en équilibre sur son épaule, ce qui lui permet de se faufiler le long des ruelles étroites et de se mouvoir aisément sur les bateaux qui vont et viennent sur les cours d'eau.

Après le *hahp* viennent la charrette ou trolley, puis des étals plus fixes installés sous des auvents au bord des routes ou dans les marchés nocturnes. Ces étals sont équipés de tables et de chaises et offrent des repas plus substantiels.

Autrefois, le commerce fluvial était très chic. Aujourd'hui, dans les endroits où le réseau fluvial est développé, comme l'ancienne capitale Ayuthia, on voit de nombreux *gueyteow rua* (des bateaux nouilles).

Les marchands, notamment ceux qui ont des étals très rudimentaires, peuvent se spécialiser dans un plat particulier. Mais la nourriture est généralement variée, avec un goût très riche, les recettes se transmettant de génération en génération.

LES CASSE-CROÛTE ET COLLATIONS

Les Thaïlandais adorent les casse-croûte, et l'on en trouve d'excellents dans toutes les rues. Les fruits frais coupés en tranches comme le *sapparof* (ananas doux), le *ma-muang* (mangue verte aigre) et le *farang* (goyave croustillante) sont des en-cas répandus que l'on peut acheter enrobés de sucre, de sel ou de flocons de piment séché écrasé.

Le *khao poot* (maïs) est un snack très courant. Il est souvent préparé dans un cuit-vapeur en aluminium, et le client peut l'acheter en épi ou décortiqué et trempé dans l'eau salée. La cuisson à la vapeur peut être faite sur un brasero.

Les *salapao,* beignets de farine de riz farcis de viande de porc ou de pâte de soja sucrée et cuits à la vapeur, sont également très appréciés. Les marchands spécialisés dans ces *salapao* préparent également le *khanom jip,* crevettes ou viande de porc hachée enveloppées dans des *wonton.* Il est fréquent de voir des marchands de *salapao* passer le long des rues avec des side-cars remplis de ces délicieux beignets blancs.

Un autre snack très populaire est le *bah jang,* une mixture à base de riz collant et de cacahuètes mélangés avec de la viande de porc, des champignons, des saucisses chinoises ou des œufs salés. Le tout est enveloppé dans des feuilles de bananier attachées avec de la ficelle de paille et suspendues côte à côte le long des étals.

Ci-dessus – *Différentes brochettes sont exposées sur des feuilles de bananier, prêtes à être cuites sur le brasero.*

Ci-contre – *Ces carrioles aux vitrines regorgeant de fruits fraîchement préparés sont un spectacle courant en Thaïlande.*

Le Nord-Est est réputé pour ses snacks de sauterelles, d'asticots, d'œufs de fourmis et de poisson fermenté au goût puissant, qui sont un peu l'équivalent des cacahuètes ou des chips occidentales.

On peut aussi acheter des boissons rafraîchissantes comme le *ka-fe-dam yen* (café glacé) ou le *nam pol-lamai* (jus de fruits), vendues dans de petits sacs en plastique dont un coin est pourvu d'une boucle permettant de les porter, tandis que l'autre est troué de façon que l'on puisse y glisser une paille. On ajoute généralement une ou deux pincées de sel aux jus de fruits frais.

LES REPAS PRINCIPAUX

Comme c'est le cas pour l'ensemble de la cuisine thaïlandaise, la cuisine des rues trahit l'influence des pays voisins – riches sauces du Myanmar, poissons et coquillages de Malaisie et charcuteries du Laos. À Chiangmai, les autochtones mangent du *khanom jin* (nouilles et poisson épicé) ; dans le Nord-Est, on aime beaucoup le *gai yang* (poulet cuit sur un brasero et servi avec du riz gluant et de la salade de papaye verte).

L'un des plats des rues les plus appréciés est le *kuay tiao phad thai,* cuit dans des woks placés sur des charrettes aux parois garnies de flacons de sauces et d'assaisonnements. Pour préparer ce plat, on fait revenir des nouilles avec des crevettes, des œufs, des ciboules, des germes de soja et de l'ail, puis on ajoute différents ingrédients avant de parsemer le tout de cacahuètes écrasées. Le *kuay tiao nam gai,* autre plat très populaire similaire au *phad tai,* est servi avec du poulet rôti dans son bouillon et garni de coriandre fraîche.

LES DOUCEURS ET DESSERTS

Pour ceux qui aiment le sucre, les marchands ambulants vendent toutes sortes de friandises et de desserts, dont la plupart sont préparés artisanalement. On trouve toute une gamme de douceurs, depuis le sucre de canne au *kluay ping* (bananes trempées dans le miel) en passant par le *khan korea* (dessert à base de noix de coco cuit au charbon de bois dans des récipients d'argile) et le *sangkaya fuk thong* (crème de potiron cuite à la vapeur).

LES MARCHÉS

Toutes les villes et zones rurales de Thaïlande ont leur marché, bruyant, coloré, pittoresque, où l'on trouve de tout, depuis les produits frais, les fleurs et les snacks jusqu'aux vêtements et aux animaux exotiques. Ces marchés sont au cœur de la vie thaïlandaise et constituent un spectacle inoubliable pour les visiteurs étrangers.

LES PRODUITS FRAIS

Avec leurs étals surchargés, les marchés thaïlandais bordent souvent des rues étroites. L'atmosphère animée et intense d'un marché thaïlandais rend impossible l'idée même de n'y passer qu'un court moment, tant l'on est très vite pris dans une foule compacte.

Se promener dans les marchés prend du temps. Ils se présentent souvent comme un mélange éclectique d'étals de marchands ambulants, de récipients aux couleurs vives débordant d'herbes et d'épices fraîches, et d'hommes et de femmes en train de bavarder, penchés sur des bols fumants posés sur de petites tables en Formica.

Vous y découvrirez sans doute des produits et des articles qui vous sont inconnus, mais les marchands se feront une joie de vous donner les explications nécessaires avec force mimiques. Laissez vos sens absorber les couleurs et les parfums des produits extraordinaires qui vous sont proposés.

Il existe une étonnante variété de produits frais. Sur les étals des bouchers ou des vendeurs de snacks, vous serez surpris par les piles d'entrailles sanglantes et les rangées de poulets plumés, prêts pour la cuisson. Les fruits de mer abondent, et vous trouverez partout de grands bacs de crabes, de tortues et de poissons vivants. Des rangées de calmars sont accrochées par des pinces à linge au-dessus des étals, telles de vieilles décorations de Noël, desséchées et minces comme du papier.

L'un des marchés les plus renommés de Thaïlande est le marché flottant, situé dans l'ancienne capitale de Thonburi. On y trouve les mêmes produits qu'ailleurs, mais ici tous les étals sont flottants. Chaque matin, aux premières lueurs de l'aube, les fermiers des environs rament jusqu'à la ville pour vendre leurs fruits et légumes. Leurs petits bateaux plats, très bas, grincent sous le poids des piles d'aliments frais. La couleur vive et la succulence des tiges et des feuilles ne peuvent s'expliquer que par la rapidité avec laquelle ces denrées ont été acheminées. Parmi les autres marchandises proposées au chaland, on trouve des vêtements, des boissons fraîches et des plats chauds. On ne peut accéder au marché qu'en bateau.

Le marché aux fleurs, près du Grand Palais de Bangkok, est un véritable festival de parfums et de couleurs. Il s'agit d'un marché en gros destiné aux fleuristes et aux fabricants de guirlandes qui chaque jour viennent s'approvisionner en fleurs fraîches.

Les fleurs jouent un rôle essentiel dans la culture thaïlandaise. On en fait des bouquets et des guirlandes destinés à décorer les demeures et les autels. On offre souvent des guirlandes aux invités des cérémonies de mariage et aux personnalités importantes en témoignage de gratitude et de respect. On utilise également de grosses guirlandes à l'occasion des funérailles et des crémations.

Le marché aux fleurs de Bangkok est une fête pour les yeux ; on y trouve toutes sortes de fleurs exotiques aux couleurs éclatantes, ou des bouquets et des guirlandes sophistiqués, confectionnés sous les yeux des badauds par des marchands en train de bavarder entre eux avec animation.

Ci-dessus – *Étals chargés de guirlandes colorées et parfumées – un spectacle courant en Thaïlande.*

Ci-dessous – *Les marchés flottants de Bangkok offrent un spectacle splendide, riche en couleurs, en sons et en arômes.*

Quand on achète des plats ou des produits frais au marché, il n'est pas nécessaire de marchander. Les quantités sont indiquées soit en valeur monétaire, par exemple en demandant pour « dix baht » de tel ou tel produit, soit en utilisant la mesure thaïlandaise, la poignée. Les quantités sont pesées sur des balances portables ou sur de grosses balances fixes.

Les denrées fraîches comme les fruits et légumes ou la viande et le poisson crus sont généralement emballés dans des sacs en plastique, de même que les biscuits et les pâtisseries. Les jus de fruits frais et les sauces sont souvent servis dans des sacs en plastique fermés par un nœud.

LES AUTRES MARCHÉS

Outre les marchés où l'on vend des produits alimentaires, il existe des marchés où l'on peut acheter des vêtements, des animaux vivants, de la vaisselle ainsi que d'autres denrées.

Jatujak (Chatuchak) est l'un des plus célèbres de Thaïlande. Il ne s'adresse pas aux personnes pusillanimes, car on y trouve les marchandises les plus étranges. Situé à l'origine à Sanam Luang, il a été transféré au centre de Bangkok en 1982 pour décongestionner la ville. Il se situe aujourd'hui à côté du parc Jatujak, au bout de la ligne de métro aérienne, à dix minutes du centre-ville.

Jatujak est un marché du week-end, ce qui est idéal pour les amateurs d'antiquités et de brocante ou pour ceux qui cherchent de la soie, des vêtements et des livres d'occasion. C'est l'un des plus grands marchés d'Asie, et l'on peut passer des heures à parcourir ses enchevêtrements d'allées et de petites ruelles – un mélange insolite de maisons et d'étals installés au petit bonheur sous des auvents de toile.

Le coin des animaux offre un spectacle insolite, et c'est en grande partie à lui que Jatujak doit sa célébrité. L'on peut y voir toutes sortes de bêtes enfermées dans des cages, des tortues de mer ou d'eau douce aux rongeurs et aux serpents à sonnettes. Certains sont vendus comme animaux domestiques, tandis que d'autres sont voués à un sort funeste.

La Thaïlande possède aussi de nombreux marchés touristiques ouverts jour et nuit. L'un des plus réputés est le marché nocturne du district de Patpong, à Bangkok. Patpong est la capitale mondiale du sex-show, et les touristes y affluent pour assister aux spectacles les plus extraordinaires.

Le marché nocturne, situé sur la bande principale, est éclairé par les néons des boîtes de nuit et résonne des musiques de danse. L'atmosphère y est électrique. L'on y trouve toutes les contrefaçons possibles et imaginables – montres, vêtements, sacs à main et bijoux.

Dans ces marchés, non seulement on peut marchander, mais le faire est de mise. Les vendeurs abordent les visiteurs qui regardent leurs denrées avec une calculette, montrent le prix initial et tendent la calculette au client qui à son tour tape le prix qu'il est prêt à payer. La calculette passe de main en main jusqu'à ce que l'on parvienne à un accord. Les Thaïlandais adorent ces tractations, et les choses se passent en général dans la bonne humeur.

Ci-dessous – *Un marchand expose ses produits dans l'un des nombreux marchés de rue.*

LES FÊTES ET CÉLÉBRATIONS

Le bouddhisme Theravada est la religion dominante en Thaïlande, et il exerce une grande influence sur la culture et le mode de vie des Thaïlandais. Cette influence est manifeste dans les nombreuses fêtes et célébrations du calendrier, ainsi que dans les plats dégustés à ces occasions.

Les moines bouddhistes n'ont le droit d'accepter en guise de cadeaux et donations que de la nourriture. Aussi la tradition consistant à leur offrir des aliments est-elle devenue partie intégrante de la plupart des cérémonies et célébrations. Les plats sont toujours préparés avec soin et incluent du riz fraîchement cuit, divers mets salés, des fruits frais et des desserts.

Les noms des nombreux desserts traditionnels reflètent cette culture de l'offrande et sont destinés à souhaiter aux destinataires chance et prospérité. Le *khanom chan* est un dessert composé de plusieurs couches superposées qui symbolisent les divers niveaux de réussite dans le travail ; *khanom mong koot* signifie « succès dans le domaine professionnel » ; et le nom du *kha noon,* un dessert à base de graines de jacque, signifie « soutien constant dans les affaires ».

L'or *(thong)* est un autre thème récurrent dans les desserts festifs. Les noms *thong yib, thong yod, foy thong, thong ex, thong plu, thong prong* et *thong muan* souhaitent tous de l'or aux destinataires de ces desserts.

Les innombrables fêtes et événements inscrits au calendrier ont des origines très variées. Les uns ont un caractère religieux, les autres sont d'origine agricole, d'autres enfin rendent hommage à la monarchie. Les caractéristiques de ces fêtes varient suivant leur signification. Beaucoup ont lieu à des dates fixes, mais le jour de la célébration des fêtes religieuses varie chaque année selon le calendrier lunaire.

Les fêtes nationales s'articulent autour de deux thèmes principaux : la fraîcheur des débuts et l'issue d'un problème ou la fin d'un péché. Ces célébrations servent de prétexte à des rassemblements en famille ou entre amis autour du repas traditionnel. Certaines fêtes donnent lieu à un grand déploiement de décorations pittoresques et à des processions et divertissements, tandis que d'autres sont plus austères et plus modestes, en particulier celles qui sont dédiées au souvenir ou à la reconnaissance des mérites.

Le goût des Thaïlandais pour les divertissements et les fêtes est contagieux, et l'on est souvent témoin de comportements débridés. La nourriture joue un rôle important dans ces réjouissances autour de repas traditionnels à la présentation soignée. Les marchands ambulants participent à ces rassemblements, offrant des mets plus délicieux les uns que les autres. Au moment des fêtes nationales traditionnelles comme le *Songkran,* la bière Singha et l'infect whisky thaïlandais coulent à flots. On sert aussi du *Ya dong,* un alcool clandestin, et de nombreux alcools à base d'écorces, d'herbes, de racines et même de sang de serpent.

L'ORDINATION

L'ordination bouddhiste est considérée comme un point de passage obligé pour

Ci-contre – *Des moines en tunique orangée se rassemblent devant un temple de Bangkok pour recevoir l'aumône des bouddhistes thaïlandais.*

tous les jeunes hommes thaïlandais. Elle ne les engage pas à vie et peut être pratiquée pour de brèves périodes ; le minimum est habituellement de trois mois.

Elle se pratique surtout dans les campagnes, où les jeunes gens de moins de vingt ans peuvent être ordonnés novices, tandis que ceux de plus de vingt ans peuvent être ordonnés moines à part entière. Les moines entrent dans un temple forestier pour étudier la méditation ou choisissent un cadre plus urbain pour étudier les écritures et doctrines bouddhistes.

L'une des cérémonies d'ordination les plus spectaculaires est le *Poi Sang Long,* qui se déroule à Mae Hong Son, dans le nord de la Thaïlande. Les célébrations durent trois jours, avec une procession pittoresque où on porte des offrandes de nourriture, de bougies et d'encens.

DANSES ET SPECTACLES

La Thaïlande a une grande tradition de théâtre et de danse, et ceux-ci jouent un rôle important dans les célébrations. Le type même de la danse classique est le *lakhon,* qui inclut le récit d'histoires folkloriques et la mise en scène de pièces de théâtre. On prétend qu'il existe plus de cent types de *lakhons,* originaires des diverses régions du pays. On pense que de nombreuses formes de danse sont inspirées des danses de cour khmère classiques issues de la tradition javanaise.

Les danseurs, généralement nu-pieds, portent des costumes somptueux souvent inspirés du costume de cour de l'époque d'Ayuthia. La danse elle-même est très statique, l'accent étant mis sur les mouvements des bras et des mains.

La forme la plus classique est le *lakhon nai* (théâtre de l'intérieur), qui était généralement interprété par les femmes du palais intérieur. Le *lakhon nok* (théâtre de l'extérieur), plus populaire, est plus spécifiquement associé aux foires des temples bouddhistes. Traditionnellement, seuls les hommes pouvaient danser le *lakhon nok,* mais aujourd'hui les femmes ont le droit d'interpréter des rôles masculins. Dans le sud de la Thaïlande, on continue de danser l'ancienne forme de *lakhon manora, nora* ou *chatri,* qui contient des influences malaises et indonésiennes.

LES FÊTES DU NOUVEL AN

Aujourd'hui, la nouvelle année est fêtée trois fois par an à des mois différents. La célébration internationale du 1er janvier est héritée de l'Occident, le nouvel an chinois tombe en février, et la célébration lunaire traditionnelle, le *Songkran* (également appelée *Trut*), a lieu en avril.

La fête du nouvel an thaïlandais, le 13 avril, dure trois jours. Les gens font des pèlerinages et s'entraînent à se montrer méritants dans les temples ou dans des endroits désignés, tout spécialement aménagés par le gouvernement. Les célébrations s'articulent autour de la préparation, de l'échange et du partage de la nourriture. Cette fête donne également lieu à des courses de bateaux et à des danses traditionnelles.

L'eau y joue un rôle important, symbole de purification et de renaissance ; on baigne des statues du Bouddha. On peut aussi assister à des divertissements comme le combat aquatique appelé *ofsat nam.* Le 13 avril, les rues grouillent d'enfants et d'adultes, qui dirigent missiles aquatiques et pistolets à eau vers les passants, à l'exception des moines et des policiers en uniforme.

LA FÊTE DE LA LUMIÈRE

La cérémonie du *Loy Krathong,* mieux connue sous le nom de fête de la Lumière, a lieu un soir de pleine lune, au mois de novembre. *Loy* signifie « flotter », et *krathong* « feuille/coupe ».

La fête commence avec la pleine lune. Les gens portent les *krathongs* (petits bateaux en feuilles de bananier enroulées en forme de lotus et qui contiennent des bougies, de l'encens et des pièces de monnaie) jusqu'au cours d'eau le plus proche. Après avoir allumé les bougies et les bâtons d'encens et prononcé une bénédiction, on pose les *krathongs* sur l'eau en offrande aux esprits et à la déesse de l'eau. Dans tout le pays, les cours d'eau sont illuminés par les milliers de ces minuscules « embarcations » qui dérivent. L'origine de cette fête est inconnue, même si beaucoup pensent que ces *krathongs* flottants symbolisent l'éloignement du malheur et du péché, qui s'écartent ainsi de leur « propriétaire » pour sombrer et disparaître dans les flots. Les amoureux essaient souvent de deviner l'avenir de leur idylle en mettant leurs *krathongs* à l'eau en même temps. Si les petits bateaux en feuille de bananier restent ensemble, cela signifie que leur idylle se transformera en une union heureuse et durable.

LA FÊTE DU MAKKHA PUJA

Également appelée fête du *Makkha Bucha,* cette fête a généralement lieu lors de la pleine lune du troisième cycle lunaire. Elle commémore le discours prononcé par Bouddha devant 1 250 moines éclairés qui étaient venus l'écouter sans avoir été convoqués. Dans tout le pays, elle donne lieu à des offrandes et à des chants qui culminent avec une marche autour des *wats* (temples).

LE PHI TA KHON

Cette fête a lieu dans le district Den Sai de Loei, à la frontière du Laos, au mois de juin ou de juillet. Elle fait partie des fêtes de mérite bouddhistes connues localement sous le nom de *Bun Pha Ves.* L'origine de cette célébration remonte à l'époque du prince Vessandor, l'avant-dernière incarnation du Bouddha. Selon la légende, ce prince était particulièrement généreux et charitable et aurait donné deux des plus beaux éléphants du village, au grand dam des villageois.

Ces derniers le chassèrent ; il emmena alors sa femme et ses enfants en pèlerinage dans une forêt voisine, où il donna ses deux rejetons à un pauvre mendiant afin qu'ils devinssent esclaves. Les fantômes et les esprits de la forêt furent tellement touchés par son geste que, lorsqu'il décida de retourner dans son village, ils formèrent une procession d'adieu en son honneur.

De nos jours, cette fête célèbre la dernière incarnation du Seigneur Bouddha et elle dure généralement deux jours. Les enfants, les danseurs et les acteurs mettent des masques grotesques faits avec des écorces de noix de coco, et ils dansent dans les rues en taquinant les badauds jusqu'au temple principal. Dans le passé, on jetait les masques dans le fleuve Man à la fin de la fête pour écarter les vrais fantômes ; de nos jours on les vend aux touristes comme souvenirs.

Ci-dessous – *Un bouddhiste porte des vêtements colorés à l'occasion de la fête du* Makkha Puja.

LES FÊTES DES MOISSONS ET DE L'ACTION DE GRÂCES

Les Thaïlandais tiennent à remercier la nature pour la nourriture qu'elle leur accorde, et il existe de nombreuses fêtes annuelles destinées à célébrer les produits de la terre et les changements de saison. On rend notamment hommage au riz, qui est à la base de l'alimentation thaïlandaise. On célèbre également les différents fruits et légumes à l'occasion de foires qui marquent l'arrivée des nouveaux produits saisonniers.

Le Bun Bung Fai

Avant les moissons, pendant la deuxième semaine de mai, le ciel du nord-est de la Thaïlande est illuminé par des milliers de feux d'artifice. C'est le *Bun Bung Fai,* la fête des fusées, qui marque le début des plantations dans les rizières et de la saison des labours. On envoie des fusées dans le ciel afin d'invoquer la pluie et d'obtenir de bonnes moissons pour la saison suivante.

Le *Bun Bung Fai* est l'occasion pour les agriculteurs et les travailleurs des rizières de se réunir pour s'amuser avant le début des plantations. Pendant la fête, ils ont accès à toutes sortes de divertissements, ce qui donne lieu à des pitreries enjouées mais permet aussi de perpétuer la tradition de l'hommage au mérite.

Les rues sont envahies par les chars de carnaval portant des fusées richement décorées destinées à être lancées dans le ciel. Le défilé sert de scène aux autochtones qui revêtent des costumes pittoresques. On voit danser des groupes de « garçons-femmes » magnifiquement vêtus et maquillés. Tout le monde mange et boit, et les rues fourmillent de marchands ambulants qui vendent des casse-croûte et des repas complets.

Ci-dessus – *Les noix de coco jouent un rôle essentiel dans la cuisine thaïlandaise et sont très présentes dans les nombreuses foires aux fruits.*

La cérémonie du Labour des rizières

Vers l'époque du *Bun Bung Fai* a lieu la cérémonie du Labour des rizières de Sanam Luang, à Bangkok, présidée par le roi ou un autre membre de la famille royale. Cette ancienne cérémonie brahmane a pour but de garantir de bonnes récoltes l'année suivante.

À un certain moment de la cérémonie, *Phraya Raek Na* – le gentilhomme fermier qui, aujourd'hui est généralement le secrétaire permanent du ministère de l'Agriculture – laboure une parcelle de terre non loin du palais afin de marquer le commencement de la saison. On offre aux vaches différents aliments, notamment de l'herbe, du riz, du maïs, des haricots, de l'alcool et de l'eau. Les aliments choisis par les bovins permettent de prédire le succès des moissons de l'année à venir.

La fête du Sart

Cet événement qui marque le début des moissons dans les rizières était à l'origine une fête brahmane célébrée en Inde à la fin du dixième mois lunaire. Aujourd'hui, on la célèbre dans le temple bouddhiste. En Thaïlande, le dixième mois lunaire ne correspond pas à l'époque des moissons, de sorte que les agriculteurs plantent un certain type de riz plat, le *khow mow,* que l'on peut récolter à cette époque de l'année. Le *khow mow* sert à préparer le *krayasart,* une friandise composée de riz et de cacahuètes que l'on mange accompagnée de petites bananes. On offre des *krayasart* aux moines pendant l'hommage au mérite avant de laisser les autres y goûter à leur tour.

Les fêtes régionales de la nourriture

En décembre, Chiangmai est le théâtre de nombreuses fêtes et foires agricoles. Entre le 8 et le 12 a lieu la fête du *Chiangmai,* qui rend hommage à l'art culinaire thaïlandais. Cette fête donne lieu à des démonstrations de sculpture sur fruits et glaces et à la préparation de différents desserts, ainsi qu'à des spectacles culturels. Plus de cent restaurants, boulangeries et marchands de denrées alimentaires dressent leurs étals sous le ciel nocturne pour vendre toutes sortes de spécialités locales peu coûteuses. D'alléchants gâteaux et friandises voisinent sur les étals à côté de plats locaux classiques comme le *phat thai* et la salade épicée nommée *som tam.*

Les foires aux fruits

Les fruits occupent une place presque aussi importante que le riz dans le régime alimentaire des Thaïlandais, ce dont témoignent les nombreuses foires aux fruits qui ont lieu dans tout le pays. Parfois les fêtes marquent simplement le début d'une nouvelle saison, mais certains fruits comme la mangue *(mamuang)* ont une signification plus profonde. On pense que le Bouddha reçut en présent un manguier au-dessous duquel il pouvait s'asseoir pour se reposer dans le calme et trouver du réconfort. Aussi la mangue jouit-elle d'un statut élevé chez les bouddhistes ; ce fruit vénéré n'est offert qu'aux personnes de grand mérite. Les Thaïlandais raffolent des mangues et les utilisent dans toutes sortes de plats comme le *yam mamuang,* une salade épicée faite avec des mangues vertes coupées en lanières. Les mangues vertes peuvent également servir à faire des chutneys et des condiments. La saison des mangues, qui commence en avril, ne dure que deux mois, aussi les Thaïlandais en profitent-ils au maximum.

Dans la province de Chanthaburi, au sud-est de la Thaïlande, de nombreuses foires annuelles sont organisées pour fêter la récolte des durians. Chanthaburi, capitale mondiale des durians, assure environ la moitié de la production thaïlandaise. Pendant la foire aux fruits, en juin, on peut en acheter jusqu'à cinq variétés différentes. On y trouve aussi des ramboutans, des jacques et des mangoustans. La fête, qui dure dix jours, commence par une parade dans les rues, avec de grands chars décorés de toutes sortes de fruits exotiques et colorés.

La Thaïlande est le théâtre d'une foule d'autres foires aux fruits régionales, depuis la fête du sucre de palme dans la province de Pisanulok, au début du mois de mai jusqu'à la fête des lychees dans les provinces de Phayao et de Chiang Rai.

Les foires du mois d'août fêtent la saison de la cueillette des longanes à Lamphun, dans le Nord, et des ramboutans à Surat Thani, dans le Sud. Ces foires donnent également lieu à des défilés de chars, à des spectacles traditionnels et à des cérémonies. À Surat Thani, le premier arbre à ramboutans a été planté en 1926, et aujourd'hui on mange des ramboutans dans toute la Thaïlande. La foire permet de promouvoir les produits locaux, avec des expositions de produits alimentaires et de plantes ornementales et des démonstrations de cueillette de noix de coco par des singes dressés.

Le festival végétarien

Ce festival a lieu en octobre dans l'île de Phuket, au sud de la Thaïlande. Il commence par un défilé de participants vêtus de blanc et par des spectacles pittoresques, notamment des danses de lions, des gens qui marchent pieds nus sur des charbons ardents et différents types de « piercing ». C'est une expérience unique et fascinante pour les végétariens comme pour les amateurs de viande.

Ci-contre – *On remercie la nature par des prières, en brûlant de l'encens et en faisant des offrandes de nourriture et de guirlandes de fleurs.*

LES INGRÉDIENTS ET TECHNIQUES

La cuisine thaïlandaise est composée d'ingrédients simples d'excellente qualité. Le poisson de mer frais, le riz des rizières, les herbes aromatiques et les épices ainsi que les fruits et légumes cultivés localement comptent parmi les merveilleux aliments que l'on déguste dans toute la Thaïlande. Chaque région possède ses spécialités utilisant les produits locaux, mais certains assaisonnements et techniques culinaires sont communs à tout le pays. La cuisine thaïlandaise se distingue par son extraordinaire variété.

LE RIZ

Le riz est le principal ingrédient de la cuisine thaïlandaise. Pour appeler les gens à table, on dit *gkin khao,* c'est-à-dire « il est l'heure de manger le riz ». Tous les autres aliments sont considérés comme des plats d'accompagnement ; on les nomme *ghap khao,* c'est-à-dire « les choses à manger avec le riz ».

Les Thaïlandais mangent en moyenne 158 kilos de riz par an, soit environ une livre par jour. On le consomme sous différentes formes, depuis le riz cuit à la vapeur jusqu'aux nouilles, chips et gâteaux de riz.

On consomme deux types de riz différents en Thaïlande. Le premier est une variété longue et délicatement parfumée que l'on mange à tous les repas en quantité variable. Une fois cuit, il prend l'aspect de grains bien distincts, blancs et floconneux. Dans le nord du pays, on préfère un riz gluant dont les grains sont collés une fois cuits.

Le meilleur riz est récolté en décembre, lorsque le temps frais et sec permet aux grains de mûrir lentement. Pendant le reste de l'année, les caprices de la météo peuvent causer des problèmes. Si le temps est trop chaud, les grains risquent de mûrir prématurément ; s'il est trop humide, les balles risquent de moisir.

Même si dans certaines régions le riz nouveau est considéré comme une friandise, on laisse généralement le grain vieillir pendant un an avant de le mettre en vente. Cela lui permet de sécher. Le riz qui n'a pas vieilli est très difficile à cuire. Les grains sont fragiles, et il est difficile de savoir quelle quantité d'eau utiliser pour la cuisson : si l'on en met trop, le riz devient mou et détrempé.

La Mère Riz

Les communautés qui cultivent le riz en Thaïlande ont un grand respect pour *Mae Pra Posop,* la « Mère Riz ». On célèbre toutes sortes de rites en son honneur, à toutes les étapes de la culture du riz, afin qu'elle bénisse les rizières et accorde aux cultivateurs des récoltes abondantes.

Ci-dessus – *Le riz jasmin ou riz parfumé thaïlandais a de tendres grains aromatiques ; c'est celui que l'on préfère dans le centre et le sud de la Thaïlande. En Occident, il est vendu dans les supermarchés et les magasins asiatiques.*

RIZ JASMIN

Khao chao

Également connue sous le nom de riz parfumé, cette variété à grains longs est l'aliment de base des habitants du centre et du sud de la Thaïlande. Comme son nom l'indique, ce riz se distingue par son arôme délicat. Il a un léger goût de noisette et ressemble au riz basmati. Les grains crus sont translucides, cuits ils deviennent blancs et floconneux.

La plupart des riz jasmin sont cultivés dans une région située entre le centre et le nord-est de la Thaïlande, où la terre est un mélange de sable et d'argile. Le riz nouveau est très prisé en raison de sa consistance délicate.

RIZ GLUANT

Khao niow

Généralement appelé riz doux ou collant, il est à la base de l'alimentation des habitants du nord et du nord-est de la Thaïlande. Il est délicieux et consistant. Il doit son nom à son aspect collant – en fait, le riz ne contient pas de gluten. Cultivé sur les hauts plateaux et dans les montagnes de ces régions, le riz gluant a besoin de moins d'eau pendant sa croissance que le riz mouillé des basses terres du Centre.

Le riz gluant existe en grains courts et ronds et en grains longs. Les Thaïlandais

Ci-dessous – *Le riz gluant, qu'il soit noir (en fait plutôt rouge très foncé), blanc ou hybride (connu sous le nom de « jasmin doux »), se rencontre surtout dans le nord et le nord-est de la Thaïlande.*

Ci-dessus – *Lorsqu'on les fait frire, les carrés de riz gonflent pour devenir des chips croustillantes.*

préfèrent la variété à longs grains, le riz à grains courts étant plus couramment utilisé au Japon et en Chine. Certaines variétés à grains longs ont une délicate saveur aromatique, et ces hybrides de première qualité sont parfois appelés « jasmin doux » ou « riz jasmin gluant », l'adjectif « jasmin » faisant écho à la description utilisée pour les riz parfumés non gluants.

Ce qui fait l'originalité de cette variété de riz est la façon dont les grains s'agglutinent une fois cuits, ce qui permet de le manger à la main. On en détache des morceaux que l'on roule en boule entre les doigts et la paume de la main droite et on trempe les boulettes dans la sauce pour les manger. Ce procédé est moins salissant qu'on ne l'imagine. Si les choses sont faites correctement, les grains adhèrent les uns aux autres, mais ne collent pas à la main. À la fin du repas, on se nettoie les mains en roulant en boule les restes de riz, qui absorbent les traces de jus ou de graisse.

La fécule que contient le riz gluant donne aux grains crus une couleur blanche opaque caractéristique. Mais lorsqu'on le fait tremper et cuire à la vapeur, c'est l'inverse qui se produit. Le riz gluant devient translucide, tandis que le riz ordinaire s'opacifie.

Même si c'est dans le nord et dans le nord-est du pays que le riz gluant est le plus apprécié, on le consomme également dans les autres régions, le plus souvent sous forme de douceurs ou de desserts. Le riz est sucré et parfumé au lait de coco, et il est particulièrement apprécié pendant la saison des mangues et des durians, lorsqu'on vend d'énormes quantités de riz parfumé à la noix de coco pour accompagner ces précieux fruits.

RIZ NOIR GLUANT

Khao niow dam

Ce riz complet, dont seule la balle a été retirée, se distingue par un goût de noisette riche et très différent de celui, plus subtil, du riz gluant blanc. Il est généralement assaisonné de lait de coco et de sucre et on le déguste sous forme de snacks ou de desserts plutôt que comme aliment de base. Il tend à être lourd, très consistant et indigeste si l'on en mange beaucoup, aussi le consomme-t-on en petites quantités sous forme de goûter l'après-midi ou plus tard dans la soirée, une fois le repas du soir digéré. Le *khao mow rang,* vendu sur tous les marchés thaïlandais, est un riz gluant rôti très répandu que l'on mange sous forme de gâteau plat.

Malgré son nom, le riz noir n'est pas vraiment noir. Lorsque l'on fait tremper les grains dans l'eau pendant plusieurs heures, l'eau devient bordeaux : c'est la véritable couleur de ce riz.

PRODUITS À BASE DE RIZ

Riz fermenté

Khao mak

Obtenu par fermentation du riz gluant cuit, le *khao mak* est une douceur très populaire que l'on trouve sur les étals des marchands ambulants.

Croûte de riz

Khao tang

La croûte qui se forme au fond de la casserole lorsqu'on fait cuire le riz est en général très appréciée. En Thaïlande, on retire les plaques de croûte du fond de la casserole et on les fait sécher au soleil pour les vendre telles quelles. Parfois on les fait légèrement frire ou rôtir avant de les consommer.

Pour préparer du *khao tang* chez vous, étalez une couche de riz cuit d'environ 5 mm d'épaisseur sur une plaque à gâteaux huilée. Faites sécher dans un four chauffé à 140 °C (th. 4) pendant plusieurs heures. Laissez refroidir, puis brisez le riz en morceaux. Faites-le frire pendant quelques secondes pour qu'il soit soufflé mais non bruni. Soulevez à l'aide d'une écumoire et égouttez sur de l'essuie-tout.

Ci-dessus – *La farine de riz est finement moulue et pulvérisée. Elle se caractérise par une consistance légère idéale pour la confection de desserts telles les crêpes.*

Carrés de riz séché

Vous pouvez les acheter dans les magasins de produits asiatiques. Quand on les fait frire dans l'huile bouillante, ils gonflent de la même façon que les chips aux crevettes, auxquels ils ressemblent d'ailleurs.

Farine de riz

Paeng khao jao et *paeng khao niao*

Cette farine est fabriquée à partir de riz cru gluant ou non gluant finement moulu. On l'utilise pour faire la pâte des nouilles de riz fraîches ainsi que celle de desserts comme les crêpes. La farine de riz est vendue dans les magasins de produits asiatiques. Elle s'appelle *paeng khao jao* lorsqu'elle est à base de riz non gluant, et *paeng khao niao* lorsqu'elle est à base de riz gluant. Vous pouvez la conserver dans le placard à provisions comme de la farine de blé ordinaire.

Préparation et cuisson du riz

Le riz est un aliment de base de la cuisine thaïlandaise et il doit être cuit à la perfection. Le riz jasmin doit cuire par absorption d'eau dans une casserole couverte afin de développer pleinement son parfum. En revanche, le riz gluant exige un trempage assez long, suivi d'une cuisson à la vapeur.

Rinçage

Le riz jasmin doit toujours être rincé avec soin avant d'être mis à cuire, ce qui lui permet de devenir moins farineux et d'être débarrassé de la poussière accumulée pendant le stockage.

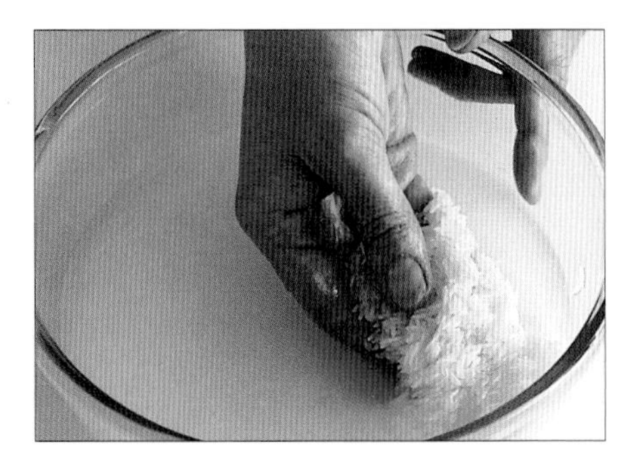

1 Versez le riz jasmin dans un grand récipient creux et couvrez d'eau. Remuez doucement les grains avec les doigts. L'eau se troublera légèrement.

2 Laissez le riz descendre au fond de la casserole, puis inclinez celle-ci sur le côté pour la vider de son eau. Sinon, passez-le et remettez-le dans le récipient. Couvrez-le d'eau froide, puis remuez les grains à nouveau, laissez-les retomber au fond et égouttez. Rincez au moins trois fois, jusqu'à ce que l'eau soit complètement claire. Égouttez bien avant de faire cuire.

Cuisson par absorption

On fait cuire le riz jasmin dans une certaine quantité d'eau et dans une casserole couverte jusqu'à ce que l'eau soit complètement absorbée. La proportion de riz et d'eau ainsi que le temps de cuisson dépendent du type de riz utilisé, mais dans l'ensemble comptez environ 60 centilitres d'eau pour 225 grammes de riz.

1 Mettez le riz dans une casserole et ajoutez l'eau. Ne salez pas. Portez à ébullition, puis baissez le feu autant que possible.

2 Couvrez et laissez cuire jusqu'à ce que le liquide ait été absorbé, jusqu'à 25 min.

3 Retirez la casserole du feu, sans ôter le couvercle, et laissez reposer dans un endroit tiède pendant 5 min.

Ajout de parfums

Si vous voulez donner du goût au riz, la méthode de cuisson par absorption est idéale. Ajoutez simplement à l'eau de cuisson des herbes ou des épices comme de la citronnelle ou du gingembre frais.

Pour donner plus de goût au riz, vous pouvez remplacer l'eau par du lait de coco ou du bouillon, ou les mélanger.

Cuire le riz à la perfection

- Lorsqu'on fait cuire du riz, il est essentiel de bien couvrir la casserole. Si le couvercle ferme mal, couvrez la casserole avec de l'aluminium ou avec un torchon avant de mettre le couvercle, en vous assurant que le tissu est éloigné de la source de chaleur.

- Le riz doit cuire à feu très doux : ne soyez pas tenté de monter le feu pendant la cuisson pour accélérer le processus, sinon l'eau s'évaporera avant que le riz soit cuit.

- Laissez le riz reposer 5 min après la cuisson jusqu'à ce qu'il soit bien tendre. S'il ne l'est pas assez, couvrez à nouveau et laissez reposer 5 min de plus.

- Souvenez-vous que le riz absorbe l'eau en cuisant. Si vous mettez trop d'eau, il sera détrempé.

- Si le riz est destiné à un plat frit, faites-le cuire par absorption, laissez-le refroidir un peu puis réfrigérez-le avant de le faire sauter. Il aura ainsi une meilleure tenue.

Cuisson au micro-ondes
Même si cette méthode de cuisson n'est pas plus rapide que la méthode traditionnelle, elle est très pratique.

1 Selon les mêmes proportions de riz et d'eau que pour la méthode par absorption, mettez le riz jasmin dans un récipient à micro-ondes. Ajoutez la quantité requise d'eau bouillante. Ne salez pas.

2 Couvrez le récipient avec du film plastique spécial micro-ondes et faites cuire à puissance maximale pendant 10 à 15 min. (Vérifiez le temps de cuisson indiqué dans les instructions du fabricant du four à micro-ondes.) Laissez reposer 10 min avant utilisation.

SÉCURITÉ ALIMENTAIRE
Ne conservez jamais longtemps du riz cuit, car vous risquez de vous intoxiquer. Le riz peut développer le *Bacillus cereus* : cette bactérie est détruite par la cuisson mais elle peut laisser des spores qui germent si le riz cuit est insuffisamment réchauffé ou si on le garde au chaud pendant un temps prolongé. Si vous achetez des produits à base de riz cuit, mettez-les au frais et consommez dans les 12 heures.

Cuiseur électrique

Mettez le riz dans le cuiseur et ajoutez la quantité d'eau nécessaire. Ne salez pas. Couvrez et allumez le cuiseur. Il s'éteindra automatiquement quand le riz sera prêt et le gardera chaud jusqu'à ce que vous soyez prêt à servir.

Cuisson à la vapeur
C'est là une combinaison de deux méthodes de cuisson : le riz est partiellement cuit dans une casserole d'eau frémissante (ou d'un autre liquide), puis égoutté et cuit à la vapeur. On utilise cette méthode pour le riz jasmin bouilli ordinaire. Elle convient aussi pour certains plats à base de riz gluant.

1 Faites cuire le riz par absorption pendant les trois quarts du temps de cuisson normal. Égouttez-le dans une passoire.

2 Versez le riz dans une passoire garnie de mousseline et placez-la sur une casserole d'eau frémissante. Couvrez et faites cuire à la vapeur pendant 5 à 10 min. Si les grains sont trop durs, prolongez un peu la cuisson.

Pudding de riz jasmin
C'est là un délicieux dessert pour 4 personnes, facile à préparer. Faites cuire 50 grammes de riz jasmin dans 47 centilitres d'eau bouillante en utilisant la méthode par absorption jusqu'à ce que le riz soit tendre. Laissez reposer pendant quelques minutes, puis ajoutez 12 centilitres de lait et un peu de sucre en poudre. Ajoutez 6 centilitres de crème de coco si vous le souhaitez.

Servez très chaud accompagné de fruits frais.

Cuisson du riz gluant
Le riz gluant doit tremper avant de cuire au moins 1 h et au plus 4 h. Certaines recettes exigent même un trempage plus long. Égouttez puis faites cuire, de préférence à la vapeur. Il n'est pas nécessaire de précuire le riz. Versez simplement le riz trempé dans un égouttoir garni de mousseline et faites cuire à la vapeur 10 à 15 min, jusqu'à ce qu'il soit ramolli.

Pudding de riz gluant
Cuit dans du lait de coco frémissant additionné de sucre, le riz gluant fera un délicieux dessert pour 4 personnes.

1 Mettez 75 grammes de riz gluant dans un grand récipient creux, couvrez d'eau froide et laissez tremper 3 à 4 h. Égouttez soigneusement et remettez dans la casserole.

2 Versez 30 centilitres de lait ou de lait de coco. Portez à ébullition, puis baissez le feu, couvrez et laissez mijoter 25 à 30 min en remuant souvent.

3 Ajoutez le sucre et la crème de coco, et d'autres arômes si vous le souhaitez. Laissez cuire 5 à 10 min de plus, afin que le riz ait la consistance voulue. Servez avec des tranches de fruits exotiques.

Stockage du riz
Les paquets de riz peuvent être conservés dans un endroit sombre et frais jusqu'à 3 ans s'ils n'ont pas été ouverts. Sinon, vous pouvez garder le riz dans un récipient fermé hermétiquement. Il doit rester parfaitement sec, sinon il risque de moisir. Le riz cuit se conserve jusqu'à 24 h s'il a refroidi rapidement avant d'être couvert et placé au réfrigérateur. Le riz refroidi peut aussi être congelé pendant 3 mois.

LES NOUILLES ET FEUILLES DE PÂTE

NOUILLES

Les nouilles viennent en deuxième position dans le régime alimentaire des Thaïlandais. Ces derniers en consomment de grandes quantités, et il existe d'innombrables manières de les préparer. On mange des nouilles à tout moment de la journée, y compris au petit déjeuner, et parfois lorsqu'on a un petit creux entre les repas – de nombreux marchands ambulants en vendent. Pour la population locale, la soupe de nouilles est un plat très courant, mais les touristes ont tendance à préférer les nouilles frites.

La cuisine thaïlandaise utilise cinq variétés de nouilles : les *sen ya,* les *ba mee,* les *sen mee,* les *sen lek* et les *wun sen.* Vous trouverez des nouilles fraîches dans les magasins de produits asiatiques, mais elles sont le plus souvent vendues séchées. Elles existent en diverses tailles, depuis les minuscules fils transparents jusqu'aux grandes feuilles. La plupart sont à base de riz, ce qui souligne encore l'importance de cette céréale dans le régime alimentaire des Thaïlandais. On trouve aussi des nouilles à base de farine de blé ou de farine de haricots mung moulus.

Les noms des nouilles ne sont pas standardisés, et un même type peut porter plusieurs noms différents suivant la provenance. Les nouilles sans œufs sont souvent appelées « nouilles imitations » ou « pâtes alimentaires ». Pour vérifier à quel type de nouilles vous avez affaire, lisez la liste des ingrédients.

CUISSON DES NOUILLES

Les nouilles fraîches comme les nouilles séchées doivent cuire dans l'eau bouillante avant toute utilisation. Le temps de cuisson dépend du type de nouilles, de leur épaisseur et de l'utilisation que l'on compte en faire – va-t-on les cuire à nouveau pour les ajouter à une sauce ou à une soupe ? En règle générale, après trempage, les nouilles séchées ont besoin de 3 min de cuisson, tandis que les fraîches seront prêtes en moins d'1 min, mais il faut les rincer aussitôt à l'eau froide pour les empêcher de continuer à cuire.

Ci-dessous – *Il faut faire tremper les vermicelles de riz séchés avant de les cuire.*

NOUILLES DE RIZ

Kui teow

Les marchés thaïlandais proposent des nouilles fraîches et des nouilles séchées. Les nouilles fraîches se conservent peu de temps et doivent être cuites dès que possible. Les nouilles de riz existent dans toute une gamme de formes et de largeurs.

Vermicelles de riz

Mee

Ces nouilles se vendent en général séchées et doivent être mises à tremper dans l'eau bouillante avant utilisation. Les vermicelles de riz séchés s'appellent *sen mee* ou bâtonnets de nouilles de riz.

Nouilles de riz moyennes

Kui teow sen lek

Similaires aux spaghettis, elles sont souvent vendues séchées. La ville de Chanthaburi est réputée pour ses nouilles *sen lek,* qui sont parfois appelées nouilles *Jantoboon,* d'après le surnom de la ville.

Bâtons de nouilles de riz

Kui teow sen yai

Également connues sous le nom de rivières de nouilles de riz, elles sont vendues séchées ou fraîches, ces dernières étant plus populaires. Fraîches, elles tendent à être collantes, il faut donc les séparer avant de les faire cuire.

Nids de nouilles de riz

Khanom chine

Bien que le nom thaïlandais de ces nouilles de riz fraîches rondes et épaisses signifie nouilles chinoises, elles sont une spécialité thaïlandaise composée de farine de riz. Dans le pavillon des Laques du palais de Suan Pakkad, un panneau représente la fabrication des *khanom chine* pour le dernier repas du Bouddha.

Les *khanom chine* sont blanches et un peu plus épaisses que les spaghettis. On les trouve sur la plupart des marchés thaïlandais, où elles sont vendues fraîchement cuites. On les achète par centaines de nids ; il faut compter 4 à 5 nids par personne. Choisissez de préférence les moins chères : elles ont meilleur goût, même si elles sont moins blanches que la variété plus coûteuse. Les nouilles fraîches sont vite périssables, aussi est-il sage de les acheter tôt dans la journée, même si elles sont cuites, et de les recuire à la vapeur en rentrant chez vous.

Servez-les avec du *nam ya,* du *nam prik,* du *sow nam* et divers currys.

Ci-dessous – *Les bâtons de nouilles de riz sont plats, un peu comme les tagliatelles.*

Préparation des nouilles de riz

Les nouilles de riz ont juste besoin d'être mises dans de l'eau bouillante quelques minutes avant d'être servies. Mettez-les dans un grand récipient d'eau bouillante et laissez-les 5 à 10 min en remuant de temps en temps pour les décoller. Si vous les laissez trop longtemps, elles ramolliront. Normalement, leur poids double après trempage, 115 grammes de nouilles séchées devant donner 225 grammes de nouilles après trempage.

Nouilles de riz sautées

Les nouilles de riz gonflent et deviennent croustillantes lorsqu'on les fait sauter. Pour les préparer, mettez les nouilles à tremper dans une grande jatte d'eau froide pendant 15 min. Égouttez-les et faites-les sécher sur de l'essuie-tout.

Faites chauffer environ 1,2 litre d'huile végétale dans une poêle à bords hauts ou dans un wok à 180 °C. Pour voir si l'huile est assez chaude, jetez-y 1 ou 2 nouilles. Si elles gonflent et s'enroulent aussitôt sur elles-mêmes, l'huile est prête. Jetez avec précaution une poignée de nouilles séchées dans l'huile bouillante. Dès qu'elles gonflent, en 2 s environ, retournez-les à l'aide d'une écumoire et faites-les sauter 2 s de plus. Transférez-les sur une grande plaque de four garnie d'essuie-tout et laissez refroidir. Répétez l'opération avec le reste des nouilles à raison d'une poignée à la fois. Dès qu'elles ont refroidi, mettez-les dans un sac en plastique fermé, ainsi elles resteront croustillantes pendant 2 jours.

Ci-dessous – *Les nouilles aux œufs se vendent en Occident fraîches ou séchées.*

Ci-contre – *Les feuilles pour rouleaux de printemps sont à base de farine de blé et d'eau.*

NOUILLES AUX ŒUFS

Ba mee

Ces nouilles doivent leur couleur jaune aux œufs qu'elles contiennent. Si vous les achetez en nids frais, secouez-les afin de les décoller avant de les faire cuire. Elles existent sous forme plate ou ronde. Les nouilles très fines sont appelées fils de nouille aux œufs. Les nouilles plates s'utilisent généralement dans les soupes, tandis que les rondes conviennent mieux pour les fritures. Elles se congèlent bien à condition d'être correctement enveloppées. Décongelez avant utilisation.

Faites cuire les nouilles aux œufs dans de l'eau bouillante 4 à 5 min ou en vous conformant aux instructions figurant sur le paquet. Égouttez et servez.

NOUILLES CELLOPHANE

Wun sen

Ces nouilles fines, également appelées nouilles de verre, nouilles gelées ou fils de nouille, sont faites avec des haricots mung. Elles sont de la même taille que les nouilles *mee* mais sont transparentes. Elles n'existent que sous forme séchée.

Préparation des nouilles Cellophane

Les nouilles Cellophane ne sont jamais servies seules, mais en tant qu'ingrédient. Faites-les tremper dans l'eau bouillante 10 à 15 min pour les ramollir, puis égouttez-les et coupez-les en segments.

FEUILLES DE PÂTE

On les utilise dans toute la Thaïlande pour envelopper les farces. Certaines peuvent être consommées fraîches, d'autres frites.

FEUILLES DE PÂTE À WONTON

Baan giow

D'origine chinoise, ces minces carrés de pâte jaunes à base d'œufs et de farine de blé s'achètent frais ou séchés. Frais, vous les garderez jusqu'à 5 jours au réfrigérateur. Prélevez simplement le nombre de feuilles souhaité. Les feuilles congelées doivent être décongelées avant utilisation.

PAPIER DE RIZ

Banh trang

Ces feuilles semi-transparentes friables sont faites avec un mélange de farine de riz, d'eau et de sel, puis finement étendues à la machine et séchées au soleil. Elles se vendent par 50 à 100 feuilles. Gardez-les dans un endroit sec et frais. Avant utilisation, faites-les tremper dans l'eau afin qu'elles retrouvent leur souplesse, puis garnissez-les de farce à rouleaux de printemps ou faites-les sauter.

FEUILLES POUR ROULEAUX DE PRINTEMPS

Bang hor

Ces feuilles très fines servent à confectionner les traditionnels rouleaux de printemps chinois. Elles existent en carrés de 8 à 30 cm et se vendent par paquets de 20. Une fois le paquet ouvert, elles sèchent très vite, aussi faut-il les sortir du paquet une à une et couvrir le reste.

LES LÉGUMES

AUBERGINES

Makhua ling

Même si on les utilise comme des légumes, les aubergines sont en réalité des fruits apparentés aux poivrons et aux tomates. Ces légumes-fruits qui nous viennent d'Amérique pourraient en fait être originaires de l'Inde et s'être répandus il y a longtemps en Chine, en Thaïlande et dans le reste du Sud-Est asiatique. Elles peuvent être ovales, tubulaires ou rondes. Les aubergines asiatiques sont plus petites que les variétés européennes ordinaires. Certaines sont à peine plus grosses qu'un petit pois, tandis que d'autres ont la taille d'une balle de tennis. Leur couleur varie du blanc au vert clair en passant par l'orangé, le violet et le noir. Quatre variétés sont utilisées dans la cuisine thaïlandaise d'aujourd'hui.

On peut trouver des aubergines importées de Thaïlande dans les supermarchés asiatiques. Choisissez des spécimens lourds et fermes au toucher avec une peau uniformément lisse, sans taches. Lorsqu'elles sont en bon état, les aubergines peuvent se garder de 3 à 4 jours dans le compartiment à légumes du réfrigérateur. Si vous ne trouvez pas de variété asiatique, vous pouvez utiliser de grosses aubergines violettes.

Aubergines longues

Makhua yaew

Cette variété allongée est similaire par son goût et son aspect aux petites aubergines longues japonaises. Les aubergines thaïlandaises sont en général vert clair, mais il en existe des violettes et des blanches. On les sert habituellement grillées ou en currys verts.

Ci-contre – *Les aubergines thaïlandaises courantes sont petites et rondes.*

Aubergines pommes

Makhua khun

Ces petites aubergines rondes sont vert clair, jaunes ou blanches. On les mange crues avec l'omniprésente sauce au piment, le *nam prik,* ou bien en currys. Elles ont peu de goût, mais crues elles ont une consistance intéressante. Elles se décolorent vite, aussi faut-il les mettre à tremper dans de l'eau salée si vous les préparez à l'avance.

Aubergines pois

Makreu puang

Ces baies de la taille d'un petit pois qui poussent en petites grappes ont un goût amer qui fait ressortir la richesse des currys épicés dans lesquels on les utilise habituellement. On s'en sert aussi pour parfumer le *nam prik.*

Aubergines velues

Maeuk

Difficiles à trouver en dehors de la Thaïlande, ces aubergines au goût aigre sont orangées ; il faut retirer les poils avant de les piler pour parfumer le *nam prik.* Si vous n'en trouvez pas, vous pouvez les remplacer par n'importe quel fruit au goût aigre.

Ci-contre – *On trouve des pousses de bambou fraîches mais celles vendues en conserve, déjà coupées, sont plus courantes.*

Ci-dessus – *Les minuscules aubergines pois sont vert clair et poussent en grappes.*

Préparation des aubergines

Lavez les aubergines et retirez la tige, puis coupez-les en tranches, en bandes ou en morceaux. Il est rarement nécessaire de les peler : leur peau lisse donne de la couleur, de la consistance et du goût aux plats. Certaines recettes recommandent de passer au sel les tranches d'aubergine pendant 30 min avant de les faire cuire. Ce n'est pas utile lorsqu'elles sont jeunes et tendres.

Pour empêcher l'aubergine d'absorber trop d'huile pendant la cuisson, faites rissoler les tranches ou les bandes 4 à 5 min sans huile, puis ajoutez l'huile. Cela préserve leur consistance agréable.

POUSSES DE BAMBOU

Nor mai pai tong

Les pousses d'un blanc crémeux de certaines espèces de bambous sont vendues coupées en dés ou en lanières, hachées ou entières, en conserve. Sur certains marchés, on les trouve en vrac dans de grands seaux d'eau. Les pousses de bambou fraîches ne se voient guère qu'en Asie. Elles peuvent être toxiques si on ne les fait pas pré-bouillir correctement, mais ce procédé est assez long. Égouttez et rincez soigneusement les pousses de bambou en conserve avant de les utiliser.

HARICOTS

Haricots longs

Thua fak yao

Également appelés haricots serpents, haricots asperges ou haricots thaïlandais, les haricots longs ressemblent aux haricots verts, mais en beaucoup plus long. Certains atteignent 92 cm, mais la plupart mesurent 40 cm. Les deux variétés ordinaires sont vert clair et vert foncé, ces derniers étant les meilleurs. Lorsque vous achetez des haricots longs, choisissez les plus fins, dont les graines sont peu développées. Ces jeunes haricots sont tendres et légèrement sucrés. Ils n'ont pas de fil, et il suffit de les équeuter et de les couper en segments. En mûrissant, les haricots longs peuvent devenir coriaces. Utilisez-les de préférence dans les 3 jours suivant l'achat, avant qu'ils commencent à jaunir.

Ci-dessous – *Les haricots longs ressemblent aux haricots verts par leur goût, mais ils sont beaucoup plus longs.*

Haricots ailés

Tua phuu

Ce légume doit son nom aux « ailes » qui entourent les quatre côtés de ce long haricot plat. Les jeunes légumes sont verts et croquants ; ils jaunissent et durcissent en vieillissant. En général, on les consomme jeunes. On peut les faire blanchir et les servir avec du lait de coco, cuits dans l'huile et accompagnés de *nam prik* ou bien coupés en tranches fines et utilisés comme ingrédient dans la préparation du *tod man,* du *keing phed* et des salades épicées. On fait sauter les jeunes pousses et les fleurs ou on les ajoute aux soupes aigres relevées. Les racines sont également comestibles. Conservées dans le sucre, elles servent à préparer des confiseries. Si vous ne trouvez pas de haricots ailés, remplacez-les par des haricots verts ordinaires ou par des asperges.

Haricots grappe tordus

Parkia ou sa-taw

Ces haricots, qui sont les graines d'un arbre énorme poussant dans le sud de la Thaïlande, ont à peu près la taille des fèves. Les cosses vert vif qui les abritent sont plates et ondulées. Les haricots à proprement parler ont une odeur particulière et un goût de noisette qui parfume les plats régionaux. En général, on les mange en légumes, et ils sont délicieux dans les fritures aigres-douces. On peut aussi les faire rôtir et les déguster avec du *nam prik* ou les conserver en condiments.

GERMES DE SOJA

Thua ngok

De nombreux types de haricots peuvent germer, mais les germes les plus courants dans la cuisine thaïlandaise sont les petits germes « verts » des haricots mung et les germes « jaunes », plus gros, du soja. Les germes de soja ont plus de goût que les germes de haricots mung, mais les deux sont assez délicats, avec une consistance croquante unique très agréable.

Les germes de soja frais se vendent dans les supermarchés, les magasins de produits naturels ou de produits asiatiques. Mais vous pouvez aussi en faire germer vous-même. Évitez les germes de soja en boîte, car ils sont mous et insipides.

Ci-dessus – *Les germes de soja et de haricots mung sont très utilisés dans la cuisine thaïlandaise.*

Préparation des germes de soja

Pour préparer les germes de soja frais, rincez-les à l'eau froide afin de retirer les écorces et les minuscules racines. On peut les manger crus, blanchis ou sautés. Ne les faites pas cuire trop longtemps, car ils deviennent flasques et fibreux, et perdent ainsi leur savoureux croquant.

LES HARICOTS MUNG

Ces minuscules haricots sont généralement verts, mais certaines variétés sont jaunes ou noires. On les trouve dans les magasins asiatiques, les supermarchés et les boutiques de produits naturels ou bio. Ils contiennent beaucoup de protéines et de vitamines et peuvent être utilisés dans les plats salés aussi bien que dans les desserts. Pour les attendrir, faites-les tremper dans de l'eau avant de les cuire.

Pour faire germer les haricots mung, faites-en tremper un quart de tasse pendant toute une nuit. Le lendemain, égouttez-les et étalez-les en une seule couche dans un plat à rôtir garni de mousseline humide. Placez-les dans un endroit sombre et chaud comme un four éteint. Maintenez-les à une température de 13 à 21 °C en vous assurant qu'ils restent humides, mais non détrempés. Ils seront prêts à être mangés dans les 5 jours, lorsque les pousses feront 5 cm de long.

Ci-dessus – *Les petits épis de maïs sont tendres et très doux ; ils sont recommandés pour les fritures.*

PETITS ÉPIS DE MAÏS

Khaao phot on

Le maïs est très répandu en Thaïlande, et les marchands ambulants le proposent sous forme d'épis. Pour les fritures et les soupes, les Thaïlandais préfèrent les petits épis, au goût légèrement sucré et à la consistance croquante. Ils sont vendus frais et en boîte. Les petits épis frais sont meilleurs consommés rapidement, mais on peut les conserver 1 semaine dans le compartiment à légumes du réfrigérateur.

Préparation et techniques de cuisson

Si vous choisissez des épis en boîte, rincez-les à l'eau froide et égouttez-les bien. En général, ils peuvent être utilisés entiers, mais s'ils sont très gros vous pouvez les couper en diagonale ou en morceaux. Ne les faites pas cuire trop longtemps, car ils perdraient leur consistance croquante. Faites blanchir les épis frais 1 min dans de l'eau bouillante légèrement salée et égouttez-les avant de les faire sauter.

PAK-CHOÏ

Hua ka-lum pee

C'est la variété de chou la plus appréciée en Thaïlande. En dépit de son autre nom – chou blanc chinois –, le pak-choï n'est pas uniformément blanc. Les tiges sont d'un beau blanc verdâtre et les feuilles vert foncé.

En Thaïlande, le chou est souvent mangé cru avec une sauce pimentée ; on l'utilise aussi en fritures et en soupes. Le pak-choï est coupé en tranches fines ou en carrés ; il faut le faire sauter rapidement.

Ci-contre – *Le pak-choï a une agréable consistance croquante et un goût délicieusement poivré.*

FEUILLES CHINOISES/CHOU CHINOIS

Phak kaet khaao-plee

Également connu sous le nom de chou céleri, ce légume a des feuilles vert et blanc tendres, un goût très doux et une consistance croquante. On le trouve aisément dans les supermarchés, et il est reconnaissable à sa grosse forme cylindrique et à ses feuilles serrées. Lorsque vous achetez du chou chinois, choisissez des spécimens lourds et fermes. Avant utilisation, jetez les feuilles extérieures abîmées et coupez la racine. Ne vous inquiétez pas si les feuilles ont de petites taches noires, ce n'est pas grave. Ce chou se conserve plusieurs semaines dans le compartiment à légumes du réfrigérateur. On l'utilise dans les fritures, dans les salades et les soupes.

CHOU-FLEUR

Phak kwaang tung

Le nom chinois du chou-fleur est *choi sum.* Il est cultivé en Occident et on le trouve souvent sur les marchés de producteurs et dans les magasins asiatiques. Les tiges, les feuilles et les fleurs jaunes sont comestibles et ont un goût délicat. Le chou-fleur est généralement coupé en petits morceaux et utilisé dans les soupes et les plats de nouilles, mais on peut aussi le faire frire.

Ci-dessus – *Les feuilles chinoises ont une saveur douce et délicate.*

CÉLERI CHINOIS

Kean ghai

Ce légume est similaire au céleri occidental, mais les branches sont plus fines et beaucoup plus lâches, et leur goût est plus prononcé. Choisissez une tête avec de grosses branches larges, qui seront plus tendres. Hachez-les plus finement que s'il s'agissait de céleri occidental, car elles tendent à être filandreuses, et utilisez-les avec parcimonie sinon leur goût âcre dominera celui des autres aliments. Les feuilles sont souvent employées dans les soupes.

LOOFA

Buap liam

Également appelé gourde soyeuse, courge soyeuse ou okra chinois, ce légume vert foncé ressemble à une longue courgette mince ou à une très grosse cosse d'okra et porte des stries. Le loofa lisse, un proche parent, est plus clair, plus gros et plus cylindrique, avec une base un peu plus épaisse. Les deux ont une saveur

Ci-dessus – *Le loofa a une saveur douce et délicate lorsqu'il est jeune.*

douce, similaire à celle du concombre, qui peut d'ailleurs les remplacer dans la plupart des plats cuits.

Les gourdes se mangent jeunes, quand elles sont encore douces. Elles prennent un goût désagréablement amer en vieillissant. Le loofa s'utilise en fritures et en soupes, et on le fait souvent bouillir pour le manger avec du *nam prik*. Il se marie bien avec les aliments qui n'éclipsent pas sa saveur, tels le poulet, le poisson et les coquillages. On l'emploie aussi dans les plats de légumes. Jeune, le loofa a seulement besoin d'être lavé et tranché. Il est rarement nécessaire de l'éplucher, mais parfois les stries durcissent quand le légume vieillit. En ce cas, il suffit de les retirer en laissant le reste de la peau afin que le loofa présente des raies blanches et vertes. Si la peau est très dure, pelez-la complètement. Le loofa se mange toujours cuit, mais évitez de le cuire trop longtemps.

Ci-dessus – *Le melon amer est très prisé dans la cuisine thaïlandaise.*

MELON AMER

Mara

Également appelé gourde chinoise amère, ce melon ressemble à un concombre bosselé, avec une dizaine de stries courant sur sa longueur. Quand il n'est pas mûr, le melon est vert clair, et c'est à ce moment-là que sa chair est savoureuse. Les Thaïlandais pensent qu'elle est très bonne pour les reins et le sang.

Lorsque vous achetez des melons amers, choisissez de petits spécimens fermes et verts. Ne les épluchez pas, grattez-les légèrement mais soigneusement, coupez-les en deux dans le sens de la longueur et retirez les graines et la pulpe. La chair peut être coupée en tranches ou en morceaux. Si elle est très amère, salez-la et laissez dégorger dans une passoire 30 min. Rincez bien et séchez avec de l'essuie-tout, puis ajoutez à des soupes ou à des currys. Sinon, blanchissez 2 min les morceaux dans de l'eau bouillante légèrement salée avant utilisation.

GOURDE CIREUSE/MELON FLOCONNEUX

Taeng

Ces gourdes peuvent revêtir plusieurs formes, depuis la variété courte et trapue jusqu'à celle qui évoque un long concombre mou. En fait, l'autre nom de ce légume est « concombre velu ». La variété la plus répandue est cylindrique. Sous la peau verte recouverte d'un blanc caractéristique, la chair est ferme, blanche et succulente. Comme le concombre, la gourde a des pépins blancs qui brunissent en vieillissant. Pour préparer une gourde cireuse, retirez la peau extérieure et coupez la chair en carrés de 2,5 cm. Vous pouvez les faire bouillir et les déguster avec du *nam prik* ou bien les mettre dans une soupe comme le *kaeng liang*, qui est parfumée avec des os de porc. Une fois cuite, la gourde cireuse garde sa forme, mais sa consistance se ramollit pour ressembler à celle du pain trempé. Son goût est insipide.

Ci-dessus – *En Thaïlande, le daikon se consomme plutôt cuit et non pas cru comme au Japon.*

DAIKON

Hua phak kaak

Les Thaïlandais apprécient beaucoup ce légume qui est censé favoriser la digestion, refroidir le corps et améliorer la circulation sanguine. Également appelé radis géant ou radis d'hiver, c'est une longue racine blanche qui ressemble à un navet lisse. Il peut mesurer jusqu'à 40 cm, encore que la variété thaïlandaise soit beaucoup plus petite. Les gros spécimens tendent à être fibreux, laissez-les de côté. Cru, le daikon a un goût frais, acidulé et poivré, avec une consistance croquante. Les Thaïlandais ne le consomment pas souvent cru, mais la chair râpée sert parfois à attendrir les fruits de mer. Une fois cuit, le légume garde sa consistance mais prend un goût presque sucré. Il ressemble au navet, que l'on peut utiliser comme substitut.

Pour préparer le daikon en vue de l'utiliser dans des soupes ou des ragoûts, épluchez-le et coupez-le en tranches fines ou en bâtonnets. Sinon, râpez-le, salez et remuez doucement, puis laissez reposer 2 à 3 min. Versez dans une passoire, rincez à l'eau froide et pressez de façon à extraire l'eau avant de mélanger avec d'autres ingrédients.

RACINES DE LOTUS

Rak bua

Les racines de lotus fraîches – en fait, ce ne sont pas des racines mais des rhizomes – ressemblent à un chapelet de saucisses dont chacune mesurerait 18 à 23 cm de long. Une fois qu'elles sont lavées, la peau a une couleur beige rosé. Lorsque vous en achetez, choisissez-les de préférence lourdes, preuve qu'elles ne sont pas desséchées. La chair a un goût très doux et une consistance croquante très agréable. La racine de lotus existe aussi en boîte et sous forme congelée, mais elle est alors moins croquante.

Avant de la faire cuire, il faut la peler et la couper en fines tranches. Chaque tranche présentera un joli motif dentelé dû à la présence de creux dans la chair et sera collante à cause de la sève. Mettez les tranches dans de l'eau citronnée afin qu'elles ne se décolorent pas. Pour les salades et les fritures, faites d'abord blanchir la racine de lotus à l'eau bouillante ; en revanche, vous pouvez l'utiliser telle quelle dans les soupes et les ragoûts. En cuisant, elle sucrera le liquide et prendra une teinte rose clair. Vous pouvez aussi faire des chips de tranches de racine de lotus. Séchez-les bien avant de les jeter dans l'huile bouillante.

Ci-contre – *La racine de lotus fraîche a une peau beige rosé et évoque un chapelet de saucisses.*

CHÂTAIGNES D'EAU

Haew

Il n'y a rien de plus délicieux que la consistance croquante et le goût de noisette de la châtaigne d'eau quand elle est fraîche. La châtaigne d'eau, qui est le bulbe d'une herbe, est enfermée dans une peau marron foncé que l'on doit retirer avant de consommer la chair blanche. Dans la cuisine thaïlandaise, les châtaignes d'eau servent à préparer des salades, des fritures et même des desserts. Outre leur goût délicieux, leur meilleur attribut est leur consistance croquante, qu'elles conservent une fois cuites.

Lorsque vous achetez des châtaignes d'eau fraîches, pressez-les doucement et choisissez les plus fermes. Celles en boîte se vendent dans les supermarchés et les magasins de produits asiatiques.

Ci-contre – *Le haricot igname n'est ni un haricot ni une igname.*

HARICOTS IGNAMES

Mun kaew

En Amérique, d'où il est originaire, ce légume s'appelle Jicama. On se demande d'où provient son double nom, car il ne s'agit ni d'une igname ni d'un haricot. Il a l'aspect d'un gros navet marron, sa chair est douce et croquante, et son goût se situe entre ceux de la pomme et de la pomme de terre. Le haricot igname se mange de préférence cru avec une sauce épicée, mais on peut aussi l'utiliser en friture et dans les desserts. Il se déguste également comme un fruit.

À l'achat, choisissez des haricots ignames lourds, à la peau lisse et sans tache. Pour les préparer, épluchez-les, puis ôtez la partie fibreuse et ne conservez que la chair blanche. À ce stade, le haricot igname peut se garder 1 semaine au réfrigérateur, dans un sac en plastique. Coupez-le en minces bâtonnets pour les salades et les fritures.

Ci-contre – *La châtaigne d'eau se trouve fraîche, avec sa peau, ou épluchée en conserve.*

TAROS

Puak

Cette racine pousse à l'état sauvage sur les berges des cours d'eau thaïlandais, et elle est particulièrement appréciée dans le nord du pays. Le tubercule renflé contient beaucoup d'amidon et se mange comme une pomme de terre. Les jeunes feuilles sont comestibles. Mettez des gants pour éplucher les taros.

Ci-contre – *Le taro est un tubercule à la peau coriace.*

OIGNONS

Hua hom

Les oignons sont moins utilisés que les échalotes dans la cuisine thaïlandaise, et ceux que l'on trouve dans le commerce sont assez petits. De couleur jaune, ils sont très piquants, avec un goût poivré et légèrement sucré. De nombreux plats thaïlandais sont garnis de tranches d'oignons frites. Vous pouvez acheter des oignons préfrits dans les épiceries thaïlandaises.

CIBOULES/ÉCHALOTES

Ton horm

En Thaïlande, les ciboules s'utilisent dans les fritures et les soupes. On s'en sert aussi pour les garnitures, coupées en tranches ou en filaments et trempées dans de l'eau glacée pour les faire se recroqueviller.

ÉCHALOTES

Horn dang

Les échalotes thaïlandaises sont plus petites et beaucoup plus piquantes que leurs homologues occidentales. D'un rose violacé, elles sont courantes dans les sauces, soupes, ragoûts et currys ; on s'en sert aussi en garniture, coupées en anneaux et frites (voir encadré ci-contre). Les échalotes sont moins juteuses que les oignons, et on les associe souvent à d'autres ingrédients aromatiques tels les piments frais, l'ail et les crevettes séchées pour confectionner des pâtes épicées.

Ci-dessus – *Les échalotes thaïlandaises sont petites, d'un rose violacé, très piquantes et moins juteuses que les oignons.*

PRÉPARER DES ÉCHALOTES FRITES

Il est essentiel de faire frire les échalotes à feu doux, afin qu'elles cuisent de façon homogène. Si l'huile commence à crachoter, baissez le feu et ajoutez quelques pincées de sel de mer.

1 Épluchez 10 à 15 échalotes thaïlandaises, coupez-les en tranches extrêmement fines et séparez les tranches en anneaux.

2 Faites chauffer 47 centilitres d'huile végétale dans une poêle profonde à feu moyen, jusqu'à ce qu'elle soit chaude mais non brûlante. Mettez les échalotes à cuire à feu très doux 15 à 20 min en remuant jusqu'à ce qu'elles commencent à dorer.

3 Retirez la poêle du feu et laissez un peu refroidir, puis filtrez l'huile dans un grand récipient de métal. Étalez les échalotes sur une plaque à pâtisserie garnie d'essuie-tout puis laissez-les refroidir complètement. Une fois les échalotes froides, transférez-les dans un bocal de verre stérilisé que vous entreposerez à température ambiante.

Les échalotes peuvent se garder jusqu'à 1 mois. Conservez l'huile parfumée filtrée pour des fritures.

Ci-dessus – *La ciboulette chinoise a un goût d'ail piquant marqué et peut se manger crue ou cuite.*

Ci-dessus – *La belle-de-jour, dont le goût rappelle celui des épinards, est consommée dans toute la Thaïlande.*

CIBOULETTE CHINOISE

Kui chai

Cette herbe piquante ressemble plus à de longues ciboules plates qu'à son homologue occidentale. Les feuilles sont poivrées et croquantes. On les mange crues ou cuites ; elles sont très prisées en raison de leur consistance et de leur goût. La ciboulette chinoise peut être remplacée par des ciboules, mais celles-ci n'auront pas ce goût d'ail caractéristique.

BELLE-DE-JOUR

Pakk boog

Cette plante feuillue très populaire, également appelée *convolvulus* d'eau ou épinard d'eau, est une herbe. Elle pousse dans les régions marécageuses, aux abords des rivières et des canaux, et elle est apparentée à la belle-de-jour qui prospère sur les murs des jardins européens. Elle possède de longues tiges vertes creuses et de minces feuilles ovales effilées. Dans certaines parties d'Asie, on prépare des condiments avec les tiges, mais en Thaïlande seules les feuilles et les pousses – dont le goût ressemble à celui des épinards – sont consommées. Les extrémités tendres se mangent souvent crues, accompagnées d'un assortiment de sauces épicées. Une fois cuites, les pointes des tiges restent fermes, mais les feuilles ramollissent. La belle-de-jour est périssable et doit être utilisée rapidement.

LES CHAMPIGNONS

Dans la cuisine thaïlandaise, on accommode de nombreuses variétés de champignons – *hed* – frais ou séchés. Les champignons cultivés et sauvages sont ramassés pendant la saison des pluies, notamment dans le nord du pays. On trouve des cèpes, des chanterelles et des russules, que l'on utilise en salades, en soupes et en sauces.

CHAMPIGNONS DE COUCHE

Hed fang

Ces champignons délicats au parfum très doux doivent leur nom à leur méthode de culture sur des couches de paille. Ils ressemblent à des casques minuscules et sont la variété la plus couramment utilisée dans la cuisine thaïlandaise. On s'en sert notamment pour les soupes, les salades et les currys, et ils sont délicieux associés aux crevettes et à la chair de crabe. Les champignons de couche en boîte sont vendus dans les magasins asiatiques et les supermarchés. Ils n'ont ni le goût ni la consistance des champignons frais, mais ils peuvent les remplacer. Les champignons de couche frais sont très périssables. Si vous en achetez, utilisez-les le plus rapidement possible.

Ci-contre – *Les shiitake existent frais, mais les Thaïlandais les préfèrent séchés.*

Ci-dessous – *Même s'ils ont moins de goût, les champignons de couche en boîte peuvent remplacer les champignons frais.*

SHIITAKE

Hed hom

On peut trouver des shiitake frais, mais les Thaïlandais préfèrent les utiliser séchés car ils ont un goût plus prononcé et une consistance plus intéressante. Frais ou séchés, ils sont vendus dans les magasins thaïlandais et les supermarchés. Les shiitake séchés doivent être mis à tremper dans l'eau avant utilisation. En général, on jette les queues et on coupe le chapeau en lamelles ou on le hache pour le mettre dans des soupes ou des ragoûts. L'eau de trempage peut être filtrée et récupérée dans des soupes ou des bouillons, car elle garde le parfum des champignons. Les shiitake séchés se conservent bien dans un sac en plastique fermé, dans un endroit sec et frais.

PLEUROTES

Hed hunu heang

Les pleurotes sont en fait des moisissures. Séchés, ils ressemblent à des feuilles mortes. Lorsqu'on les fait tremper dans de l'eau bouillante, ils « reprennent vie », gonflent et se déploient pour donner des chapeaux caoutchouteux noirs et brillants. Ils peuvent gonfler jusqu'à atteindre six à huit fois leur volume initial, aussi faut-il les mettre à tremper dans une grande quantité d'eau. Après le trempage, laissez-les refroidir, puis coupez et jetez les queues, trop dures. Égouttez, rincez soigneusement, égouttez à nouveau en écartant les impuretés.

Ci-dessus – *Les pleurotes séchés sont très prisés en raison de leur consistance. Ils absorbent le goût des autres ingrédients.*

Vous pouvez les faire cuire soit entiers soit coupés en lamelles fines pour des soupes et des fritures.

Les pleurotes ont une consistance croquante et un goût boisé caractéristique, mais ils absorbent également les autres saveurs.

Ces champignons sont faciles à trouver dans les supermarchés asiatiques et dans certains magasins de produits bio.

RECONSTITUER LES CHAMPIGNONS SÉCHÉS

Pour reconstituer et attendrir les champignons séchés, faites-les tremper dans l'eau bouillante 20 à 30 min suivant la taille et la variété. Égouttez-les et rincez-les pour retirer les éventuelles impuretés. Utilisez-les en friture, cuits à la vapeur, braisés ou dans des soupes. Les champignons séchés ont souvent besoin de cuire plus longtemps que les champignons frais.

LES CONDIMENTS ET CONSERVES DE LÉGUMES

Les condiments et les conserves de légumes s'utilisent en petites quantités, comme accompagnement. On les trouve dans les magasins de produits asiatiques.

CONDIMENT D'AIL

Kratiem dorng

En Thaïlande, on conserve les têtes d'ail entières dans le vinaigre. Qu'on le consomme entier, émincé finement ou haché, l'ail croquant a une saveur complexe, à la fois sucrée, amère, salée et piquante. On trouve des versions douces et des versions amères de ces condiments vendus en boîtes ou en bocaux, à manger en sauce ou pour agrémenter un plat de viande ou de nouilles. Le liquide est souvent récupéré dans des soupes ou des assaisonnements de salade. Il se conserve au réfrigérateur plusieurs mois.

CONDIMENT DE GINGEMBRE

King dorng

Outre que le gingembre macéré est une jolie garniture, son goût sucré et sa consistance croquante agrémentent les plats relevés. On fait d'abord macérer de très fines tranches sculptées de gingembre tendre dans du sel de mer et du jus de citron vert frais, ce qui donne une jolie couleur rosée à la chair blanc cassé, puis on plonge le gingembre dans un mélange de sucre et de vinaigre avant de l'insérer dans un bocal. Il existe deux variétés de condiment de gingembre, l'une rose clair, la meilleure, l'autre rouge vif.

Ci-dessous – *Les condiments de mangue ont une consistance croquante et un goût sucré-salé.*

Ci-dessus – *Les condiments de pousses de bambou ont un goût aigre-doux et une consistance croquante.*

CONDIMENT DE CHOU

Pat gat dorng

Le chou blanc haché est mis à macérer dans du vinaigre, du sel et du sucre au moins 3 jours. On le sert en sauce ou on l'ajoute aux plats pendant la cuisson pour leur donner un goût salé légèrement aigre.

CHOU SALÉ

Pak kad khem

Parfois appelé conserve de chou et utilisé pour parfumer les plats sino-thaïlandais, ce condiment peut être préparé avec différentes sortes de chou coupé en lanières et conservé dans du sel et de l'ail. Le chou salé le plus populaire en Thaïlande, le *tang chai,* vient du district chinois de Tianjin. À l'origine, le chou était placé dans des pots d'argile ronds, mais la variété thaïlandaise actuelle est emballée dans des bocaux en plastique transparents. Se conservant longtemps, il donne du goût et de la consistance aux soupes et aux plats à base d'œufs et de nouilles.

CONDIMENT DE POUSSES DE BAMBOU

Nor mai dorng

En Thaïlande, les pousses de bambou ne se vendent fraîches qu'à la saison des pluies (mai-octobre). À la saison sèche, on utilise des condiments de pousses de bambou. Une fois ouverts, les bocaux se conservent 1 mois au réfrigérateur. Rincez les pousses de bambou à l'eau froide plusieurs fois de suite et égouttez-les soigneusement avant usage.

DAIKON SALÉ

Ho chai pok

Le daikon salé ressemble à de longs tubes en caoutchouc. Coupé en longues lanières, il a une consistance caoutchouteuse qui agrémente soupes et plats de nouilles. Il en existe deux variétés : l'une légèrement sucrée, l'autre très salée. Rincez cette dernière dans l'eau pour atténuer son goût salé avant utilisation.

PRUNES SALÉES

Giem bouy

Ces prunes séchées ratatinées ont à peu près la taille d'olives. D'un brun grisâtre, elles sont recouvertes d'une fine couche de sel. On les trouve en récipients de plastique transparent ou emballées dans de la Cellophane. Les prunes salées parfument le poisson cuit à la vapeur et d'autres plats thaïlandais. Les prunes et le jus servent à préparer une sauce aigre-douce.

CONDIMENT DE MANGUE

Ma muang dorng

La mangue, pelée ou non, peut être mise à tremper dans l'eau salée pendant plusieurs jours jusqu'à ce qu'elle se décolore. Les tranches de mangue salées et séchées au soleil *(ma muang khem)* sont censées protéger de la maladie.

Ci-dessous – *Les prunes salées, qui servent à parfumer les plats, sont vendues au rayon confiserie des magasins asiatiques.*

LES FRUITS

BANANES

Kluai

Originaires de Thaïlande, les bananes sont cultivées depuis des milliers d'années. Le bananier est en fait une herbe gigantesque. Le fruit pousse en grappes pointées vers le ciel à travers les feuilles en éventail. Celles-ci peuvent servir d'assiettes ou être repliées pour contenir de la nourriture. Les tiges font un curry délicieux et les boutons, une fois cuits, ont un goût d'artichaut. On offre des grappes de bananes aux esprits et on les utilise pour les cérémonies religieuses.

Plus de trente variétés de bananes différentes poussent en Thaïlande, depuis les petites bananes riz jusqu'aux grosses Cavendish Gros Michael jaune vif. La couleur va du crème clair au rouge, et les fruits peuvent aussi bien avoir la forme de minces doigts que celle de gros losanges ou de boomerangs courbes. Le goût peut être très doux ou bien sucré et parfumé.

Les bananes de dessert peuvent être dégustées telles quelles. Particulièrement digeste, le fruit écrasé est recommandé pour les nourrissons et les personnes âgées. On peut également faire cuire les bananes dans leur peau sur un brasero ou au four, ou en faire des friandises. Les Thaïlandais en composent des desserts comme les bananes cuites dans le lait de coco *(kluat buat chi)* et une friandise délicieuse où des bananes mûres sont enveloppées dans un mélange de riz gluant et de farine *(kluithod)*.

Les bananes plantain ont une chair ferme de couleur rosée. Il faut les cuire avant de les consommer. En Thaïlande, on les utilise en currys ou bien on les mange pelées, trempées dans une pâte à base de lait de coco et de farine de riz, puis sautées.

Ci-dessus – *Les minuscules bananes Lady Finger, également appelées bananes sucre en raison de leur chair sucrée, ne mesurent guère plus de 7,5 cm de long.*

Ci-contre – *Lorsqu'elles sont très mûres, les petites bananes pommes ont un léger goût de pomme.*

BOUTONS DE BANANIER

Hua plee

Également appelés fleurs de bananiers, ces boutons sont en fait le cœur des bourgeons dépouillés de leurs pétales violets. On les trouve sur les marchés asiatiques, frais, en boîte ou séchés. Ils se décolorent rapidement une fois coupés en tranches ou en lanières, aussi faut-il les badigeonner de jus de citron. Dans le nord de la Thaïlande, on s'en sert pour préparer la soupe aux courges. Ils entrent également dans la composition de salades, où leur saveur d'artichaut fait merveille.

Ci-dessus – *Au cœur de la fleur de bananier se trouve le délicat bouton de banane.*

LES FEUILLES DE BANANIER

Ces grandes feuilles souples sont couramment utilisées dans la cuisine thaïlandaise pour envelopper les aliments avant de les cuire à la vapeur, de les rôtir ou de les griller. Pendant la cuisson, les aliments absorbent le goût fumé des feuilles, et il arrive aussi qu'ils prennent une teinte vert clair. Les feuilles servent parfois de napperons pour recouvrir une table, garnir des plats ou confectionner des récipients que l'on ferme à l'aide de tiges de bambou.

Ci-dessous – *Les feuilles de bananier ne sont pas comestibles, mais on les utilise de différentes manières.*

PAPAYES

Malako

Originaire d'Amérique du Sud, la papaye, ou *paw-paw,* a été adoptée par les cuisiniers thaïlandais. Les deux variétés que l'on trouve en Thaïlande sont le *khak nuan,* une papaye de forme cylindrique émoussée, à la peau jaune et à la chair orangée et sucrée, et le *wuak dam,* également cylindrique mais pointu, à la peau rougeâtre et sucrée.

La papaye mûre est souvent servie nature, simplement arrosée de jus de citron vert. Le fruit vert est en général utilisé comme légume ; on peut le manger cru en salade, en sauce ou bien bouilli.

Choisissez des fruits mûrs de couleur orangée uniforme ou, si vous ne voulez pas les utiliser tout de suite, des fruits un peu fermes à la peau verdâtre commençant à peine à dorer. Le fruit continuera de mûrir dans un endroit sombre. Évitez les fruits abîmés ou ratatinés, et manipulez-les avec précaution car ils sont fragiles. Les papayes mûres se conservent 1 semaine au réfrigérateur.

Pour les préparer, coupez simplement le fruit en deux et retirez les pépins noirs.

Ci-dessus – *En Thaïlande, les papayes entrent dans la composition de plats tant sucrés que salés.*

MANGUES

Ma muang

On trouve plusieurs variétés de mangues en Thaïlande, certaines étant cultivées comme fruits de dessert, d'autres comme fruits à cuire ; ces dernières sont utilisées vertes. L'*ok-rong* est un fruit de dessert à la peau jaune clair et de petite taille – il tient dans la paume de la main. Bien qu'un peu filandreux, il accompagne à merveille le riz collant par son goût doux et parfumé. Une autre variété très prisée est le *nam dawg mai* (« nectar de fleurs »), une mangue délicieusement juteuse et parfumée. Sa peau est fine et lisse, sa chair est délicate, non filandreuse, entourant un petit noyau noir. La *ma-muang mun* se consomme en général verte. Elle a un goût de noisette, à la différence des jeunes mangues vertes très amères qui servent à faire les sauces et les salades.

Une mangue bien mûre doit s'enfoncer légèrement au toucher. Les mangues mûres se conservent pendant plusieurs jours au réfrigérateur.

Ci-dessus – *Les goyaves ont un goût à la fois doux et acidulé.*

GOYAVES

Farang

Il existe de nombreuses variétés de goyaves en Thaïlande. La plus prisée est la goyave citron. Ce fruit rond, vert-jaune, pèse environ 225 grammes et possède une chair blanche coriace ainsi que des petites graines brunâtres que l'on jette. Les Thaïlandais consomment ce fruit avant qu'il ne mûrisse trop et ne devienne acide. À ce stade, la chair est croquante et insipide, mais elle est délicieuse trempée dans une sauce au piment.

Quand vous achetez des goyaves, choisissez des fruits fermes (mais pas durs), vert pomme ou jaunes. Vérifiez que la peau est intacte et manipulez-les avec précaution car ils sont très fragiles. Les goyaves se conservent 3 à 4 jours à température ambiante et 1 semaine au réfrigérateur. Pour préparer le fruit, coupez-le en deux, retirez les graines, arrosez-le de jus de citron, puis retirez la chair à l'aide d'une cuillère à café. La chair peut aussi être coupée en segments ou en tranches et servie avec du sel ou des piments moulus. Pour un dessert facile à préparer, saupoudrez des tranches avec du sucre, couvrez hermétiquement et laissez reposer toute une nuit.

RAMBOUTANS

Ngoh

Ces fruits sont si prisés dans ce pays que les Thaïlandais leur consacrent un jour au mois d'août. Ils ressemblent un peu à des châtaignes douces, mais avec une enveloppe « chevelue » rouge, verte, jaune ou orangée, suivant la variété. La chair, qui entoure un gros noyau, est d'un blanc translucide avec une saveur sucrée. La variété la plus sucrée est le *rongrian.* Choisissez des fruits aux couleurs vives et velus aux extrémités. Ils se conserveront jusqu'à 1 semaine au réfrigérateur.

Ci-dessous – *Les ramboutans ont une peau « chevelue » caractéristique.*

Ci-contre – *Le longane, un petit fruit marron clair, est très courant en Thaïlande, et l'on en trouve souvent des grappes empilées sur les marchés.*

Ci-dessus – *Les mangoustes ont un goût délicat et sont meilleures crues.*

Ci-dessus – *Les lychees ont un goût délicieusement sucré.*

LYCHEES

Lin-chi

Les lychees sont à l'origine une importation chinoise. Environ vingt variétés sont cultivées en Thaïlande, et ce fruit compte parmi les principales exportations du pays. La peau rougeâtre, cassante et bosselée renferme une chair blanche et juteuse légèrement filandreuse. Le noyau brillant a la couleur de l'acajou. Les lychees ont un arôme merveilleusement parfumé et un goût similaire à celui du muscat ; ils sont très rafraîchissants en fin de repas. Lorsque vous achetez des lychees, choisissez des fruits à l'écorce ferme et sans tache. Vous pouvez les garder 3 jours à température ambiante ou 1 semaine au réfrigérateur.

LONGANES

Lamyai

Ce fruit a été importé de Chine à la fin du XIXe siècle, bien qu'il soit sans doute natif du sud de l'Inde. Il est apparenté au lychee, et sa chair a une consistance et une apparence similaires à celle de son cousin, mais avec un goût moins prononcé. Les longanes sont petits et ronds, avec une peau cassante marron clair.

En saison, on trouve des piles de longanes sur les étals des marchands ambulants. Achetez-les de préférence en grappe et vérifiez que leur peau n'est pas abîmée. En raison de leur haute teneur en sucre, ces fruits pourrissent vite. Vous pouvez les garder au réfrigérateur 4 à 5 jours ou les congeler.

LANGSATS ET DUKUS

Langsat et *long gong*

Ces deux fruits sont classés dans la catégorie des *Lansium domesticum* bien qu'ils diffèrent nettement l'un de l'autre. Tous deux sont en forme d'œuf et poussent en grappes. Le duku est un peu plus gros que le langsat et sa peau est plus épaisse. Chaque grappe compte environ dix fruits, tandis que les grappes de langsat peuvent compter jusqu'à vingt fruits. Leur chair est généralement blanche, mais certaines variétés de duku ont la chair rose. Leur goût est plus ou moins amer ou sucré, mais tous deux sont juteux et rafraîchissants. On peut les manger crus ou conservés dans le sucre. Parfois on les sert sur un lit de glace.

À l'achat, choisissez des grappes de fruits à la peau jaunâtre, lisse et bien tendue. Les langsats et les dukus se conserveront au réfrigérateur jusqu'à 5 jours.

MANGOUSTES

Mangkhut

La mangouste est native du Sud-Est asiatique, et elle est cultivée à grande échelle en Thaïlande. Son curieux aspect extérieur ne laisse pas prévoir sa succulence. Les mangoustes sont petites, à peu près de la taille d'une prune, avec une épaisse peau violet foncé qui renferme une chair crémeuse veinée de rose. Celle-ci est très sucrée et développe un goût de pêche et de raisin qui fait venir l'eau à la bouche.

Jusqu'à une époque récente, il était difficile de trouver des mangoustes en Occident. Choisissez de gros fruits fermes qui s'enfoncent légèrement lorsque vous appuyez dessus. Ils se garderont jusqu'à 2 semaines au réfrigérateur.

FRUITS DE LA PASSION

Saowarot

Les fruits de la passion sont cultivés en Thaïlande depuis seulement soixante ans. Ils ont la taille d'une grosse prune. La peau dure et épaisse est marron ou jaune orangé. La pulpe, un peu gélatineuse, a un goût citronné et les graines, foncées, sont comestibles. En Thaïlande, le jus du fruit de la passion est une boisson très populaire. On consomme également les graines avec un peu de sel. En vieillissant, les fruits tendent à se rider, aussi est-il préférable de les acheter avec une peau lisse et sans tache. Ils se conservent 1 semaine dans un endroit frais.

Ci-contre – *Les sapotilles ont une peau mate et terne qui renferme une chair sucrée et savoureuse.*

ANONES

Noina

Originaires d'Amérique du Sud, les anones furent introduites en Thaïlande il y a trois cents ans. Extérieurement, le fruit ressemble à une petite grappe très dense de raisins verts. Il s'ouvre aisément en deux pour révéler une chair blanche parsemée de graines dures d'un marron brillant – ces graines sont comestibles. Mûre, la chair est sucrée et crémeuse. Les anones servent à confectionner des glaces, des boissons et des desserts.

Quand vous achetez des anones, choisissez des fruits qui s'enfoncent légèrement au toucher. Vous pouvez les conserver au réfrigérateur 5 à 7 jours.

POMMES ROSES

Chomphu

Il existe en Thaïlande plusieurs variétés de ce fruit, également appelé pomme d'eau. Il est très désaltérant mais assez insipide. La variété *tubtimjan* est oblongue et sans peau. La peau des autres variétés est généralement rouge, et leur chair croquante et sucrée. La variété *phetch* a la forme d'une cloche, avec une graine au milieu. Sa chair ferme et juteuse est sucrée et légèrement acidulée. Les pommes d'eau sont rarement vendues ailleurs que dans leur pays d'origine.

CARAMBOLES

Mafuang

La carambole est un fruit jaune vif au goût un peu fade, légèrement acidulé. Elle a une peau cireuse qui forme cinq lobes lorsqu'on la coupe dans le sens de la largeur, donnant des tranches en forme d'étoile qui font une excellente garniture pour les plats de poisson ou de volaille.

Les caramboles sont faciles à trouver dans les supermarchés et les magasins de produits asiatiques. Choisissez de préférence des fruits à la peau brillante et bien tendue, sans taches. Vous pouvez les garder 2 à 3 jours dans un sac en plastique au réfrigérateur.

Ci-contre – *Les caramboles sont également appelées « fruits étoiles ».*

PITAYAS

Gaew mungkorn

Également appelée fruit dragon, la pitaya est très jolie. Mesurant environ 10 cm de long, elle a une peau jaune ou rose vif couverte d'écailles aux extrémités vertes. La chair, blanche et criblée de minuscules graines comestibles, a un goût de melon, et les graines lui donnent du croquant. Lorsqu'elles sont bien mûres, les pitayas s'enfoncent légèrement au toucher. Il est préférable de les déguster réfrigérées. Coupez le fruit en deux, arrosez-le de jus de citron vert et servez avec une cuillère à café.

SAPOTILLES

Lamut

À peu près de la même taille que le kiwi et d'une consistance similaire, mais avec une peau brun orangé, la sapotille a un goût sucré de miel et de caramel. Utilisez un couteau pour l'éplucher et retirer les graines, qui ne sont pas comestibles. Les Thaïlandais dégustent les sapotilles arrosées de jus de citron vert frais, en dessert. Achetez des fruits qui s'enfoncent légèrement au toucher. Vous pouvez les garder jusqu'à 5 jours au réfrigérateur.

JUJUBES

Phutsa

Ces fruits ont à peu près la même taille et la même forme que les prunes. Ils ont une peau verte et brillante tachée de terre de Sienne. La peau, comestible, protège une chair blanche et croquante qui renferme un gros noyau. Le goût ressemble à celui d'une poire verte, à la fois sucrée et légèrement acidulée. Très ferme, le fruit est facile à sculpter pour faire des garnitures décoratives. Achetez des fruits à la peau lisse et sans taches. Le jujube se conserve 3 à 4 jours au réfrigérateur.

Ci-dessous – *Le jujube a une chair croquante qui évoque celle d'une poire encore verte.*

Ci-dessus – *La cuisine thaïlandaise fait grand usage de citrons verts.*

TAMARIN DOUX

Makman wan

Ce fruit en forme de haricot a des cosses irrégulières de 7,5 à 15 cm de long. À l'intérieur, la chair est blanche et sucrée, avec des graines marron. En Thaïlande, ce fruit est consommé jeune avec une sauce épicée. On s'en sert également pour les soupes. (Voir aussi Les herbes, épices et aromates, p. 54.)

CITRONS VERTS

Manao

Ces petits citrons verts très acides sont appréciés dans toute la Thaïlande. De fines tranches de citron vert peuvent contrebalancer le goût très sucré de certains fruits comme la mangue ou la papaye. Additionné de sel et de sucre, le jus de citron vert frais sert à préparer des boissons ; il peut aussi entrer dans la composition des assaisonnements de salades.

CITRONS VERTS CAFRES

Makrut

Ces citrons verts n'ont presque pas de jus, mais on utilise leur écorce râpée dans les plats salés. Leurs feuilles au goût citronné sont un aromate essentiel dans la cuisine thaïlandaise. On les déchire en lanières pour les mettre dans les soupes et les plats de poisson ou de poulet. À l'achat, choisissez des spécimens sans taches et sans rides. Vous pouvez les garder au réfrigérateur jusqu'à 1 mois ou les congeler. Les feuilles sont vendues en sachets.

ORANGES

Som tra

En Thaïlande, on trouve principalement deux variétés d'oranges : l'orange douce, qui a une peau vert orangé et une chair orangée ou jaune, juteuse et sucrée ; et la tangerine, au goût aigrelet, qui se coupe aisément en quartiers. Choisissez des fruits à la peau brillante et sans défauts. Ils se conservent jusqu'à 1 semaine à température ambiante.

Ci-dessus – *Ce sont les feuilles et les écorces aromatiques du citron vert cafre qui sont appréciées dans la cuisine thaïlandaise.*

POMELOS

Som-o

Le pomelo, le plus gros des agrumes, peut peser jusqu'à 1 kilo. On en cultive plusieurs variétés en Thaïlande, mais les plus prisées sont le *khao hom* et le *thongdi,* au goût sucré. Tous deux sont sphériques. Le *khao hom* a une écorce jaune vert et une chair couleur crème, tandis que le *thongdi* a une écorce vert foncé et une chair rose juteuse et sucrée. Comme la papaye, le pomelo est très apprécié au petit déjeuner ; il est aussi associé aux plats épicés qu'il met en valeur. Choisissez des fruits fermes à la peau lisse qui s'enfonce légèrement au toucher. Entiers, les fruits non pelés se gardent jusqu'à 1 mois à température ambiante.

Ci-dessus – *Les ananas sont un produit essentiel en Thaïlande.*

Ci-dessous – *Le jacque peut peser 40 kilos.*

ANANAS

Sapparot

En Thaïlande, on trouve principalement deux variétés d'ananas : le *phuket,* à la peau jaune-brun et à la chair sucrée, et le *pattawia,* plus gros, vert foncé et moins doux. L'ananas cru et son jus sont très prisés, mais on utilise aussi l'ananas dans des plats cuits, sucrés ou salés. Au marché, sentez le fruit – un ananas bien mûr aura un parfum sucré très développé –, en vous assurant que le plumet de feuilles est bien vert. Un ananas frais se conserve jusqu'à 1 semaine dans un endroit frais. Pour le préparer, ôtez les feuilles, puis coupez le fruit en tranches ou en quatre dans le sens de la longueur. Retirez la peau et les « yeux ».

PASTÈQUES

Taeng mo

La chair juteuse de ce gros fruit rond est très rafraîchissante. L'écorce verte et épaisse et la chair rose en font un fruit idéal à sculpter pour une table de banquet. Quand vous achetez une pastèque, choisissez-la ferme ; elle doit résonner lorsque vous tapotez l'écorce. Pour servir, coupez-la en tranches et retirez les graines noires et brillantes. La chair peut également être coupée en dés pour une délicieuse salade. Une fois coupé, le fruit doit être enveloppé dans du film plastique et se conserve 3 jours au réfrigérateur.

DURIANS

Thurian

Ces énormes fruits peuvent peser jusqu'à 10 kilos. La peau vert kaki est hérissée de gros piquants. À l'intérieur, la chair jaune assez ferme entoure de grosses graines. Son odeur âcre très déplaisante a été comparée à celle des égouts et des fromages bleus très matures. Pourtant, les Thaïlandais considèrent le durian comme le roi des fruits en raison de ses vertus aphrodisiaques, et il est très recherché pendant la saison. La variété *mon tong* est la meilleure et la plus coûteuse. La chair a un goût exquis, et dès que l'on commence à la déguster on en oublie l'odeur. Choisissez des fruits intacts et fermes, avec une peau sans défaut car la chair pourrit rapidement dès qu'elle est exposée à l'air. Les durians se conservent à température ambiante 3 à 5 jours. Tenez-les à l'écart des autres aliments ou, de préférence, à l'extérieur de la maison, en raison de leur odeur puissante.

Ci-dessus – *La pastèque a une haute teneur en eau, ce qui en fait un fruit très rafraîchissant.*

Pour les préparer, coupez l'écorce en gros segments, en suivant les indentations naturelles visibles sur le côté. Cela permettra de mettre à nu les grosses graines couvertes d'une pulpe couleur crème que l'on peut retirer à l'aide d'une cuillère. On peut faire rôtir les graines et les consommer.

JACQUES

Khanun

Extérieurement, le jacque ressemble au durian, mais en moins acidulé. Lorsqu'il est mûr, le fruit a une peau vert-jaune qui doit être bien tendue et dégage un léger parfum ; si celui-ci est trop marqué, c'est que le fruit est trop mûr.

La chair crémeuse évoque un mélange de banane et d'ananas ; elle est excellente servie avec de la glace ou mélangée en salade avec d'autres fruits. On peut faire rôtir les graines et les manger.

Pour préparer le jacque, coupez-le en morceaux et retirez les graines. Enveloppez-le soigneusement si vous voulez le conserver ; il se conserve 3 à 5 jours au réfrigérateur et 2 à 3 mois au congélateur.

LA NOIX DE COCO ET SES PRODUITS

Les cocotiers poussent dans toute la Thaïlande et dans tout le Sud-Est asiatique ; ils bordent les plages de sable fin, entourent les petits villages, adoucissent la silhouette des palais et des temples.

Les noix de coco sont une ressource essentielle pour les Thaïlandais. Les frondes des palmes servent à fabriquer tapis et paniers ou à couvrir les toits ; les coques fibreuses qui protègent la noix peuvent servir de combustible ou être utilisées pour fabriquer des cordes ; les jeunes pousses sont délicieuses dans les currys, tandis que les fleurs contiennent du sucre. Quant à la noix de coco à proprement parler, l'écorce dure sert de coupe pour boire ou manger, permet de fabriquer des ustensiles ou est sculptée en ornement ou pièce de joaillerie. Le lait, très nourrissant, peut être bu et sert à préparer currys et desserts, tandis que la noix peut être consommée telle quelle ou transformée en huile, voire en lait solaire.

Les jeunes noix de coco contiennent une substance gélatineuse qui est la chair pas encore mûre. Celle-ci est délicieuse lorsqu'on la mange dans une noix de coco fraîchement cueillie. Le jus fait une boisson très désaltérante par temps chaud. À mesure que la noix mûrit, la chair durcit et se fixe sur l'intérieur de la coque. Elle sert alors à faire de la crème ou du lait de coco, ou des desserts comme le *kanom bah bin* (gâteau de noix de coco).

Les noix de coco sont généralement vendues sans la coque, afin de réduire les frais de transport. Quand vous achetez une noix de coco, assurez-vous qu'elle n'est pas endommagée ; elle doit être lourde et, lorsque vous la secouez, vous devez entendre bouger le liquide à l'intérieur. Si ce n'est pas le cas, le fruit risque d'être moins juteux, et il y a de fortes chances pour que la chair soit rancie.

On trouve toutes sortes de produits à base de noix de coco dans les magasins asiatiques et les supermarchés. Les paquets de noix de coco déshydratée sont bien connus, mais il existe aussi des briks et boîtes de lait de coco et de crème de coco prêts à l'usage. Certains contiennent des additifs sucrés, aussi est-il préférable de vérifier les étiquettes. Les blocs de purée de noix de coco sont faciles à reconstituer dans de l'eau bouillante.

Ouvrir une noix de coco

La meilleure méthode consiste à se servir du bord carré d'un fendoir. En travaillant au-dessus d'un récipient creux posé dans un évier, tenez la noix dans la paume d'une main avec les « yeux » placés juste au-dessus de votre pouce, cherchez le point faible qui se trouve entre les yeux et tapotez le long de cette ligne tout autour de la noix jusqu'à ce qu'elle s'ouvre en deux. Versez le liquide dans le récipient. Retirez les morceaux de noix de coco fraîche, puis ôtez la peau marron à l'aide d'un économe.

Pour conserver la chair, transférez-la dans un récipient et recouvrez-la d'eau ou de lait de coco. Couvrez hermétiquement et mettez au réfrigérateur.

Utiliser du lait et de la crème de coco

On tend à ajouter le lait de coco en début et la crème de coco en fin de cuisson pour éviter qu'elle tourne – sauf quand celle-ci sert à faire frire une pâte épicée destinée à un curry thaïlandais.

Ci-contre – *La noix de coco se prête à toutes sortes d'usage et c'est une culture très utile.*

PRÉPARER DU LAIT OU DE LA CRÈME DE COCO

1 Hachez la chair blanche d'une noix de coco fraîche dans un mixer ou râpez-la. Placez-la dans une jatte résistant à la chaleur et versez dessus de l'eau chaude mais non bouillante. Laissez reposer 10 min.

2 Filtrez le mélange à l'aide d'une passoire à mailles fines garnie de mousseline.

3 Fermez le morceau de mousseline et pressez-le pour extraire de la chair le reste du liquide, un lait crémeux très riche. Pour la crème de noix de coco, laissez reposer le liquide. Quand la crème remonte à la surface, retirez-la avec une écumoire.

LES PRODUITS À BASE DE SOJA ET DE TOFU

Cette excellente source de protéines inventée par les Chinois s'est répandue dans le monde entier, où elle remplace le poisson et la viande. Elle contient peu de graisses et de glucides.

Le tofu – *tow hoo* – est dérivé du germe de soja jaune. Débarrassés de leurs balles et pilés, les germes sont mis à tremper dans de l'eau pour produire du lait de soja. Après l'avoir filtré, on fait bouillir et cailler le lait à l'aide de gypse pour obtenir des gâteaux de lait de soja caillé solides que l'on appelle tofu.

Aujourd'hui, deux types de tofu frais sont très répandus. Le tofu soyeux, très mou, est souvent utilisé dans les soupes. Les gâteaux de tofu blancs, plus durs, sont plus faciles à manipuler. Les deux types de tofu se vendent emballés dans de l'eau, dans des bacs ou sous vide. Idéalement, le tofu devrait être consommé sur-le-champ, mais immergé dans de l'eau changée quotidiennement, il se garde 3 à 4 jours au réfrigérateur.

Plusieurs autres produits à base de tofu sont couramment utilisés dans la cuisine thaïlandaise.

Ci-contre – *Tofu pressé (en haut), tofu soyeux (à droite) et tofu ferme (en bas).*

TOFU PRESSÉ

Taohu kao

C'est un gâteau de tofu frais dont presque toute l'humidité a été extraite, laissant un bloc solide à la consistance lisse. Marron à l'extérieur et blanc à l'intérieur, il est souvent arrosé de sauce de soja et peut aussi être fumé. Pressez vos propres gâteaux en plaçant le lait caillé entre deux assiettes. Appuyez sur celle de dessus et inclinez l'ensemble sur le côté de façon à drainer le liquide. Le tofu pressé peut être coupé en tranches et frit.

PEAU DE LAIT DE SOJA CAILLÉ SÉCHÉE

Fong taohu hang

Ce produit est vendu dans les magasins d'alimentation asiatiques. Il consiste en minces feuilles de lait caillé obtenues en écumant la peau du lait de soja en train de frémir et en la faisant sécher. Les peaux s'utilisent en soupes, fritures et ragoûts, tandis que les bâtons sont très appréciés dans les plats végétariens. Les peaux séchées de lait de soja caillé doivent tremper dans de l'eau froide avant utilisation – 1 à 2 heures de trempage pour les feuilles, plusieurs heures et de préférence toute une nuit pour les bâtons.

Ci-contre – *Le tofu pressé, de consistance ferme, est utilisé dans le traditionnel* pad thaï *(nouilles frites).*

Ci-dessus – *Originaire d'Indonésie, le tempeh est très populaire dans la cuisine thaïlandaise.*

TOFU FRIT

Tau hoo tod

Lorsqu'on frit du tofu, il gonfle et devient tout doré, son arôme s'intensifie et il se ramollit. On trouve des dés de tofu frits sur les marchés asiatiques. Ils se conservent 3 jours au réfrigérateur. Absorbant les autres saveurs, les dés peuvent remplacer la viande, en particulier en friture.

CONDIMENT DE TOFU OU DE PÂTE DE GERMES DE SOJA

Tow hoo yee

Ce produit est obtenu par fermentation du tofu frais, que l'on fait ensuite sécher au soleil avant de le mettre à mariner dans un mélange alcoolisé. Le lait de soja caillé peut être rouge ou blanc, et son goût est très prononcé. Les meilleurs condiments au lait de soja caillé viennent de Chine ; ils sont vendus en bocaux ou en flacons.

TEMPEH

Ce lait de soja caillé solide est une spécialité indonésienne consistant en haricots de soja fermentés. Il ressemble à du tofu solide mais a un goût de noisette plus salé. Il gagne à être mariné.

LES POISSONS

La Thaïlande est un pays très poissonneux. Dans le Nord, la plupart des poissons sont des poissons d'eau douce – canaux, rivières, rizières, lacs et étangs. Sur les côtes, depuis la frontière cambodgienne, au sud-est, jusqu'à la pointe de l'étroite péninsule du sud flanquée par l'océan Indien et le golfe de Thaïlande, on trouve toutes sortes de fruits de mer.

Le poisson est préparé de diverses façons, suivant les espèces. Les poissons charnus sont généralement frits avec beaucoup de poivre et d'ail ou de sauce au piment, parfois enveloppés dans des feuilles de bananier et cuits sur le gril ou au barbecue, tandis que les espèces à chair plus délicate sont cuites à la vapeur avec des piments, du jus de citron vert et d'autres aromates.

Poissons d'eau douce

On trouve plusieurs espèces piscicoles d'eau douce dans les cours d'eau de l'intérieur du pays.

POISSON À TÊTE DE SERPENT

Pla chorn

C'est un poisson à l'aspect féroce et à la bouche énorme pleine de dents acérées. À la saison des pluies, les agriculteurs attrapent de gros poissons à tête de serpent dans les rizières, même s'il n'y a pas plus de 35 à 40 cm d'eau. La chair de ce poisson est plutôt insipide, mais elle absorbe le goût des autres ingrédients. On l'utilise notamment dans le *pla chorn pae za,* cuit à la vapeur et servi dans du bouillon avec du jus de citron vert et des prunes salées, ou dans la soupe *tom yam.* On peut aussi le faire sécher au soleil, puis le frire et le servir avec une sauce épicée.

Ci-dessous – *Le poisson-chat, à l'air féroce, se prépare de différentes manières.*

POISSON-CHAT

Pla doog

Le poisson-chat commun mesure environ 30 cm de long. Il est très répandu dans le nord de la Thaïlande. L'un des modes de cuisson les plus courants consiste à le faire sauter en morceaux jusqu'à ce qu'il soit croustillant, puis à le faire revenir dans une pâte de piment épicée avec d'autres ingrédients. Le poisson-chat s'emploie aussi dans des currys, et il est à la base d'une salade aigre et relevée, *yum pla doong foo.* Outre le poisson-chat commun, il existe une espèce plus petite, le *pla boo,* que l'on fait généralement cuire à la vapeur et que l'on sert entier arrosé de sauce de soja ou de jus de citron vert.

TILAPIA

Pla nin

Ce poisson populaire très appétissant est élevé dans toute la Thaïlande. Un poisson adulte pèse environ 500 grammes. Dans les restaurants, l'un des plats à base de tilapia les plus populaires est le *pla nin towd rad prig,* fait de poisson frit servi avec une sauce légèrement sucrée parfumée aux piments doux. Le tilapia sert aussi à préparer un curry thaïlandais appelé *kaeng som,* et vous trouverez parfois du *haw mok pla nin,* un plat épicé savoureux à base de tilapia mélangé avec des condiments et du lait de coco, cuit à la vapeur dans une feuille de bananier. On peut également écailler le poisson, couper la peau en courtes bandes étroites et la faire sauter pour la déguster en snack, arrosée de jus de citron vert ou servie avec une tranche d'oignon.

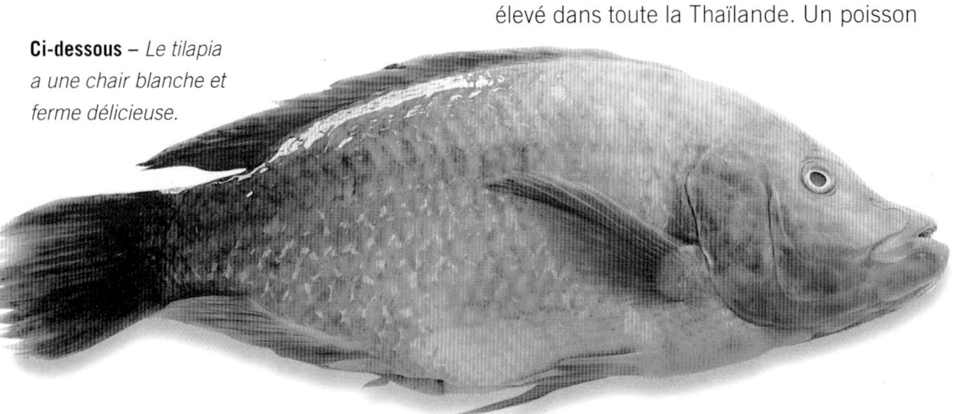

Ci-dessous – *Le tilapia a une chair blanche et ferme délicieuse.*

POISSON GRIS

Pla grai

C'est un poisson de couleur grise de 60 cm de long environ avec des « yeux » sur le ventre. La chair a une consistance délicate ; on la décolle de l'arête centrale et on la mélange avec des piments et d'autres condiments pour la mouler en forme de gâteaux que l'on fait frire et que l'on sert avec une sauce aigre-douce épicée en snack ou en apéritif.

TRUITE

Pla wan

Même si la truite n'est pas un poisson originaire de Thaïlande, il en existe des élevages, car elle est très populaire dans les restaurants. Sa chair délicate est considérée par les Thaïlandais comme une alternative à de nombreuses espèces d'eau douce locales. On la cuisine de diverses manières, mais l'une des méthodes de cuisson les plus courantes consiste à la faire frire et à la servir avec une sauce au piment relevée, le *pla nuea orn.*

Poissons d'eau de mer

Au large des côtes thaïlandaises, dans l'océan Indien au sud-est et dans le golfe de Thaïlande à l'ouest de la péninsule du sud, on trouve d'innombrables espèces de poissons d'eau de mer.

Ci-dessus – *La lune a une chair tendre et savoureuse facile à séparer en filets. On peut également consommer les nageoires et la queue.*

VIVANEAU

Pla krapong daeng

On recense plus de 250 espèces de vivaneaux dans les mers chaudes du monde entier, et la variété à peau rouge consommée en Thaïlande provient de l'océan Indien. Sur les marchés thaïlandais, le vivaneau est généralement vendu en filets en raison de ses nombreuses arêtes. On le fait souvent cuire à la vapeur, à la mode chinoise, arrosé de jus de citron vert ou de sauce de soja, ou bien revenir à la poêle avec des piments doux hachés, ou combiné avec une pâte de curry à base de noix de coco.

BAR

Pla krapang khan

Ce poisson a une chair blanche et ferme au goût délicat qui se prête à de nombreuses préparations. Il est idéal cuit à la vapeur. On le fait d'abord mariner entier dans des épices, puis on l'enveloppe dans une feuille de bananier pour le cuire au charbon de bois.

Ci-dessous – *Le bar peut être cuit entier à la vapeur, enveloppé dans une feuille de bananier.*

Ci-dessous – *Très frais, le maquereau est délicieux ; on le cuit à la vapeur ou on le fait frire.*

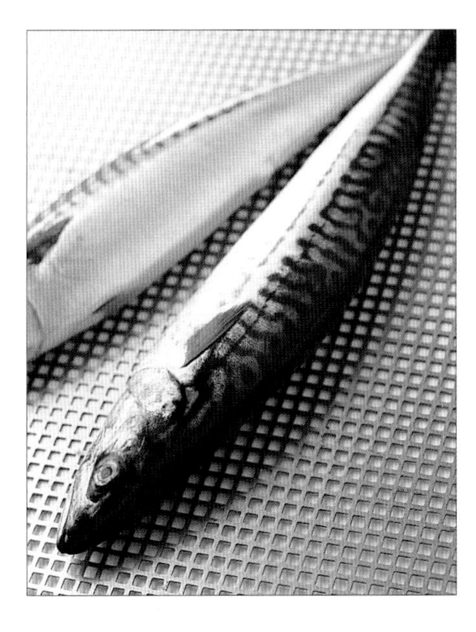

MAQUEREAU

Pla to

Parfois faussement appelé « thon », ce petit poisson huileux est très populaire sur les marchés, où il est généralement exposé sur des plateaux de rotin. Pour le nam prig pla tu, le poisson cuit à la vapeur est pilé dans un mortier avec de la pâte de curry et des piments forts. On peut aussi le faire cuire ou le faire frire avec une pâte de piments mélangée à de la pâte de crevettes.

Le maquereau salé est séché et conservé dans l'huile. Il est alors excessivement salé mais, utilisé en petite quantité, frit et saupoudré de piments et d'échalotes frites avec une giclée de jus de citron, il accompagne idéalement un plat de riz.

LUNE

Pla jaramed

C'est là un poisson plat à la chair ferme et savoureuse. Ces petits poissons argentés ont la forme d'un croissant de lune et une queue fourchue incurvée qui n'est pas sans rappeler celle du poisson plat. Le poisson mesure 30 à 50 cm de long. Il a peu d'écailles et aucune nageoire pelvienne, ce qui le rend facile à nettoyer et à préparer. Grâce à la fermeté de sa chair, il est facile à cuire à la vapeur avec des aromates, comme le gingembre et les ciboules, qui font bien ressortir son goût délicieux. On peut également le préparer comme le vivaneau, avec une sauce au curry ou d'autres sauces relevées.

LES FRUITS DE MER

Les eaux côtières de Thaïlande contiennent toutes sortes de coquillages et fruits de mer : crevettes, moules, palourdes, écrevisses, homards et coquilles Saint-Jacques. Les crabes sont très appréciés, qu'ils soient d'eau de mer ou d'eau douce.

CREVETTES

Gung foi

La cuisine thaïlandaise fait grand usage de crevettes, qu'elles soient grillées, ajoutées à une soupe *tom yam,* utilisées en curry, frites avec du tamarin ou servies à la mode satay, en brochettes cuites au charbon de bois. Les crevettes fermentées servent à confectionner une pâte, et les crevettes séchées sont un ingrédient courant.

Décortiquer les crevettes

La technique est simple. Une fois que vous la maîtrisez, vous pouvez préparer les crevettes très rapidement.

1 Détachez la tête et jetez-la, puis coupez l'extrémité de la queue. En vous aidant des deux pouces, ouvrez la coquille par-dessous et jetez-la, ainsi que les pattes.

2 À l'aide d'un couteau pointu, pratiquez une petite incision le long du dos.

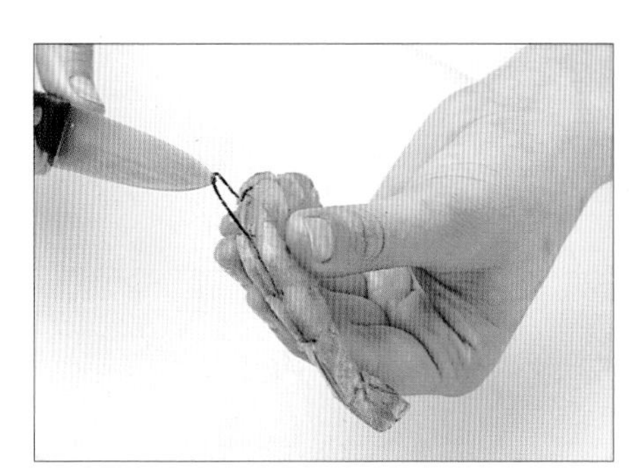

3 Retirez le cordon intestinal noir avec la pointe d'un couteau ou une pince à épiler. Rincez les crevettes décortiquées à l'eau froide et séchez-les avant de les cuire.

Crevettes papillons

Cette façon décorative de préparer les crevettes est aussi plus rapide.

1 Retirez la tête et décortiquez les crevettes, mais en laissant la queue intacte. Ouvrez le dos et retirez la veine.

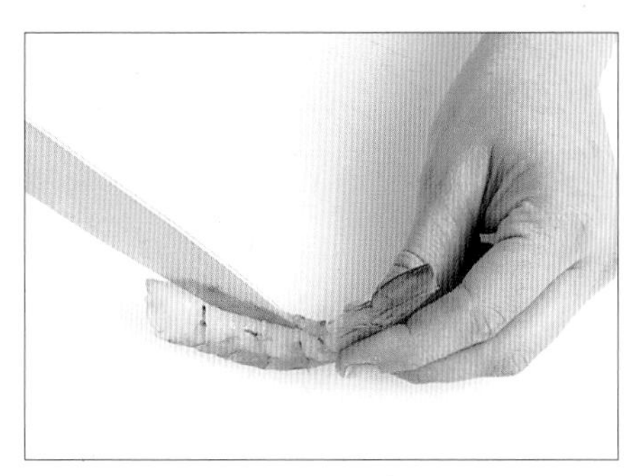

2 Incisez le dessous de chaque crevette, puis ouvrez-les en deux afin qu'elles ressemblent à des papillons aux ailes ouvertes.

BOULETTES AUX CREVETTES

Look chin bla

Ces petits beignets de crevettes se vendent frais ou congelés sur les marchés thaïlandais. Ils peuvent être utilisés dans des soupes ou des currys, grillés, cuits au barbecue ou frits. Les boulettes sont préparées avec un mélange de crevettes écrasées, d'ail et de sauce au poisson thaïlandaise, que l'on fait cuire ensuite pendant quelques minutes dans l'eau bouillante. Les boulettes de crevettes se conservent pendant 1 jour dans un récipient fermé au réfrigérateur ou 3 mois au congélateur.

Ci-dessous – *La couleur des crevettes crues peut varier.*

Ci-dessous – *Les crevettes deviennent écarlates en cuisant, indépendamment de leur taille, de leur variété et de leur couleur d'origine.*

Ci-dessus – *Les moules et les palourdes sont souvent associées dans les plats thaïlandais.*

MOULES, PALOURDES ET HUÎTRES

Hoi malang puu, hoi, hoi naang rom

Les moules et les palourdes figurent souvent au menu des Thaïlandais. Elles sont servies ensemble dans un plat très populaire aromatisé à la citronnelle et à la crème de coco. Les moules, cuites à la vapeur avec des herbes, sont une autre spécialité toute simple mais très appréciée. Les huîtres peuvent être associées à d'autres coquillages dans les salades de fruits de mer. On les fait blanchir à l'eau bouillante pendant environ 30 s, puis on les égoutte et on les mélange avec un assaisonnement épicé et des herbes fraîches avant de les servir chaudes.

Préparation des moules

Quand vous achetez des moules ou d'autres bivalves comme les palourdes ou les huîtres, assurez-vous qu'elles proviennent d'eaux non polluées. S'il s'agit de moules d'élevage, il est inutile de les purger pour les débarrasser du sable, mais si vous les avez pêchées vous-même, nettoyez-les soigneusement puis faites-les tremper pendant plusieurs heures dans un seau d'eau additionné d'un peu de farine de blé ou d'avoine.

Assurez-vous que les coquilles sont bien fermées. Celles qui sont entrouvertes doivent se refermer immédiatement lorsque vous les tapotez. Si elles ne se referment pas, jetez-les. Grattez soigneusement les coquilles et arrachez les barbes. Mettez les moules dans une casserole dans un liquide bouillant. Faites cuire à la vapeur 3 à 5 min. Retirez les moules du feu dès qu'elles sont ouvertes et jetez celles qui restent fermées. Vous pouvez également les faire ouvrir au four. Étalez-les sur une plaque et enfournez-les dans un four préchauffé à 150 °C (th. 4) pendant quelques minutes. Dès qu'elles s'ouvrent, présentez-les dans leurs coquilles ou décortiquez-les à l'aide d'un couteau pointu avant de servir.

CALMARS

Pla meug

Le calmar est très apprécié en Thaïlande, où il est vendu frais ou congelé. La cuisson des calmars doit être très brève, sinon ils deviennent caoutchouteux. Ils cuisent en 30 s dans l'eau bouillante et en 1 ou 2 min en friture. Le calmar peut être grillé, frit, cuit à la vapeur ou ajouté aux soupes et aux salades.

Ci-dessous – *Le calmar est idéal pour les fritures car il doit être cuit très brièvement.*

PRÉPARER LES PETITS CALMARS

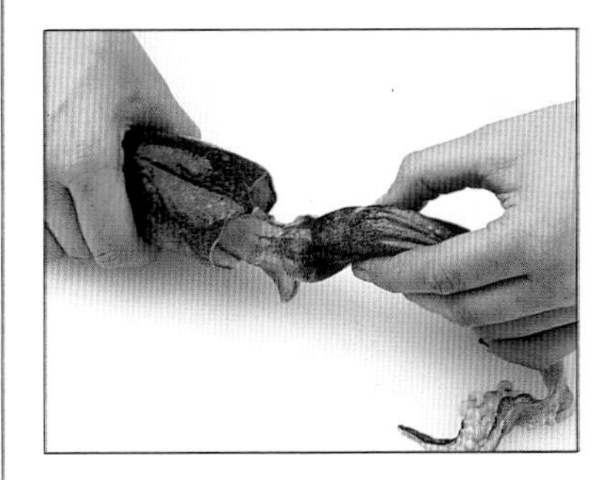

1 Tenez le calmar d'une main et de l'autre tirez doucement sur la tête et les tentacules pour les arracher.

2 Coupez avec précaution entre les yeux et les tentacules en évitant de crever les sacs d'encre – jetez les yeux et les poches d'encre. Retirez et jetez le petit bec dur situé entre les yeux et les tentacules.

3 Mettez le calmar sur une planche, côté nageoires sur le dessous. Avec les doigts ou à l'aide d'un couteau pointu, grattez la peau. Retirez les entrailles, puis frottez l'intérieur et l'extérieur du corps avec du sel. Réservez pendant 5 min, puis rincez à l'eau froide pour enlever le sel.

4 Séparez les tentacules et coupez les plus longues en deux.

5 Séchez le corps et les tentacules. Le corps peut être coupé en anneaux ou farci avec les tentacules hachés et d'autres ingrédients. Sinon, coupez-le en quatre dans la longueur, entaillez les morceaux de motifs entrecroisés et découpez en lanières.

LES VOLAILLES

La plupart des Thaïlandais achètent leurs volailles vivantes ou les font tuer devant eux au marché. C'est une garantie de fraîcheur, mais la vue des cages de bambou pleines de poulets, canards et pigeons décharnés peut indisposer les visiteurs étrangers.

POULET

Kai

Le poulet est très apprécié en Thaïlande. Sa chair délicate se prête bien aux modes de cuisson locaux simples et à l'emploi d'épices parfumées. Il semble que chaque région ait sa propre recette de curry de poulet. Cette volaille s'accommode aussi à d'autres préparations : on peut l'associer à de la citronnelle ou à des noix de cajou et la faire frire, la cuire au barbecue ou sur un brasero ou encore la rôtir. Le poulet rôti aux piments et au basilic est une spécialité, le parfum frais du basilic tempérant le feu des piments. Le poulet est délicieux rôti avec du citron vert et des patates douces. Cette volaille cuisant à la broche est un spectacle courant sur les marchés.

Découper un poulet

Cette méthode permet de découper le poulet en huit parts. Si vous avez besoin de plus de morceaux, par exemple pour une friture, recoupez chaque portion. Un cuisinier thaïlandais expérimenté est capable de découper un blanc de poulet ou une aile en dix morceaux, les pattes en quatre morceaux et les cuisses en six morceaux.

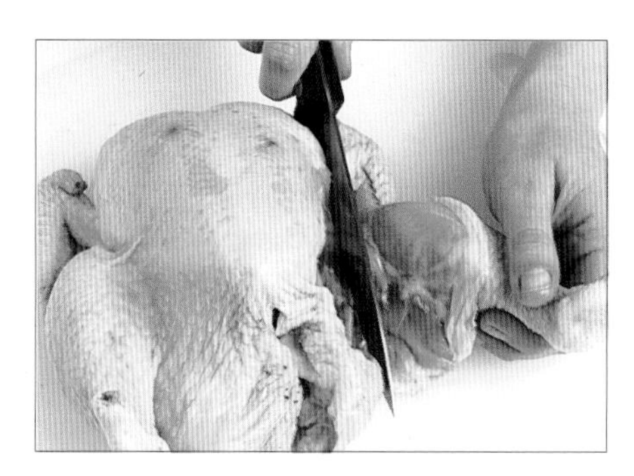

1 Posez le poulet sur la surface de travail, poitrine sur le dessous. À l'aide d'un couteau, coupez jusqu'à la boule de l'os de la cuisse tout en écartant la patte du corps. Dès que l'articulation est visible, coupez au travers de façon à libérer le pilon et la cuisse en un seul morceau. Répétez l'opération avec l'autre patte.

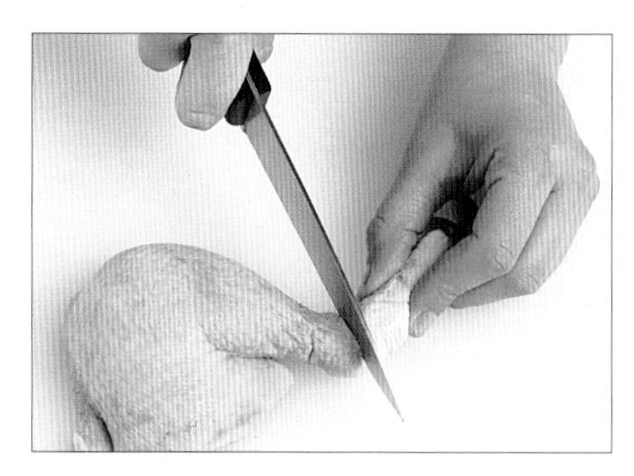

2 Coupez l'extrémité de l'os de la patte avec un couteau aiguisé, puis tournez la patte vers le haut pour localiser l'articulation du genou. Coupez la patte en deux à travers l'articulation pour séparer patte et cuisse. Répétez l'opération avec l'autre patte.

3 À l'aide d'un grand couteau tranchant ou de ciseaux de cuisine, coupez à travers l'os de la poitrine en commençant par le cou. Détachez chaque portion de blanc et d'aile de la colonne vertébrale, en coupant à travers la fourchette avec une paire de ciseaux, puis retirez la peau et jetez-la.

Ci-contre – *La chair de canard est très appréciée en Thaïlande.*

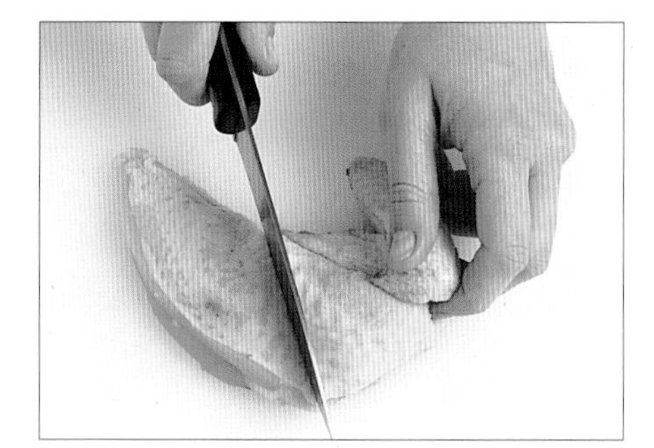

4 Séparez en deux les blancs et les ailes en incisant à travers la viande et l'os.

CONSEIL

Utilisez la carcasse pour faire du bouillon, en y ajoutant de l'oignon, du céleri et un morceau de gingembre frais ou une tige de citronnelle écrasée.

CANARD

Yahng

La cuisine thaïlandaise doit beaucoup aux influences chinoises, ce qui transparaît dans la passion des Thaïlandais pour la chair de canard. On la fait souvent cuire comme la chair de poulet, mais certains plats à base de canard sont très élaborés. Pour le *bet yahng,* le canard marine dans un mélange de miel, de sauce de soja, de piment, d'ail et de vinaigre, puis est rôti à la broche jusqu'à ce que la peau soit dorée et croustillante. On retire alors la peau pour la servir avec du riz, tandis que la chair partiellement cuite s'emploie en friture. La chair de canard peut aussi être coupée en bouchées et mise à mariner dans des aromates (poudre de cinq-épices, huile de sésame, écorce et jus d'orange), puis cuite dans du lait de coco pour un curry très épicé ; on peut également la hacher et la frire avec du piment et de la sauce de poisson thaïlandaise.

LES VIANDES

Même si le riz, les nouilles et les légumes sont à la base de l'alimentation des Thaïlandais, ces derniers ne sont généralement pas végétariens. Le porc est considéré comme une viande de choix, sauf chez les musulmans qui n'en mangent pas pour des raisons religieuses. Dans les régions où l'islam est très présent, on le remplace par du bœuf ou de l'agneau.

PORC

Mu

Cette viande est très populaire en Thaïlande, où « tout est bon dans le cochon », de la pointe des oreilles à l'extrémité de la queue. La viande de porc se prête à de nombreuses préparations et est associée à toutes sortes d'ingrédients – légumes, riz, nouilles, épices et aromates. Beaucoup de plats à base de porc trahissent l'influence de la cuisine chinoise, notamment l'omniprésent porc épicé cuit au barbecue et le porc à la sauce aigre-douce. Pour les fritures, on utilise le filet, la partie maigre des pattes et la poitrine, tandis que seule la poitrine entre dans la composition des ragoûts et des plats braisés.

Ci-dessus – *La poitrine de porc est un morceau très apprécié pour les fritures et les snacks.*

Poitrine de porc

Mu sam chan

C'est le même morceau que celui dont on tire le bacon, avec une couche de viande rouge, une de graisse et une de peau. La poitrine de porc est considérée comme l'un des meilleurs morceaux, et les Thaïlandais en raffolent, qu'elle soit frite ou cuite à feu doux avec une poudre aux cinq épices. La méthode de cuisson lente permet d'attendrir la viande et de la dégraisser. Cuite de cette façon, la poitrine de porc est souvent servie avec du riz bouilli et des légumes. Hachée, elle sert à renforcer le goût d'autres aliments et à les rendre moins secs. On la mélange souvent avec des crevettes pour faire le gâteau de crevettes et avec de la viande de bœuf pour alléger les boulettes de viande thaïlandaises.

Ci-contre – *En Thaïlande, on ne jette pas la peau de porc : on la fait souvent frire pour la déguster en snack.*

PRÉPARER DE LA POITRINE DE PORC CROUSTILLANTE

C'est un snack très apprécié qui ressemble aux grattons de porc.

Pour environ 700 grammes

- 1 kg de poitrine de porc
- 12 cl de vinaigre de coco thaïlandais
- 4 cuil. à soupe de sel
- huile de tournesol pour friture

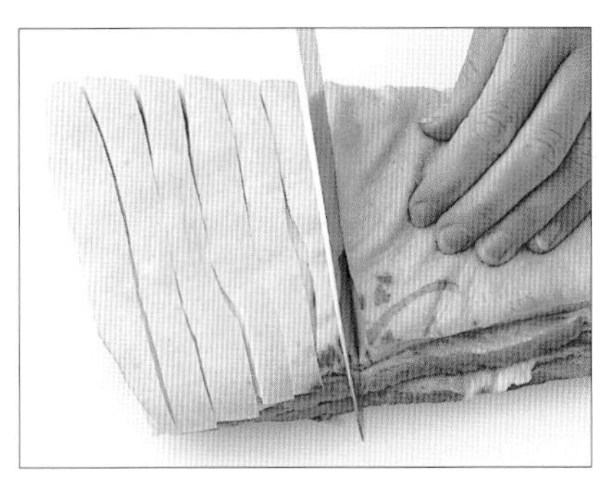

1 Coupez la peau transversalement à l'aide d'un couteau bien aiguisé.

2 Badigeonnez la peau avec du vinaigre et laissez sécher. Répétez trois fois, puis frottez-la avec du sel.

3 Coupez la viande transversalement en minces bandes. Étalez-les sur une plaque et faites cuire au four préchauffé à 120 °C (th. 3) pendant 3 h, afin que la viande soit bien dégraissée.

4 Faites chauffer l'huile dans un wok et mettez les bandes de porc à frire 5 min, jusqu'à ce que la peau se craquelle et soit bien dorée.

La peau

Nang mu

Utilisée telle quelle ou frite, la peau de porc est une spécialité thaïlandaise. On la débarrasse de ses poils et on la dégraisse, puis on la gratte, on la fait bouillir pour l'attendrir et on la coupe en tranches. Cette spécialité est vendue au rayon des surgelés dans les magasins asiatiques.

BŒUF

Neua

Jusqu'à une époque récente, on consommait peu de viande de bœuf en Thaïlande, car les bovins étaient considérés comme des bêtes de somme. Aujourd'hui, la viande de bœuf n'est plus un luxe, mais reste assez chère, aussi en fait-on un usage parcimonieux. Elle est généralement coupée en petits morceaux. Lorsqu'on la détaille pour la frire, on la coupe d'abord dans la longueur le long du fil, puis transversalement en tranches fines comme du papier. On peut aussi la griller pour la servir en satay, la hacher pour la frire ou préparer des boulettes, ou la couper en morceaux pour la cuire en ragoût ou la braiser.

LES POISSONS ET FRUITS DE MER SÉCHÉS

Sur tous les marchés de Thaïlande, de larges secteurs sont consacrés aux poissons séchés et salés – *pla haeng* –, et les poissons d'eau de mer comme d'eau douce sont traités de la même façon. Il en existe de toutes les tailles et de toutes les formes, présentés de façon originale, même si certains sont un peu effrayants avec leur peau ridée, leur rictus et leurs dents acérées. Chaque espèce a un goût différent, plus ou moins salé.

Les poissons de petite taille sont vendus entiers. Les plus petits sont souvent frits et servis avec des currys. Lorsqu'on veut faire ressortir le goût du poisson sans que celui-ci soit visible, on le pile dans un mortier avant de l'ajouter aux plats. Cette opération est indispensable, car la plupart des poissons séchés restent intacts une fois cuits.

Ci-dessus – *Les crevettes séchées servent à assaisonner les salades et d'autres plats.*

Les gros poissons séchés sont généralement vendus en tranches. On peut les couper pour les faire frire ou les faire rôtir au four.

On ouvre certains poissons pour retirer les entrailles avant de les faire sécher au soleil. Le *pla salit*, le *pla chawn* et le *pla nuea* ou le *pla krob* sont considérés comme les plus savoureux.

Le poisson salé se vend aussi en bocaux, conservé dans l'huile. Dès qu'un bocal est ouvert, enveloppez-le dans un sac en plastique avant de le mettre au réfrigérateur, sinon son odeur forte risque d'imprégner tous les autres aliments.

CREVETTES SÉCHÉES

Kung haeng

Celles-ci doivent être d'un rose crevette naturel et pas trop salées. N'achetez jamais de crevettes séchées grises, car cela veut dire qu'elles sont vieilles. En général, on fait bouillir les crevettes et on les décortique avant de les faire sécher au soleil, mais il existe une variété de Songkla que l'on fait sécher sans la décortiquer. Les crevettes de Songkla sont délicieuses frites, car elles deviennent très croustillantes. Les crevettes séchées existent en différents calibres et sont généralement vendues dans des sachets en plastique au rayon des produits congelés dans les magasins de produits asiatiques.

En cuisine, les crevettes séchées sont plus souvent utilisées en assaisonnement que comme ingrédient principal. Il faut parfois les reconstituer dans l'eau avant de s'en servir, mais si vous les ajoutez à un plat où leur consistance croquante est requise, par exemple une salade, le trempage est superflu. En début de cuisson, l'odeur des crevettes séchées peut être incommodante, mais elle disparaît vite.

Ci-contre – *Le poisson pilé séché a un goût très prononcé ; on le mélange à d'autres ingrédients pour faire des assaisonnements.*

Ci-dessus – *Le calmar séché est peu appétissant, mais il est très prisé comme assaisonnement.*

POISSON SÉCHÉ PILÉ

Nahm phrik pla pahn

Le poisson séché pilé et grillé sert à assaisonner les pâtes de piment et l'eau de piment pour préparer une délicieuse sauce relevée.

CALMAR SÉCHÉ

Pla mouk sang

De couleur marron clair avec un subtil arôme de poisson mais un goût très fort, le calmar séché est beaucoup plus coriace que le calmar frais et il a une consistance caoutchouteuse. Il sert surtout à parfumer les ragoûts de viande et les soupes. Avant de l'utiliser, faites-le tremper 30 min dans de l'eau chaude, puis égouttez et rincez à l'eau claire. Pour les fritures, on entaille l'intérieur de la chair de façon à former des motifs croisés, puis on coupe en petits morceaux. À la cuisson, le calmar séché s'ouvre et forme de petites fleurs. Le calmar séché se conserve très longtemps dans un endroit sec et frais s'il est enveloppé de façon assez lâche.

LES CONSERVES DE VIANDE ET D'ŒUFS

L'art de conserver la viande et les œufs est une spécialité que les Thaïlandais partagent avec les Chinois.

Ci-dessus – *Les saucisses fermentées* I-san *sont une spécialité du nord de la Thaïlande ; elles ont un goût fort très particulier.*

ŒUFS DE CANARD SALÉS

Kai khem

De gros œufs de canard sont plongés dans des bacs d'eau salée pendant 2 semaines. Ensuite ils sont vendus, soit crus pour être cuits à domicile, soit déjà cuits par le marchand. On peut les consommer durs comme des œufs de canard ordinaires, mais en général, on ne les écale pas. On les sert coupés en deux. Ils sont extrêmement salés, et un ou deux œufs suffisent pour six personnes, en accompagnement d'un plat de riz ou d'un curry. Les œufs salés crus se conservent au réfrigérateur jusqu'à 1 mois.

ŒUFS VIEUX DE MILLE ANS

Kai yew mah

Ces œufs sont beaucoup moins vieux que leur nom le laisse entendre – ils n'ont guère plus d'1 mois. Ils sont enduits d'une pâte à base de jus de citron vert, de bicarbonate de soude, de balles de riz et de sel qu'on laisse fermenter et vieillir. Le blanc d'œuf devient d'un noir translucide avec un goût similaire à celui d'une gélatine salée, tandis que le jaune est d'une couleur mêlée – marron, noir et gris – avec une consistance crémeuse molle. On en trouve sur la plupart des marchés asiatiques, et ils se conservent plusieurs mois au réfrigérateur. Ils ont un goût doux mais très particulier ; on les sert en général avec une moutarde relevée ou on les fait revenir avec de l'ail, du piment et du basilic frais.

Ci-dessous – *Les œufs de canard salés sont servis comme plat d'accompagnement.*

SAUCISSES

Moo yaw

Il existe différentes sortes de conserves de saucisses en Thaïlande ; beaucoup sont vendues par les marchands ambulants. Elles ont souvent un goût très prononcé, et on les coupe en morceaux pour les ajouter aux plats.

Saucisses I-san

Si grot issan

Cette spécialité du nord de la Thaïlande est très appréciée dans tout le pays. On laisse fermenter la chair à saucisses, ce qui lui donne un goût légèrement aigre. Les marchands ambulants les vendent en brochettes, ce qui permet à l'acheteur de les déguster tout en se promenant. Elles peuvent aussi être servies en tranches avec de fines lamelles de gingembre frais, de la coriandre fraîche et un petit paquet de cacahuètes pilées au piment.

Ci-contre – *Les saucisses thaïlandaises épicées sont parfumées avec du piment très fort, du poivre noir et de l'ail.*

Saucisses épicées

Nem

Ces saucisses très pimentées sont faites avec de la viande et de la peau de porc en conserve ainsi qu'avec beaucoup d'ail et de poivre noir. Traditionnellement, pour la cuisson, on enveloppait la chair à saucisses dans des feuilles de bananier, mais aujourd'hui on tend à utiliser une enveloppe industrielle.

LES HERBES, ÉPICES ET AROMATES

L'une des caractéristiques de la cuisine thaïlandaise est la manière dont on élabore les associations d'ingrédients pour obtenir un résultat précis. Chaque herbe, chaque épice ou aromate joue un rôle bien déterminé. Lorsque vous cuisinez, il est indispensable d'utiliser l'ingrédient mentionné de façon à obtenir l'équilibre souhaité. Certaines herbes et épices asiatiques peuvent être difficiles à trouver, mais il existe des substituts tout à fait acceptables.

BASILIC

Trois variétés de basilic sont cultivées en Thaïlande ; chacune a un aspect, un goût et un usage particuliers.

Ci-dessus – *Le basilic thaïlandais a un goût plus prononcé que le basilic doux occidental.*

Ci-dessous – *Le basilic saint a un goût âcre, presque épicé.*

Basilic thaïlandais

Bai horapa

C'est la principale variété de basilic. Il a un goût anisé sucré et, avec ses feuilles brillantes, il ressemble au basilic doux occidental. On l'emploie dans les currys rouges. On peut lui substituer le basilic doux dans la plupart des recettes.

Basilic saint

Bai grapao

Cette variété, dont le goût rappelle celui du clou de girofle, est tout aussi piquante, ce qui explique son autre nom : basilic épicé. La saveur des feuilles ne s'épanouit pleinement qu'à la cuisson. Le basilic saint s'utilise très frais, dans les plats de poisson ou les currys de bœuf et de poulet. En Thaïlande, on le fait également sauter avec des cuisses de grenouilles.

Basilic citronné

Bai manglaek

Cette herbe supporte mal les transports et se trouve donc rarement ailleurs qu'en Asie. Elle ressemble un peu au basilic nain italien, et les Thaïlandais l'utilisent dans les soupes et les salades.

FEUILLES DE LAURIER

Bai grawan

Bien que le laurier thaïlandais soit différent du laurier occidental, les deux plantes appartiennent à la famille des Lauracées et ont un goût similaire. Les feuilles de laurier sont utilisées dans le curry Mussaman et les soupes.

CARDAMOME

Luk grawan

La cardamome a un goût chaud et piquant. Elle a l'aspect de petites cosses d'1 cm de long environ qui contiennent de minuscules graines noires légèrement collantes. La cardamome verte est la meilleure ; les cosses blanches ou paille ont été blanchies. La cardamome s'emploie indifféremment dans les plats sucrés ou salés. En Thaïlande, elle sert à aromatiser le curry Mussaman. Retirez les cosses et jetez-les avant de servir.

Ci-contre – *La cardamome donne un goût unique aux aliments.*

Ci-dessus – *Le minuscule piment œil d'oiseau est extrêmement fort.*

PIMENTS

Prik

Ils font si intrinsèquement partie de la cuisine thaïlandaise qu'il est difficile de croire qu'ils n'ont été introduits dans le pays qu'au XVIe siècle par les Portugais. Avant, on relevait les plats avec du poivre noir. En règle générale, plus les piments sont petits, plus ils sont forts, mais il y a quelques exceptions. C'est la membrane entourant les graines qui est la plus piquante ; si vous n'aimez pas particulièrement les plats relevés, jetez les graines et la membrane à laquelle elles sont attachées.

Il faut manipuler les piments avec précaution. En effet, ils contiennent une huile volatile – la capsaicine – qui peut gravement irriter la peau. Évitez de vous toucher les lèvres et les yeux et lavez-vous les mains à l'eau savonneuse très chaude aussitôt après les avoir manipulés. Le mieux est de porter des gants de caoutchouc. Vous devrez aussi laver planches à découper et couteaux à l'eau savonneuse très chaude. La Thaïlande est l'un des principaux producteurs mondiaux de piments. De nombreuses variétés en vente dans ce pays sont inconnues ailleurs, mais le piment œil d'oiseau, extrêmement fort, et les piments minces effilés se trouvent dans le monde entier.

PIMENTS ŒIL D'OISEAU

Prik kee noo

Petits et extrêmement forts, ces piments sont très prisés dans les currys, les condiments, les soupes et les sauces.

Piments allongés

Prik chee fa

Également appelés piments de Cayenne et servant à préparer la poudre d'épices, ces piments sont rouges, jaunes ou verts. En Thaïlande, les piments longs garnissent en général currys et salades. Séchés, ils s'utilisent dans les currys rouges. Les piments longs sont un peu moins forts que les piments œil d'oiseau.

Ci-contre – *Les piments rouges allongés ont une peau fine et contiennent beaucoup de graines.*

Piments rouges séchés

Prig hang

On utilise de nombreuses sortes de piments dans la cuisine thaïlandaise, et on les trouve en paquets ou ficelés dans les magasins de produits asiatiques. Faites rôtir les piments sans huile dans une poêle à fond épais pour faire ressortir leur goût. On peut également les piler dans un mortier et les ajouter à un mets. Les piments séchés entiers ou pilés se conservent plusieurs mois dans un récipient hermétiquement fermé au réfrigérateur.

Poudre de piment

Prig kee nu bonn

Cette poudre est à base de piments rouges séchés, auxquels on ajoute parfois d'autres épices. La poudre de piment thaïlandaise est toujours très forte.

PRÉPARER LES PIMENTS

Lavez-vous toujours les mains avec de l'eau savonneuse immédiatement après avoir manipulé des piments. Les huiles volatiles peuvent causer de graves irritations si elles entrent en contact avec les yeux, le visage ou d'autres parties sensibles du corps. Il est préférable de porter des gants de caoutchouc pour préparer les piments.

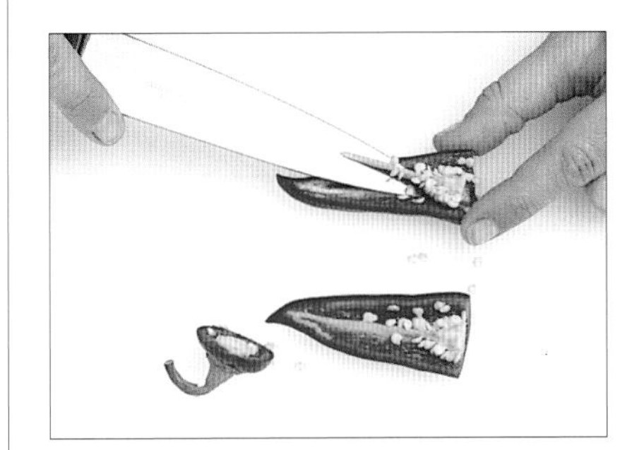

Préparer les piments frais

Retirez les tiges et coupez les piments en deux dans la longueur. Après avoir gratté les graines et la membrane, détaillez-les en tranches ou lanières, ou hachez-les, selon vos besoins.

Préparer les piments séchés

1 Retirez les tiges et les graines à l'aide d'un couteau, puis laissez la chair séchée entière ou coupez-la en 2 ou 3 morceaux.

2 Mettez la chair séchée dans un petit récipient creux, couvrez d'eau bouillante et laissez tremper environ 30 min. Égouttez, en réservant l'eau de trempage si vous comptez vous en servir pour un autre plat. Utilisez les morceaux de piment tels quels ou hachez-les plus finement.

Fleurs de piment

Les chefs thaïlandais, réputés pour leurs présentations sophistiquées, décorent souvent les plats de fleurs de piment.

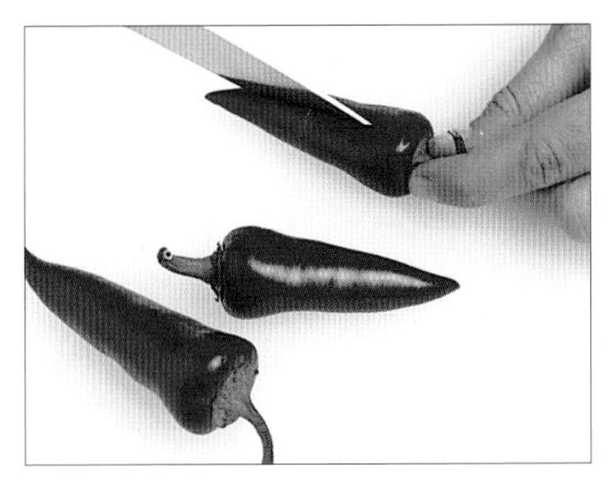

1 En tenant chaque piment par la tige, coupez-le en deux dans la longueur.

2 En laissant intacte l'extrémité du piment qui supporte la tige, incisez-le en fines bandes dans la longueur.

3 Mettez les piments dans une jatte d'eau glacée, couvrez et réfrigérez plusieurs heures. Les bandes de piment découpées se recourberont, évoquant des pétales de fleurs. Égouttez soigneusement les fleurs et utilisez-les en garniture. Les petits piments étant souvent très forts, ne mangez pas ces fleurs.

CORIANDRE

Pak chee

Toutes les parties de la coriandre sont utilisées dans la cuisine thaïlandaise. Chacune de ces parties, qu'il s'agisse des racines, des tiges, des feuilles ou des graines, a un goût particulier et un usage spécifique. Les feuilles délicates au goût frais servent à préparer les sauces, les currys et les garnitures ; les racines et les tiges sont écrasées pour faire des marinades ; enfin, les graines sont moulues pour donner du goût à certaines pâtes de curry – on peut les faire rôtir avant de les moudre.

Ci-dessus – *Les usages de la coriandre sont multiples, et les chefs thaïlandais en utilisent toutes les parties, depuis les feuilles jusqu'aux racines sans oublier les graines.*

Même si on trouve désormais de la coriandre fraîche sur tous les marchés, il vaut mieux l'acheter dans les magasins de produits asiatiques, car les racines ont plus de chances de rester attachées ensemble. Utilisez les tiges et les feuilles rapidement. Si elles sont lavées et séchées, les racines se gardent plusieurs jours au réfrigérateur dans un récipient fermé.

Les graines de coriandre sont petites, rondes et de couleur marron. On les trouve partout. Elles se conservent longtemps et sont faciles à moudre dans un moulin à épices ou un mortier. Il est préférable de ne les broyer que lorsqu'une recette l'exige, car la coriandre moulue perd vite son goût chaud et subtil.

Ci-contre – *Dans la gastronomie thaïlandaise, les graines de cumin sont toujours moulues avant d'être associées à d'autres ingrédients.*

HERBE À FEUILLE DE SCIE

Pak chii farang

Également appelée « herbe en dent de scie », cette herbe doit son nom à ses longues feuilles minces et dentelées. Son goût est similaire à celui de la feuille de coriandre, mais il est un peu moins piquant. Cette herbe sert à parfumer les plats de viande.

CUMIN

Mellet yira

Les graines de cumin ne s'utilisent pas entières dans la cuisine thaïlandaise, mais le cumin moulu joue un rôle important dans les pâtes de curry comme le *krung gaeng*.

GALANGA

Kah or laos

Ce rhizome fait partie de la famille du gingembre, auquel il ressemble. Il est un peu plus dur mais on l'utilise à peu près de la même manière. Lorsque le galanga est jeune, sa peau est d'un blanc crémeux avec des pousses roses. À ce stade, son goût est presque citronné, et on le met dans des soupes. Quand il vieillit, sa peau épaissit et sa chair prend une couleur dorée. Son goût s'intensifie et devient plus poivré ; on utilise alors cette épice dans les pâtes de curry. Le galanga frais se conserve 1 semaine au réfrigérateur. On peut également le congeler. Si vous ne trouvez pas de galanga frais, remplacez-le par du galanga en bocal ou séché que l'on trouve dans les magasins de produits asiatiques.

PETIT GALANGA

Kra-chai

Également appelé « petit gingembre », ce rhizome inhabituel n'est pas très connu en Occident. Son goût est entre celui du gingembre et celui du poivre noir ; frais, il est utilisé surtout dans les currys et les plats à base de poisson. Il existe en condiments et séché, mais rien n'égale le rhizome frais. On le trouve rarement ailleurs qu'en Asie, mais si vous en découvrez, épluchez-le et préparez-le de la même façon que le gingembre.

Ci-dessous – *Le galanga, qui existe frais ou séché, ressemble au gingembre par son aspect et par son goût.*

AIL

Kratiem

Avec la racine de coriandre et le poivre noir, l'ail fait partie du célèbre trio d'assaisonnement des Thaïlandais. Ils en mettent énormément dans leurs plats. L'ail thaïlandais est plus petit et plus piquant que son homologue occidental. Il a une peau rosée que l'on épluche rarement.

GINGEMBRE

Khing

En Thaïlande, il existe plusieurs variétés de gingembre. Les racines ont des propriétés médicinales ; on les utilise aussi pour parfumer les aliments. Le gingembre commun – ou King – est la variété la plus connue. On le cueille pendant la saison des pluies, lorsque les jeunes racines sont jaune clair et rosées. Elles servent à aromatiser les boissons ou à préparer des condiments. Les jeunes racines fraîches sont également pilées pour faire des marinades de viande. Plus tard dans l'année, le gingembre est considéré comme vieux, mais il est encore très juteux. Bien enveloppé, il se conserve jusqu'à 2 semaines au réfrigérateur. Il peut également être congelé et râpé sans décongélation. La racine de gingembre fraîche est facile à trouver dans les supermarchés.

L'AIL FRIT

L'ail est délicieux parsemé sur les soupes et les salades. Épluchez-le si nécessaire, émincez-le dans le sens de la longueur et faites-le revenir dans l'huile de saffleur à feu moyen en remuant constamment pour une cuisson homogène. Après 2 ou 3 min, lorsqu'il commence à dorer, sortez-le du feu à l'aide d'une écumoire et transférez-le sur de l'essuie-tout. Ne réglez pas le feu trop fort, sinon l'ail brûlera et prendra un goût amer.

Ci-contre – *La racine de gingembre fraîche est un aromate très prisé.*

JASMIN

Malee horm

Également appelé « jasmin arabe », le jasmin est à la base de l'essence de jasmin – *yod nam malee*. On fait tremper les fleurs en bouton dans l'eau toute une nuit, puis on utilise l'eau pour aromatiser les gâteaux et autres desserts comme le riz parfumé. Le jasmin peut être remplacé par des pétales de roses. L'essence de jasmin s'achète en flacon, mais elle n'a jamais la subtilité de l'eau de jasmin fraîche.

CITRONNELLE

Takrai

Facile à trouver dans les magasins asiatiques et les supermarchés, la citronnelle joue un rôle essentiel dans la cuisine thaïlandaise. Elle est vendue par bouquets de 6 à 8 tiges mesurant entre 12 et 23 cm. La citronnelle s'utilise dans les currys et les soupes amères relevées. Pour la préparer, retirez la couche fibreuse qui entoure la tige. Seuls les 10-15 cm du bas sont utilisés, mais on met parfois des tiges entières ou leur partie supérieure dans des bouillons. La partie comestible de la tige est coupée en rondelles ou pilée de façon à obtenir une pâte. On peut congeler les rondelles de citronnelle et les utiliser sans décongélation.

La citronnelle déjà hachée se vend en bocaux ou séchée, mais elle est alors beaucoup moins parfumée.

Ci-contre – *Citronnelle.*

PRÉPARER DE LA RACINE DE GINGEMBRE FRAÎCHE

La racine de gingembre fraîche est généralement épluchée avant toute utilisation. La peau fine et sèche est facile à gratter à l'aide d'un petit couteau pointu. Vous pouvez ensuite couper la chair en tranches fines, la hacher ou la râper. Si vous la jetez après la cuisson, écrasez-la un peu avant utilisation à l'aide d'un couteau plat ou d'un fendoir.

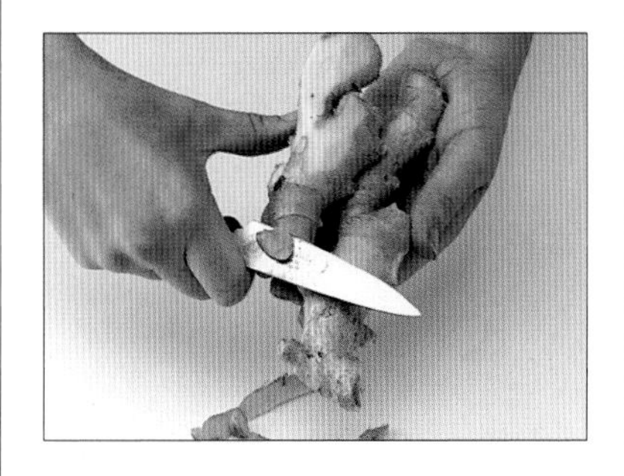

1 Retirez la peau à l'aide d'un économe ou d'un couteau pointu.

2 Râpez la racine.

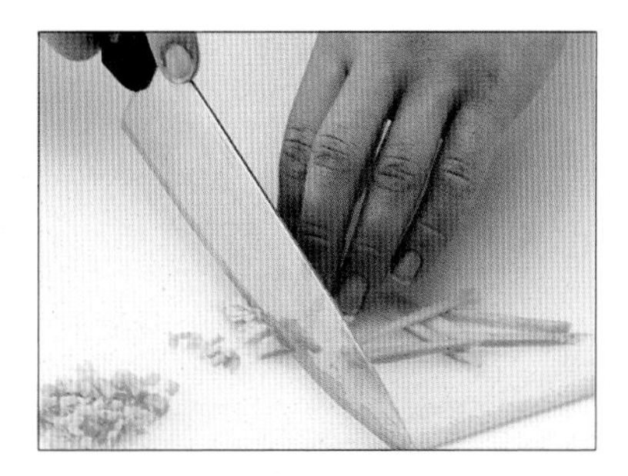

3 Coupez le gingembre en lamelles fines ou hachez-le. Meurtrissez la chair si vous comptez vous en servir pour aromatiser un plat à la cuisson et la jeter ensuite.

Ci-contre – *Dans la cuisine thaïlandaise, la menthe est surtout employée dans les salades.*

MENTHE

Bai saranee

La menthe est une herbe très prisée en Thaïlande. Les feuilles fraîches sont fréquemment utilisées dans les salades.

FEUILLES DE PANDANUS

Bai toey hom

Les feuilles de cette famille sont longues et effilées et ressemblent un peu à un balai rudimentaire. On s'en sert pour envelopper les morceaux de poulet ou de porc assaisonné ou pour parfumer gâteaux et desserts. Les feuilles de pandanus ont un léger goût de noisette. On peut les acheter fraîches dans les magasins de produits asiatiques. On trouve également des feuilles congelées, elles sont moins parfumées – elles ont toutefois plus de goût que l'essence vendue en flacon.

Ci-dessous – *Les grains de poivre vert s'utilisent en garniture.*

Ci-contre – *Grains de poivre blanc.*

GRAINS DE POIVRE

Prik thaï

Avant que les piments ne soient introduits en Thaïlande, le poivre était la principale épice utilisée pour relever les aliments. Les cuisiniers thaïlandais n'emploient que deux variétés de poivre : le poivre blanc pour assaisonner, et le poivre vert pour garnir les currys et les fritures. Il existe un assaisonnement thaïlandais traditionnel qui consiste en un mélange de poivre blanc, de racine de coriandre et d'ail, le tout pilé.

TAMARIN

Mak-kaam

Le jus de tamarin est l'un des principaux agents acidifiants utilisés dans la cuisine thaïlandaise. Il est à la fois fruité et rafraîchissant et doté d'un goût acidulé, mais sans être aigre. C'est un ingrédient essentiel pour les soupes relevées. En Thaïlande, le tamarin frais – les cosses du fruit d'un arbre tropical à feuilles semi-persistantes – est facile à trouver, mais en Occident le tamarin se vend plutôt sous forme de blocs comprimés qui ressemblent un peu à ceux que l'on fait avec les dattes ; la pulpe a un léger goût de datte aigre. (Le mot tamarin signifie « datte d'Inde ».)

Le jus de tamarin se conserve jusqu'à 1 mois au réfrigérateur. Le tamarin existe également sous forme de tranches séchées, de concentré ou de pâte. Si vous n'en trouvez pas, remplacez-le par du jus de citron, mais il vous faudra doubler les proportions car le goût n'est pas le même.

CURCUMA

Kamin

Parent du gingembre et de l'arrow-root, ce rhizome tubéreux est orangé à l'intérieur et, jusqu'à une époque récente, on s'en servait pour teindre les tuniques des moines bouddhistes. Il peut également tacher la peau, aussi porte-t-on parfois des gants pour préparer la racine fraîche. Coupé, le curcuma a un arôme poivré et donne aux aliments un goût légèrement musqué. En Thaïlande, il compte souvent parmi les ingrédients des pâtes de curry, surtout celles provenant d'Inde, et il donne une couleur dorée au riz.

Le curcuma frais se garde 2 à 3 semaines dans un endroit sec, sombre et frais. On peut aussi le conserver au réfrigérateur, mais il faut l'envelopper pour l'empêcher de se dessécher.

GRAINES DE FENOUIL

Yira

Une fois moulues, ces graines aromatiques sont l'un des ingrédients qui composent la poudre aux cinq épices, une spécialité chinoise très prisée en Thaïlande.

Ci-dessous – *Le curcuma est le plus souvent vendu en poudre en Occident, mais on peut également trouver des racines fraîches.*

LES PÂTES ET POUDRES DE CURRY

Les currys thaïlandais sont presque tous à base de mélanges d'épices « mouillés », c'est-à-dire des pâtes obtenues en pilant des épices et des aromates dans un épais mortier aux parois rugueuses. Seuls les currys indiens ou birmans sont faits avec de la poudre de curry. En Thaïlande, on peut acheter des pâtes de curry fraîches au marché, mais à l'extérieur du pays on ne les trouve qu'en bocal.

PÂTE DE CURRY ROUGE

Krung gaeng ped

Cette pâte doit sa couleur à la quantité de piments rouges frais qu'elle contient. Il s'agit d'une pâte complexe, traditionnellement élaborée avec des graines de cumin, des échalotes, de l'ail, du galanga, de la citronnelle, des racines de coriandre fraîche, des grains de poivre, de la cannelle, du curcuma moulu et de la pâte de crevettes. La pâte de curry rouge s'utilise dans les currys de bœuf et de poulet.

PÂTE DE CURRY VERTE

Krung gaeng keo wan

Cette pâte de curry est faite avec des herbes et des piments verts frais. On l'utilise en général dans les currys de poulet.

Ci-dessous – *Les pâtes de curry rouges et vertes sont à la base de la plupart des currys thaïlandais.*

Ci-dessus – *La pâte de curry jaune, très relevée, est parfaite pour les currys de bœuf.*

PÂTE DE CURRY ORANGE

Krung gaeng som

Préparée avec des piments rouges pilés et aromatisée de pâte de crevettes, cette pâte au goût piquant est souvent utilisée dans les currys de fruits de mer, notamment dans la soupe de curry de crevettes.

PÂTE DE CURRY JAUNE

Krung gaeng karee

Cette pâte ressemble beaucoup à la pâte de curry Mussaman. On peut en obtenir en ajoutant une bonne quantité de curcuma moulu à de la pâte de curry rouge. La pâte de curry jaune, très relevée, aromatise les currys de bœuf et de poulet.

PÂTE DE CURRY MUSSAMAN

Nam prig gang mussaman

Plus douce que toutes les pâtes définies par leur couleur, cette pâte de curry est d'origine indienne. Elle est généralement à base de piments séchés et contient de la coriandre et du cumin.

PÂTE DE CURRY PENANG

Nam prig gang panang

Cette pâte de curry relativement douce est faite avec des cacahuètes grillées moulues. Elle vient de Penang, en Malaisie, d'où son nom. Elle peut être utilisée avec du bœuf ou du poulet, et elle est idéale pour les plats cuits dans du lait de coco.

Ci-dessus – *La pâte de curry Mussaman est à base d'épices et de piments séchés.*

POUDRE DE CURRY

Pong gka-ree

Ce mélange d'épices sec ne figure guère dans la cuisine thaïlandaise, sauf dans les recettes d'origine indienne ou birmane. La poudre de curry est plutôt employée en fritures, en marinades ou dans la sauce de cacahuètes.

Préparer une pâte de curry

La préparation de la pâte de curry à la mode thaïlandaise exige du temps et de la patience, mais cela en vaut la peine. Broyer les épices avec un pilon dans un mortier permet de libérer les huiles pleines d'arômes. Les saveurs se mêlent ainsi de façon complexe, sans que l'une d'elles domine les autres. Si vous utilisez un mixer, vous n'obtiendrez qu'un mélange grossièrement moulu et non une pâte homogène et harmonieuse.

Le pilon s'emploie selon une certaine technique. La plupart des profanes pensent qu'il faut de la force pour broyer les épices. En fait, les chefs thaïlandais laissent le pilon faire la plus grande partie du travail, en le faisant tomber dans le mortier de façon que son poids écrase les ingrédients. L'opération est répétée jusqu'à ce que les ingrédients les plus volumineux soient pulvérisés, puis le pilon est utilisé de manière traditionnelle, pour travailler le mélange en une pâte.

La pâte se conserve 1 semaine au réfrigérateur, dans un bocal au couvercle vissé. On peut également la congeler.

LES INGRÉDIENTS DE BASE

HUILES

Naam man

Autrefois, le lard était l'ingrédient de cuisson traditionnel ; aujourd'hui il est remplacé par des huiles végétales légères.

Huile d'arachide

L'intérêt d'utiliser cette huile pour les fritures est qu'elle supporte des températures très élevées et ne fume pas. Cette huile très douce est en outre excellente pour les assaisonnements de salades.

Huile de maïs

Cette huile est également recommandée pour frire les aliments à très haute température, mais elle convient moins pour les assaisonnements de salades, car son goût prononcé tend à dominer.

Huiles de saffleur et de tournesol

Ces deux huiles sont plus claires et plus légères que les huiles d'arachide ou de maïs, mais conviennent moins aux fritures.

Huile de soja

Utilisée pour cuisiner, elle est inappropriée aux assaisonnements de salades.

Ci-dessous – *L'huile de sésame et l'huile de piment s'utilisent en assaisonnement plutôt qu'en huiles de cuisson ; on les répand sur les plats juste avant de servir.*

Huile de sésame

Rarement utilisée pour les fritures car elle brûle facilement, l'huile de sésame a un goût de noisette assez prononcé et une riche couleur brune. Employez-la comme assaisonnement, en la répandant en filet sur les aliments juste avant de servir.

Huile de piment

Cette huile relevée ne s'utilise jamais pour la cuisson, on ne s'en sert que pour les sauces. On l'ajoute souvent aux crevettes frites avant de servir.

VINAIGRES

Vinaigre de riz

Nam som sai chu

Ce vinaigre blanc obtenu par fermentation du grain de riz a un goût acidulé très pur. La variété thaïlandaise est plus douce que ses équivalents chinois et japonais ; on peut la remplacer par du vinaigre blanc distillé.

Ci-dessus – *Les vinaigres de riz blanc et ambré ont une acidité caractéristique.*

Vinaigre de coco

Nam som maplow

Ce liquide opaque a un arôme fruité et un goût aigre-doux typiquement thaïlandais. Comme son nom l'indique, il est fait à partir de jus de noix de coco ; il sert aux assaisonnements, en particulier pour les fruits de mer et les salades. Il doit être conservé au réfrigérateur après ouverture.

Ci-contre – *Le vinaigre de coco a un goût aigre-doux.*

SAUCES ET PÂTES

Pâte de soja et de piments

Naam prik pao

Cette pâte très relevée est à base de germes de soja, piments et autres ingrédients. Elle est généralement vendue dans des récipients hermétiques qui, une fois ouverts, doivent être conservés bien fermés au réfrigérateur.

Sauce au piment

Saus prik

À base de piments, eau, vinaigre, sucre et sel, cette sauce est utilisée principalement pour les fruits de mer, que l'on trempe dedans. Elle est plus ou moins relevée et plus ou moins sucrée. Les variétés sucrées sont recommandées pour le poulet et les fruits de mer.

Pâte de crevettes

Kapee

Cette pâte, l'un des ingrédients les plus courants de la cuisine thaïlandaise, a un goût puissant. Elle est confectionnée à partir de minuscules crevettes salées

Ci-dessous – *Employez la pâte de soja et de piments avec parcimonie, car elle est très relevée.*

À droite – *La sauce aux huîtres est couramment utilisée en Thaïlande.*

À gauche – *Les sauces au piment sont plus ou moins relevées.*

Ci-dessous – *Le* nam pla *est omniprésent en Thaïlande.*

et séchées, puis réduites en poudre et fermentées. Elle est ensuite comprimée et vendue en blocs ou en petites boîtes de conserve, en tubes ou en bocaux. Il existe de nombreuses sortes de *kapee,* dont la couleur varie du rose au marron foncé. La variété rose est bonne pour la pâte de curry, la variété foncée convient aux sauces. La pâte de crevettes doit toujours être cuite avant d'être consommée. On peut l'utiliser telle quelle dans un plat cuit, mais pour de nombreuses recettes il est conseillé de l'envelopper d'abord de papier d'aluminium puis de la réchauffer dans une poêle à frire, sans graisse. Le goût est légèrement atténué par la cuisson.

Ci-dessous – *La pâte de crevettes est salée et a un goût très fort.*

Sauce au poisson thaïlandaise

Nam pla

Cet ingrédient essentiel de la cuisine thaïlandaise est élaboré à partir de poisson salé, en général des anchois, que l'on fait fermenter de façon à obtenir un liquide léger. Le goût puissant de la sauce est atténué par la cuisson.

Sauce aux huîtres

Hoy nangrom

Cette sauce vient de Chine, mais la cuisine thaïlandaise en fait grand usage. Épaisse et marron foncé, elle est à base de sauce de soja et d'extrait d'huître. Curieusement, son goût caractéristique n'évoque pas du tout le poisson. La sauce aux huîtres se vend dans les supermarchés et les magasins de produits asiatiques.

Sauce sriracha

Nam jim sriracha

Cette sauce de table aigre-douce plus ou moins relevée, qui doit son nom à une ville thaïlandaise de bord de mer, est faite avec des piments rouges et ressemble à du ketchup de couleur claire.

Pâte de piments

Nam prik

Le nam prik est le condiment préféré des Thaïlandais. Il y en a toujours sur la table lors des repas. Il existe plusieurs versions de cette sauce, dont les principaux ingrédients sont toujours des piments rouges hachés – avec les graines –, du jus de citron vert frais, des crevettes et, souvent, des aubergines. Pour le *nam prik pao* ou le *nam prik* rôti, les gousses d'ail sont d'abord frites avec des échalotes dans une poêle à fond épais. On peut également y ajouter des cacahuètes grillées.

Sauce de soja

Namm see ewe et *namm see ewe sai*

On utilise principalement deux sortes de sauce de soja en Thaïlande : une sucrée et une salée. La sauce salée existe en deux versions, l'une de couleur claire et l'autre, plus épaisse, de couleur foncée. La sauce sucrée a aussi deux versions, l'une légère et l'autre, mélangée avec de la mélasse, légèrement plus épaisse. Les deux sont associées avec la sauce salée dans les plats à base de nouilles et les fritures. Chaque sauce de soja a un goût différent. Une fois ouvertes, les bouteilles doivent être conservées au réfrigérateur.

Pâte magique

Prig gang nam ya

Ce produit de fabrication industrielle est en vente dans les magasins asiatiques. C'est un mélange d'ail, de racine de coriandre et de poivre blanc ; la cuisine thaïlandaise en fait grand usage.

INGRÉDIENTS SECS

Agar agar

Sarai talay

Cet agent épaississant fait avec des algues remplace la gélatine.

Sucre de palme

Nam taan peep

Fait avec la sève de la palme de cocotier ou de palmier, le sucre de palme peut être doré ou marron clair. Il a un goût caractéristique, moins sucré que celui du sucre de canne. Il est souvent vendu sous forme de bloc solide qu'il faut râper avant utilisation. Si vous n'en trouvez pas, remplacez-le par du sucre brun.

Tapioca

Meun

Le tapioca est constitué de tubercules de manioc. Sous forme de perles, le tapioca est utilisé dans les desserts thaïlandais, leur donnant une consistance légèrement gélatineuse. La farine de tapioca permet d'épaissir sauces et desserts, ainsi que de confectionner des pâtes à frire. Elle est plus légère que la farine de blé.

Poudre de riz grillée

Khao kua pon

Cet assaisonnement et liant est vendu dans les magasins de produits thaïlandais. Marron clair au goût de noisette, il se mêle aux crevettes ou à la viande hachées pour faire des boulettes ; on peut aussi le saupoudrer sur des soupes ou le mélanger à de la viande, de la volaille ou des fruits de mer en salade. Pour préparer la poudre, faites revenir sans huile du riz blanc à feu doux 3 à 5 min en remuant, puis écrasez-le dans un moulin à épices.

Ci-dessus – *Le sucre de palme est ocre foncé, humide et non raffiné. Il a un goût particulier, très délicat.*

FRUITS À ÉCALE ET GRAINES

Graines de lotus

Med bua

Les graines de lotus fraîches se dégustent en snack ou réduites en purée et mélangées à du sucre pour garnir les gâteaux. Les graines séchées doivent tremper dans de l'eau avant utilisation. Retirez la jeune pousse verte au milieu de chaque graine. Les graines de lotus sont prisées pour leur consistance et leur capacité d'absorption des saveurs. On les ajoute souvent aux soupes. Vous en trouverez séchées dans les magasins de produits asiatiques. Elles se conservent dans des sacs fermés, dans un endroit frais.

Ci-dessous – *Cacahuètes épluchées, crues et entières, et graines de sésame blanches et noires.*

Cacahuètes

Tua lii song

Les cacahuètes s'utilisent souvent en garniture et pour donner de la consistance aux salades. Hachées, elles forment la base de la sauce satay et des currys rouges épais ; elles sont également le principal ingrédient de la pâte de curry Penang.

Ci-contre – *Racines de lotus et graines de lotus fraîches et séchées.*

Graines de sésame

Ngaa

Ces minuscules graines plates ont une forme ovale. Généralement blanches, elles peuvent aussi être crème ou marron, rouges ou noires. Les graines de sésame crues ont très peu de goût ; on les fait rôtir ou frire, ce qui fait ressortir leur arôme caractéristique de noisette. Grillées, elles entrent dans la composition de nombreuses recettes d'inspiration chinoise. On les parsème souvent sur les salades et autres plats juste avant de servir.

LES BOISSONS

BIÈRE

Bia

La bière est sans conteste la meilleure boisson pour accompagner un repas thaïlandais, surtout lorsqu'on est dans le pays, car il y fait très chaud. Il existe deux sortes de bières brassées en Thaïlande, la Singha et l'Amarit. La Singha, marque la plus populaire, a un goût comparable à celui de la San Miguel ou de la Kirin. Plus légère, l'Amarit ressemble à une bière allemande.

WHISKY DE RIZ

Wisakee

La plus connue des marques thaïlandaises de whisky de riz est la Mekon, et ce nom sert souvent de nom générique pour tous les whiskies produits dans le pays. Le goût du whisky de riz thaïlandais est plus proche de celui du Bourbon que de celui du whisky écossais, et il est relativement bon marché. Mélangé avec du Coca-Cola, de la glace et du citron, c'est une boisson très agréable, mais prenez garde, elle donne de sévères maux de tête !

VIN

Chaijudh Karnasuta, le directeur de l'Hôtel Oriental, produit un vin très acceptable dans ses vignes du château de Loei. La plupart des autres vins vendus dans le pays ont un prix prohibitif, surtout lorsqu'ils sont importés d'Europe. Une grande part des vins importés sont australiens, et ils coûtent aussi très cher.

BOISSONS NON ALCOOLISÉES

Ces boissons comprennent le café, que l'on sert en général avec du sucre et du lait concentré. Le café glacé connaît une popularité croissante. Les thés chinois et thaïlandais se boivent chauds ou glacés. On trouve aussi de nombreuses sortes de tisanes – notamment au gingembre et à la citronnelle – ainsi que toutes sortes de jus de fruits frais. Les boissons aux fruits sont le plus souvent servies avec du sucre et du sel. Le jus de canne à sucre et le lait des jeunes noix de coco sont aussi désaltérants que délicieux.

Ci-dessus – *La Singha est la meilleure et la plus populaire des bières thaïlandaises.*

Ci-dessus – *Le lait de coco est une boisson désaltérante très appréciée.*

Ci-dessous – *La bière accompagne à merveille les repas thaïlandais épicés.*

Ci-dessous – *Le jus de mangue est l'un des nombreux jus de fruits disponibles en Thaïlande.*

Ci-dessous – *Le jus de sucre de canne est très rafraîchissant par temps chaud.*

L'ÉQUIPEMENT ET LES USTENSILES

Quelques ustensiles tout simples vous suffiront pour faire une cuisine thaïlandaise authentique.

MORTIER ET PILON

Krok et saak

Les principaux ustensiles de cuisine thaïlandais sont à coup sûr le pilon et le mortier. Idéalement, il faudrait en avoir plusieurs de tailles différentes ou au moins deux, un pour écraser les épices et l'autre pour préparer les assaisonnements. Les mortiers et les pilons sont en granit, en terre ou en bois. Choisissez-en un qui ait une capacité de 45 centilitres et qui fasse environ 18 cm de diamètre. Les mortiers et pilons en granit sont parfaits pour écraser les herbes et les épices, tandis que ceux en terre ou en bois conviennent mieux pour des usages plus délicats, comme la préparation des assaisonnements.

Certaines personnes utilisent un moulin à café ou un mixer pour broyer les herbes et les épices, mais cette méthode ne permet pas d'obtenir la même consistance ni le même arôme.

Pour nettoyer les ustensiles, faites-les tremper 1 heure environ dans un mélange de vinaigre distillé et d'eau, puis rincez-les soigneusement. Si vous avez pilé des piments, utilisez un mélange de jus de citron et de sel.

Ci-dessous – *Un mortier et un pilon de granit sont utiles pour préparer les traditionnelles pâtes aux épices thaïlandaises.*

WOK

Kata

Le deuxième ustensile le plus important après le mortier et le pilon est le wok. On l'utilise pour faire frire les aliments, pour les rôtir ou les cuire à la vapeur. Avec ses parois inclinées et son diamètre important, le wok est très pratique.

Les woks peuvent être faits en différents matériaux. On en trouve en acier inoxydable ou en aluminium, mais les meilleurs sont en acier au carbone. Il en existe des versions antiadhésives enduites d'un revêtement spécial, mais elles ne conduisent pas la chaleur aussi efficacement que les versions traditionnelles et ne peuvent supporter les températures élevées.

Pour une cuisinière à gaz, prenez un wok à fond arrondi. Si votre cuisinière est électrique, il vaut mieux en choisir un à fond plat. Pour maintenir le wok en place sur la cuisinière, on se sert d'un support de wok, très pratique pour les cuissons à la vapeur, les fritures et les plats braisés.

Le couvercle de wok, léger et arrondi, que l'on utilise pour les cuissons à la vapeur est vendu dans les magasins asiatiques. Si vous n'en trouvez pas, n'importe quel couvercle dont les dimensions correspondent à celles de votre wok fera l'affaire.

Ci-contre – *Les woks peuvent avoir un fond plat ou arrondi et une ou deux poignées.*

Préparer un wok

Tous les woks qui ne sont pas antiadhésifs doivent être préparés avant chaque utilisation. Lorsqu'ils sont neufs, il faut d'abord les laver et les récurer afin de retirer l'huile de machine qui les protège pendant le transport. Frottez l'intérieur avec une crème à récurer, rincez et séchez.

Mettez le wok sur un feu très doux et enduisez l'intérieur avec 2 cuillerées à soupe d'huile de cuisson à l'aide d'un essuie-tout. Continuez à chauffer le wok à feu doux pendant 10 à 15 min, puis essuyez-le à nouveau avec de l'essuie-tout en vous protégeant les doigts pour ne pas vous brûler. Continuez ainsi jusqu'à ce que l'essuie-tout soit propre après l'essuyage.

COUTEAU FIN

Miit

Le couteau fin sert à éplucher et à sculpter les fruits et les légumes.

COUTEAU UTILITAIRE

Li-toh

Ce couteau résistant, qui ressemble à une hachette, peut servir aussi bien à ouvrir les noix de coco qu'à hacher du petit bois pour allumer le feu.

Ci-dessus – *Le couperet chinois est bien équilibré.*

Ci-contre – *On utilise une râpe de bambou pour râper le gingembre frais.*

COUPERET CHINOIS

Mit muu

Cet ustensile a de multiples usages. Il sert à fendre les os et à couper les morceaux fragiles pour les faire frire. Il doit être parfaitement aiguisé. Si vous n'en avez pas, un grand couteau de cuisine fera l'affaire.

SERVICE À SOUPE

Tao fai

Cet ustensile à la forme bizarre peut être en aluminium, en cuivre revêtu d'étain ou en laiton. On l'appelle parfois « pot chaud de Mongolie ». Quel que soit le type que vous choisissiez, assurez-vous toujours qu'il est revêtu d'un métal résistant à la corrosion – par exemple l'étain.

RÂPE

Tsota-drap

Les râpes de bambou sont idéales pour râper le gingembre, tandis que les râpes en acier inoxydable servent à râper les légumes et la noix de coco en vue d'obtenir du lait. Pour râper la noix de coco, on utilisait jadis une râpe spéciale – *maew khuut ma-phroat.* Aujourd'hui, ces râpes sont plutôt devenues des objets de collection. Ces simples petits tabourets équipés de râpes de métal fixées à une extrémité ont cédé la place à des outils élaborés, souvent sculptés en forme de lièvres ou autres animaux.

Pour utiliser la râpe traditionnelle, le chef s'assied à califourchon sur le siège en appuyant contre la râpe la noix de coco coupée en deux. En travaillant de l'extérieur vers l'intérieur, il râpe la noix de coco en copeaux plus ou moins épais suivant l'usage auquel elle est destinée. Aujourd'hui, on utilise des râpes électriques ou de petites râpes manuelles.

SPATULE INCURVÉE

Phai

La spatule de bois incurvée et équipée d'une longue poignée permet de remuer les aliments pendant la cuisson au wok.

CUIT-VAPEUR

Le cuit-vapeur thaïlandais traditionnel – *huat* – est un ensemble de récipients de bambou que l'on empile sur un wok rempli d'eau bouillante et qui sont surmontés d'un couvercle. Les Chinois ont inventé des récipients de métal perforés que l'on utilise de la même manière. Aujourd'hui, il existe également des cuit-vapeur électriques.

Pour empêcher les aliments de coller pendant la cuisson, on peut les placer sur des feuilles de bananier, de la mousseline mouillée ou du papier sulfurisé. Avant d'utiliser un cuit-vapeur en bambou pour la première fois, lavez-le et rincez-le, puis faites donner la vapeur à vide pendant au moins 5 min.

Pour les poissons, les beignets, les desserts ou autres mets délicats, on utilise des cuit-vapeur spéciaux, en bambou ou en acier, ronds et plats.

PLANCHE À HACHER

Khiang

La planche à hacher thaïlandaise traditionnelle est ronde, mesure environ 5 cm d'épaisseur et est en bois de tamarin. Cependant, n'importe quelle planche en bois dur ou en acrylique fera l'affaire, l'essentiel étant qu'elle soit facile à nettoyer et résistante. Ne mettez jamais de viande cuite sur une planche où vous venez de couper de la viande crue. Utilisez une planche séparée pour la viande crue et lavez-la après chaque utilisation.

TAMIS

Kra-chawn

Des tamis de tailles variées permettent de filtrer divers ingrédients, des jus de fruits aux huiles en passant par le riz.

MOULES À PÂTISSERIE EN MÉTAL

Krasthongs

Ces moules en laiton en forme de coquillages sont fixés à l'extrémité d'une longue poignée de bois. On trempe d'abord le moule dans l'huile bouillante, puis dans la pâte, et à nouveau dans l'huile où on le laisse cuire afin d'obtenir de petites coupes croustillantes. Ces coupes sont ensuite garnies de farces salées, qu'on sert en snack sous le nom de *krathon.*

Ci-contre – *Les cuit-vapeur en bambou s'utilisent dans un wok.*

LES TECHNIQUES CULINAIRES CLASSIQUES

La cuisine thaïlandaise demande une préparation méticuleuse, depuis le hachage des ingrédients jusqu'à la mouture des épices et au lavage et à l'épluchage des garnitures. Une fois que les ingrédients sont prêts, la cuisson, relativement brève, peut commencer.

Cette cuisine repose sur quelques techniques de préparation et de cuisson classiques. La plus importante est la préparation des épices et des herbes qui donnent aux plats thaïlandais leur saveur unique. Traditionnellement, les cuisiniers préparaient presque tout eux-mêmes, mais on trouve en Occident des ingrédients prêts à l'emploi, telles les pâtes de curry, ce qui permet de gagner beaucoup de temps.

Les épices sont rôties et moulues de façon à former une pâte qui est à la base de la plupart des plats. Une fois que les arômes sont prêts, la cuisson est simple : on fait mijoter les aliments, on les cuit à la vapeur ou on les fait bouillir, frire ou griller sur des charbons de bois. Dans certaines recettes d'influence chinoise, comme le canard ou le porc rôtis, les aliments sont rôtis, mais ce n'est pas une méthode de cuisson traditionnelle.

MOUDRE LES ÉPICES

La méthode idéale pour moudre les épices consiste à utiliser un grand mortier de type asiatique. Les parois rugueuses retiennent les épices, ce qui les empêche de voler lorsqu'on les pile. En général, avant de les moudre, on fait revenir les épices sans huile dans une poêle à fond épais.

1 Étalez les épices sèches en une seule couche et faites-les griller 1 min à feu fort en secouant la poêle. Baissez le feu et faites cuire encore quelques minutes jusqu'à ce que les épices commencent à dorer et à dégager leur arôme.

2 Transférez les épices grillées dans le mortier et pilez pour les réduire en une poudre fine. Cela libère les huiles essentielles, base de la cuisine thaïlandaise.

PILER ET RÉDUIRE EN PURÉE

Les épices, herbes et aromates secs et humides sont souvent pilés en même temps pour former une pâte relevée. On peut ajouter d'autres ingrédients, comme de la pâte de crevettes au goût fort.

Mettez les épices, les herbes et autres ingrédients aromatiques dans un mortier et pilez pendant plusieurs minutes jusqu'à obtention d'une pâte lisse.

CUISSON LENTE

Les Thaïlandais font généralement mijoter les soupes et les currys ; cette cuisson lente permet d'attendrir les viandes.

Traditionnellement, dans les temps anciens, on utilisait pour cela un pot d'argile lourd que l'on plaçait sur un feu d'intensité moyenne.

Mettez tous les ingrédients dans un pot d'argile (une cocotte en fonte allant au feu est une bonne alternative) que vous placez dans un four préchauffé à la température voulue. (Vous pouvez également placer le pot ou la cocotte sur la cuisinière, à feu moyen.)

CUISSON À LA VAPEUR

C'est une excellente manière de préparer les aliments délicats comme les poissons et les légumes. La cuisson à la vapeur *(neung)* permet de préserver leur goût et de les garder intacts.

1 Mettez les aliments dans un cuit-vapeur en bambou. (Pour certaines recettes, il doit être garni de feuilles de bananier.) Placez le cuit-vapeur sur une grille posée au-dessus d'un wok à demi rempli d'eau bouillante. Faites cuire à la vapeur en remettant de l'eau pour empêcher le wok de se vider.

2 Vous obtiendrez un résultat similaire avec des paquets d'aliments enveloppés dans des feuilles de bananier. Placez un paquet bien fermé au-dessus d'un barbecue ou dans un four préchauffé. La vapeur emprisonnée cuit les aliments qui se trouvent à l'intérieur.

FAIRE SAUTER EN REMUANT

Cette méthode de cuisson *(pad)* est extrêmement rapide – c'est en général la préparation qui prend du temps. Préparez tous les ingrédients avant de commencer la cuisson. L'ordre dans lequel on met les ingrédients dans la poêle est primordial.

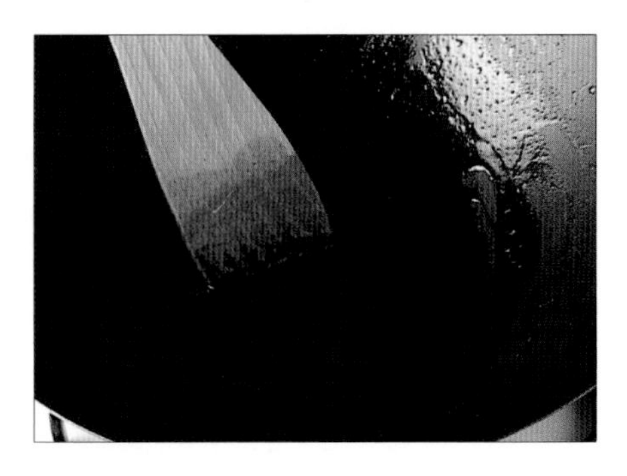

1 Faites chauffer un peu d'huile dans un wok à feu fort pendant quelques minutes.

2 Mettez les épices et les aromates à sauter en remuant pendant quelques instants.

3 Incorporez dans le wok les morceaux de viande, de volaille, de poisson ou les coquillages, et faites cuire 1 ou 2 min en secouant constamment la poêle.

4 Mettez tous les légumes durs comme les carottes, les haricots verts ou les poivrons et faites cuire 1 min en mélangeant bien.

5 Ajoutez les légumes et feuilles fragiles comme les germes de soja, épinards ou belles-de-jour, et faites frire 1 min tout en remuant.

6 Enfin, ajoutez l'assaisonnement et les herbes fraîches comme du basilic ou de la coriandre, qui ne doivent pas cuire longtemps. Mélangez bien et servez sans attendre.

FAIRE FRIRE À FEU FORT

Cette méthode *(tord)* sert pour de nombreux plats tels les wontons, les rouleaux de printemps et les chips aux crevettes. Utilisez une huile supportant des températures élevées comme l'huile d'arachide.

1 Remplissez d'huile aux deux tiers une poêle ou un wok et faites chauffer à feu fort. Pour vérifier que l'huile est bouillante, mettez une goutte de pâte ou un morceau d'oignon. S'ils coulent, l'huile n'est pas assez chaude ; s'ils brûlent, elle est trop chaude ; s'ils grésillent et remontent à la surface, la température est parfaite.

2 Faites cuire les aliments par lots jusqu'à ce qu'ils soient bien croustillants, puis sortez-les de l'huile avec une écumoire. Égouttez sur une grille métallique garnie d'essuie-tout. Servez aussitôt ou gardez au chaud dans le four jusqu'au service.

FAIRE BOUILLIR

Cette méthode *(dom)* est souvent utilisée pour les viandes délicates comme les blancs de poulet ou le canard.

Mettez la viande et les autres ingrédients dans une casserole et recouvrez d'eau. Portez à ébullition, puis retirez du feu et laissez reposer, couvert ; 10 min après, égouttez.

CUISSON AU BARBECUE

Cette méthode *(yarng)* est très populaire. Elle est utilisée par les marchands ambulants qui préparent des brochettes comme le satay ou le poulet cuit au barbecue *(kai yang)* ou encore des fruits de mer cuits sur des braseros ouverts.

1 Dans un barbecue, allumez le charbon de bois et attendez qu'il soit recouvert d'une fine poussière de cendres avant de commencer la cuisson. Mettez brochettes, viande, volaille, poisson ou coquillages sur une grille placée au-dessus des charbons et faites griller en tournant de temps en temps afin que les aliments brunissent de tous les côtés et soient bien cuits.

2 Si vous n'avez pas de barbecue, faites cuire les aliments sous un gril préchauffé.

BROCHETTES DE BOIS OU DE BAMBOU
Si vous utilisez des brochettes de bois ou de bambou, faites-les tremper 30 min dans de l'eau avant de vous en servir, pour les empêcher de brûler.

APÉRITIFS ET ENTRÉES

Promenez-vous dans les rues de n'importe quelle ville thaïlandaise et vous verrez les marchands ambulants, debout derrière leurs carrioles, ou accroupis près de leurs réchauds avec des woks tout cabossés prêts à cuire de l'ail, du gingembre, des piments et des légumes. Les odeurs sont allèchantes, et les curieux qui s'aventurent à goûter la cuisine des rues sont rarement déçus. Mais il n'est pas nécessaire d'aller en Thaïlande pour goûter à cette cuisine. Il suffit de suivre ces recettes toutes simples pour déguster les noix de cajou et les noix de coco rôties, les beignets de maïs et les « pétards ».

TOASTS AUX CREVETTES ET AU SÉSAME

Ces délicieux petits toasts triangulaires sont parfaits pour servir à l'apéritif lors d'une réception. Ils sont très faciles à préparer, et il suffit de quelques minutes pour les faire cuire.

Pour 4 personnes

INGRÉDIENTS

225 g de crevettes crues décortiquées
1 cuil. à soupe de sherry
1 cuil. à soupe de sauce de soja
2 cuil. à soupe de farine de maïs
2 blancs d'œufs
4 tranches de pain blanc
125 g de graines de sésame
huile de friture
sauce au piment douce, pour servir

1 Mélangez les crevettes, le sherry, la sauce de soja et la farine de maïs dans un mixer.

2 Dans une jatte, barrez les blancs d'œufs en neige ferme. Ajoutez-les au mélange à base de farine et de crevettes.

3 Coupez chaque tranche de pain en 4 triangles. Étalez les graines de sésame sur une grande assiette. Tartinez chaque triangle de pâte de crevettes, puis parsemez de graines de sésame en appuyant dessus pour les faire pénétrer dans la pâte de crevettes.

4 Faites chauffer l'huile dans un wok. Mettez les toasts à raison de quelques-uns à la fois, avec le côté tartiné sur le dessus, et faites frire 2 à 3 min, puis retournez et faites dorer l'autre côté.

5 Égouttez sur de l'essuie-tout et servez chaud avec la sauce au piment douce.

GÂTEAUX DE RIZ À LA SAUCE ÉPICÉE

Ces gâteaux de riz, traditionnellement servis en amuse-gueule, sont faciles à confectionner et se conservent très longtemps dans une boîte hermétique. Préparez-les au moins la veille car ils ont besoin de sécher toute une nuit.

Pour 4 à 6 personnes

INGRÉDIENTS
- 175 g de riz jasmin thaïlandais
- huile pour friture

Pour la sauce épicée
- 6 à 8 piments séchés
- 1/2 cuil. à café de sel
- 2 échalotes hachées
- 2 gousses d'ail hachées
- 4 racines de coriandre
- 10 grains de poivre blanc
- 25 cl de lait de coco
- 1 cuil. à café de pâte de crevettes
- 125 g de viande de porc hachée
- 125 g de tomates cerises hachées
- 1 cuil. à soupe de sauce au poisson thaïlandaise
- 1 cuil. à soupe de sucre de palme ou de sucre roux
- 2 cuil. à soupe de jus de tamarin (pâte de tamarin diluée dans l'eau chaude)
- 2 cuil. à soupe de cacahuètes grillées, grossièrement hachées
- 2 ciboules hachées

1 Préparez la sauce. Arrachez les tiges des piments, retirez les graines et faites tremper la chair dans l'eau tiède 20 min. Égouttez et mettez dans un mortier. Salez et pilez. Ajoutez les échalotes, l'ail, la coriandre et les grains de poivre. Pilez.

2 Versez le lait de coco dans une casserole et portez à ébullition. Quand la crème commence à se séparer, ajoutez la pâte de piments pilée. Laissez cuire 2 à 3 min, puis incorporez la pâte de crevettes et faites cuire 1 min de plus.

3 Ajoutez la viande de porc, en remuant pour écraser les grumeaux. Faites cuire 5 à 10 min, puis ajoutez les tomates, la sauce au poisson, le sucre de palme et le jus de tamarin. Laissez frémir en remuant de temps à autre jusqu'à ce que la sauce réduise, puis incorporez les cacahuètes et les ciboules. Laissez la sauce refroidir.

4 Allumez le four à la température la plus basse. Graissez une plaque à gâteaux. Lavez le riz dans plusieurs eaux. Mettez-le dans une casserole avec 30 centilitres d'eau et couvrez. Portez à ébullition, baissez le feu et laissez frémir 15 min.

5 Retirez le couvercle et aérez le riz en le remuant à l'aide d'une cuillère. Mettez-le sur la plaque à gâteaux et appuyez dessus avec le dos de la cuillère. Laissez sécher au four toute une nuit.

6 Brisez le riz en morceaux de la taille d'une bouchée. Faites chauffer l'huile dans un wok. Mettez à frire les gâteaux de riz 1 min, afin qu'ils gonflent sans brunir. Égouttez bien. Servez avec la sauce épicée.

NOIX DE CAJOU RÔTIES À LA NOIX DE COCO

Servez ces noix de cajou dans des cônes de papier ou de Cellophane, à l'occasion d'une fête. Non seulement cette présentation fait beaucoup d'effet, mais elle évite de se salir les mains, et il suffit de jeter les cônes après avoir dégusté leur contenu.

Pour 6 à 8 personnes

INGRÉDIENTS
- 250 g de noix de cajou
- 100 g de noix de coco déshydratée
- 1 cuil. à soupe d'huile d'arachide
- 2 cuil. à soupe de miel liquide
- 2 petits piments rouges frais épépinés et hachés menu
- sel et poivre noir moulu

1 Chauffez l'huile dans un wok et ajoutez le miel en remuant. Après quelques secondes, mettez les noix de cajou et la noix de coco à frire en les faisant bien dorer.

2 Incorporez les piments, salez et poivrez à votre goût. Mélangez bien tous les ingrédients. Servez chaud ou très frais dans des cônes de papier ou des soucoupes.

VARIANTE

Vous pouvez remplacer les noix de cajou par des cacahuètes ou des amandes.

SATAY DE POULET AVEC SAUCE AUX CACAHUÈTES

Ces brochettes miniatures sont très appréciées dans tout le Sud-Est asiatique. Elles sont particulièrement délicieuses cuites au barbecue. La sauce aux cacahuètes accompagne à merveille le poulet mariné.

Pour 4 personnes

INGRÉDIENTS

- 4 blancs de poulet dépiautés

Pour la marinade

- 2 gousses d'ail écrasées
- 2,5 cm de racine de gingembre frais finement râpée
- 2 cuil. à café de sauce au poisson thaïlandaise
- 2 cuil. à soupe de sauce de soja claire
- 1 cuil. à soupe de miel liquide

Pour la sauce satay

- 6 cuil. à soupe de beurre de cacahuètes
- 1 piment rouge frais épépiné et haché menu
- 1 citron vert pressé
- 4 cuil. à soupe de lait de coco
- sel

1 Préparez la sauce satay. Mettez tous les ingrédients dans un mixer et mixez jusqu'à obtenir un mélange homogène. Vérifiez l'assaisonnement et ajoutez un peu de sel ou de jus de citron vert si nécessaire. Versez la sauce dans un bol, couvrez de film plastique et réservez.

2 Avec un couteau bien aiguisé, coupez les blancs de poulet en quatre longues bandes. Mettez tous les ingrédients de la marinade dans une jatte, mélangez bien, puis ajoutez les morceaux de poulet et tournez jusqu'à ce qu'ils soient bien imprégnés de marinade. Couvrez et laissez mariner au réfrigérateur 30 min. Dans l'intervalle, faites tremper 16 brochettes de bois dans l'eau pour les empêcher de brûler pendant la cuisson.

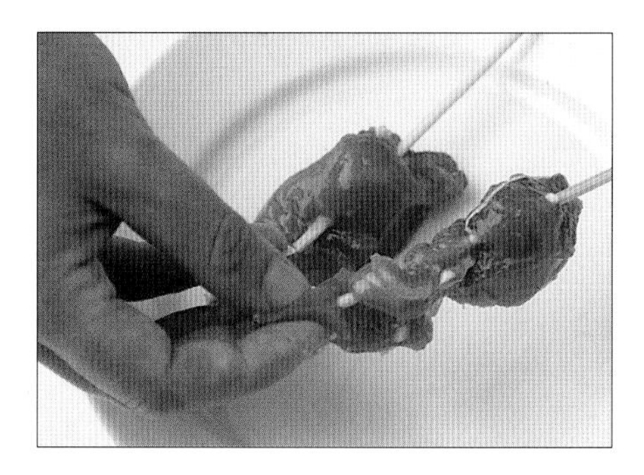

3 Préchauffez le gril du four à température élevée ou préparez le barbecue. Égouttez les brochettes et les morceaux de poulet. Enfilez une bande de poulet sur chaque brochette et faites griller 3 min de chaque côté jusqu'à ce que la viande soit bien dorée. Servez sans attendre avec la sauce satay.

BEIGNETS DE MAÏS

Les plats les plus simples sont parfois les meilleurs. Ces beignets de maïs, très faciles à préparer, ont beaucoup de succès.

Pour 12 beignets

INGRÉDIENTS
- 3 épis de maïs d'un poids total de 250 g
- 1 gousse d'ail écrasée
- 1 petit bouquet de coriandre fraîche hachée
- 1 petit piment rouge ou vert frais épépiné et haché menu
- 1 ciboule hachée menu
- 1 cuil. à soupe de sauce de soja
- 75 g de farine de riz ou de farine ordinaire
- 2 œufs légèrement battus
- huile pour friture
- sel et poivre noir moulu
- sauce au piment douce, pour servir

1 À l'aide d'un couteau aiguisé, détachez les grains de maïs des épis et mettez-les dans une jatte. Ajoutez l'ail, la coriandre hachée, le piment vert ou rouge, la ciboule, la sauce de soja, la farine, les œufs battus et 4 cuillerées à soupe d'eau. Salez et poivrez à votre goût et mélangez bien. La mixture doit être juste assez ferme pour garder sa forme.

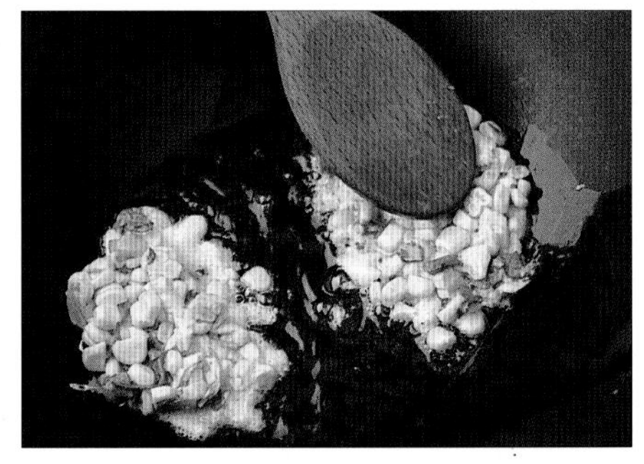

2 Chauffez l'huile dans une grande poêle. Mettez des cuillerées de préparation au maïs en formant avec le dos de la cuillère des beignets ronds. Faites cuire 1 à 2 min de chaque côté.

3 Égouttez sur de l'essuie-tout et gardez au chaud pendant que les autres beignets cuisent. Servez avec la sauce au piment douce.

TUNG TONG

Également appelées « sacs d'or », ces poches croustillantes renferment une garniture de châtaignes d'eau et de maïs parfumée à la coriandre. Elles font de parfaits snacks pour les végétariens.

Pour 18 parts

INGRÉDIENTS
- 18 feuilles de pâte pour rouleaux de printemps de 8 cm² environ, décongelées si nécessaire
- huile pour friture
- sauce aux prunes, pour servir

Pour la farce
- 4 petits épis de maïs
- 125 g de châtaignes d'eau en boîte égouttées et hachées
- 1 échalote hachée
- 1 œuf, blanc et jaune séparés
- 2 cuil. à soupe de farine de maïs
- 1 petit bouquet de coriandre fraîche hachée
- sel et poivre noir moulu

1 Préparez la farce. Mettez le maïs, les châtaignes d'eau, l'échalote et le jaune d'œuf dans un mixer. Mixez jusqu'à obtenir une pâte grumeleuse. Dans un bol, fouettez légèrement le blanc d'œuf à la fourchette.

2 Mettez la farine de maïs dans une petite casserole avec 4 cuillerées à soupe d'eau. Ajoutez le mélange précédent et la coriandre hachée, salez et poivrez à votre goût. Faites cuire à feu doux en remuant constamment jusqu'à ce que le mélange épaississe.

3 Laissez la farce refroidir un peu. Déposez 1 cuillerée à café de cette farce au milieu d'une feuille de pâte. Badigeonnez les bords avec le blanc d'œuf battu, puis ramenez les pointes et collez-les en pressant dessus pour obtenir une sorte de poche.

4 Répétez l'opération avec le reste des feuilles de pâte et de la farce. Faites chauffer l'huile dans un wok. Mettez à dorer les poches par lots successifs pendant environ 5 min. Égouttez sur de l'essuie-tout et servez les tung tong très chauds avec la sauce aux prunes.

PÉTARDS

Il n'est pas difficile de deviner pourquoi ces snacks à base de crevettes enroulées dans des feuilles de pâte sont appelés ainsi – outre qu'ils ressemblent à des pétards, leur contenu est une explosion de saveurs !

Pour 16 pétards

INGRÉDIENTS

- 16 petites feuilles de pâte à wonton d'environ 8 cm², décongelées si nécessaire
- 16 grosses crevettes crues décortiquées, mais en gardant la queue
- 1 cuil. à café de pâte de curry rouge
- 1 cuil. à café de sauce au poisson thaïlandaise
- 16 nouilles aux œufs mises à tremper (voir Conseil)
- huile pour friture

1 Tournez les crevettes sur le côté et faites deux entailles sur le ventre, l'une d'1 cm à partir de la tête, et l'autre d'1 cm à partir de la première entaille, transversalement. Cela les empêchera de se recroqueviller en cuisant.

2 Mélangez la pâte de curry rouge avec la sauce au poisson dans un plat peu profond. Ajoutez les crevettes et tournez-les dans le mélange de façon qu'elles soient bien enrobées. Couvrez et laissez mariner 10 min.

3 Mettez une feuille de pâte à wonton en biais sur la surface de travail afin d'avoir une forme de losange. Repliez la pointe du haut jusqu'au milieu de la feuille. Posez une crevette dessus avec les entailles sur le dessous en laissant dépasser la queue à une extrémité, puis repliez le coin du bas par-dessus l'autre extrémité de la crevette.

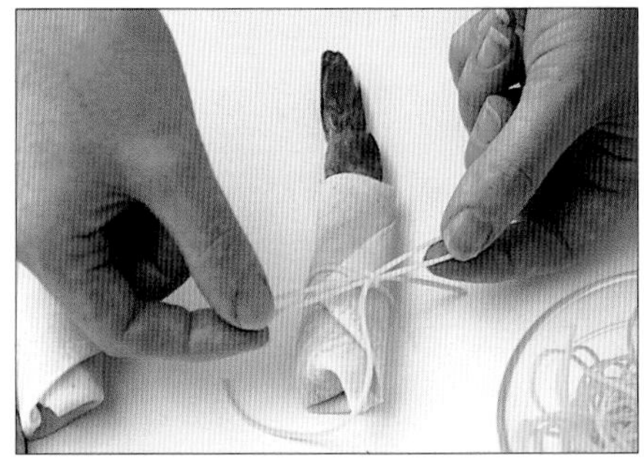

4 Repliez les côtés de la feuille de manière à obtenir un rouleau bien serré. Nouez une nouille autour de chaque rouleau et mettez de côté. Répétez l'opération avec le reste des crevettes et des feuilles de pâte.

5 Faites chauffer l'huile dans un wok. Mettez à frire les rouleaux par lots successifs 5 à 8 min. Égouttez sur de l'essuie-tout et gardez au chaud pendant que vous faites cuire le reste des rouleaux de crevettes.

CONSEIL

Faites tremper 2 à 3 min dans un bol d'eau bouillante les nouilles aux œufs destinées à nouer les rouleaux afin de les ramollir, puis égouttez-les, rafraîchissez-les à l'eau froide et égouttez-les à nouveau.

BEIGNETS AU CURRY VERT

La pâte de crevettes et la sauce au curry vert donnent à ces beignets une saveur épicée unique, renforcée par l'addition de piment.

Pour 24 beignets

INGRÉDIENTS

- 24 feuilles de pâte à wonton de 8 cm², décongelées si nécessaire
- 1 cuil. à soupe de farine de maïs mélangée à 2 cuil. à soupe d'eau
- huile pour friture

Pour la farce

- 1 petite pomme de terre d'environ 125 g, bouillie et réduite en purée
- 25 g de maïs cuit
- quelques brins de coriandre fraîche hachés
- 1 petit piment rouge frais épépiné et haché menu
- 1/2 tige de citronnelle hachée menu
- 1 cuil. à soupe de sauce de soja
- 1 cuil. à café de pâte de crevettes ou de sauce au poisson
- 1 cuil. à café de pâte de curry vert thaïlandaise

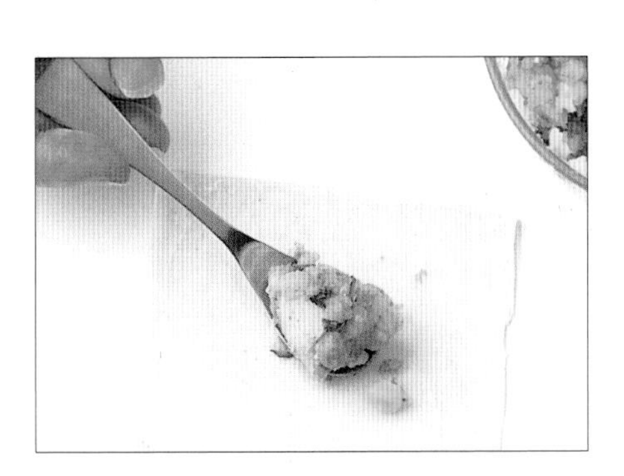

1 Mélangez les ingrédients de la farce. Au milieu d'une feuille de pâte à wonton, mettez 1 cuillerée à café de farce.

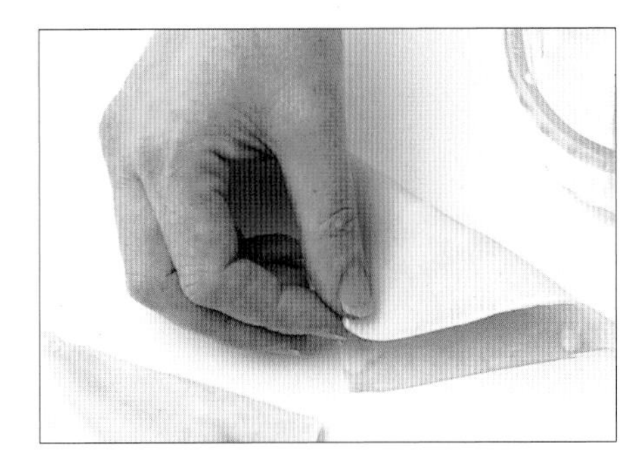

2 Étalez un peu de pâte de farine de maïs le long de deux bords de la feuille. Repliez les deux autres bords par-dessus et collez-les en appuyant bien de façon à obtenir une forme triangulaire. Préparez les autres beignets en procédant de la même façon.

3 Faites chauffer l'huile dans un wok. Plongez-y les beignets par lots successifs pendant environ 5 min afin qu'ils soient bien dorés.

4 Sortez les beignets du wok et égouttez-les sur de l'essuie-tout. Si vous souhaitez les servir chauds, gardez-les au four, à température basse, pendant que vous faites cuire le reste. Ils peuvent également se déguster froids.

CONSEIL

Les feuilles de pâte à wonton se dessèchent rapidement, aussi faut-il les couvrir avec du film plastique en attendant de s'en servir.

PÂTÉS DE MORUE AVEC SAUCE AU CONCOMBRE

En Thaïlande, ces merveilleux pâtés au poisson sont servis au moment de l'apéritif. Cette coutume tend à se répandre dans tout le Sud-Est asiatique.

Pour environ 12 pâtés

INGRÉDIENTS
- 300 g de filets de morue coupés en morceaux
- 8 feuilles de citron vert cafre
- 2 cuil. à soupe de pâte de curry rouge
- 1 œuf
- 2 cuil. à soupe de sauce au poisson thaïlandaise
- 1 cuil. à café de sucre en poudre
- 2 cuil. à soupe de farine de maïs
- 1 cuil. à soupe de coriandre fraîche hachée
- 50 g de haricots verts coupés en petits segments
- huile végétale pour friture

Pour la sauce au concombre
- 4 cuil. à soupe de vinaigre de riz ou de coco
- 50 g de sucre en poudre
- 1 tête d'ail en saumure
- 1 cm de racine de gingembre fraîche épluchée
- 1 concombre coupé en fines lanières
- 4 échalotes hachées menu

1 Préparez la sauce au concombre. Dans une petite casserole, mélangez le vinaigre de riz ou de coco, le sucre et 4 cuillerées à soupe d'eau. Faites chauffer à feu doux en remuant jusqu'à ce que le sucre soit dissous. Retirez du feu et laissez refroidir.

2 Séparez les gousses d'ail. Hachez-les en même temps que le gingembre et mettez le tout dans une jatte. Ajoutez le concombre, les échalotes et la préparation à base de vinaigre. Mélangez légèrement. Couvrez et réservez.

3 Gardez 5 feuilles de citron vert cafre pour la garniture et coupez le reste en fines lamelles. Mettez les morceaux de morue, la pâte de curry et l'œuf dans un mixer et mixez jusqu'à obtention d'une pâte lisse. Transférez le mélange dans une jatte et incorporez la sauce au poisson, le sucre, la farine de maïs, les lamelles de feuilles de citron vert, la coriandre et les haricots verts. Mélangez bien, puis formez environ 12 pâtés de 5 mm d'épaisseur et de 5 cm de diamètre.

4 Faites chauffer l'huile dans un wok. Plongez-y les pâtés par lots successifs et laissez-les cuire environ 4 à 5 min. Ils doivent être bien dorés.

5 Égouttez les pâtés sur de l'essuie-tout. Gardez-les au chaud pendant que vous finissez de cuire les autres. Garnissez avec les feuilles de citron vert cafre restantes et servez avec la sauce au concombre.

BEIGNETS DE PINCES DE CRABE

On trouve des pinces de crabe congelées dans les magasins asiatiques et les supermarchés. Décongelez-les et faites-les sécher sur de l'essuie-tout avant de les enrober de pâte.

Pour 4 personnes

INGRÉDIENTS
- 12 pinces de crabe à moitié décortiquées, décongelées si nécessaire
- 50 g de farine de riz
- 1 cuil. à soupe de farine de maïs
- 1 cuil à soupe de sucre en poudre
- 1 œuf
- 1 tige de citronnelle sans la racine
- 2 gousses d'ail hachées menu
- 1 cuil. à soupe de coriandre fraîche hachée
- 1 à 2 piments rouges frais épépinés et hachés menu
- 1 cuillerée à café de sauce au poisson thaïlandaise
- huile végétale pour friture
- poivre noir moulu

Pour la sauce au vinaigre pimentée
- 3 cuil. à soupe de sucre en poudre
- 12 cl de vinaigre de vin rouge
- 1 cuil. à soupe de sauce au poisson thaïlandaise
- 2 à 4 piments rouges frais épépinés et hachés

1 Préparez la sauce au vinaigre pimentée. Dans une casserole, mélangez le sucre à 12 centilitres d'eau. Faites chauffer à feu doux en remuant jusqu'à ce que le sucre soit dissous, puis portez à ébullition. Baissez le feu et laissez mijoter 5 à 7 min. Incorporez le reste des ingrédients, versez dans un récipient de service et réservez.

2 Mélangez la farine de riz, la farine de maïs et le sucre dans une jatte. Battez l'œuf avec 4 cuillerées à café d'eau froide. Incorporez-le au mélange à base de farine et fouettez jusqu'à obtenir une pâte légère.

3 Coupez 5 cm du bas de la tige de citronnelle et hachez menu. Ajoutez à la pâte en même temps que l'ail, la coriandre, les piments et la sauce au poisson. Poivrez à votre goût.

4 Faites chauffer l'huile dans un wok. Trempez les pinces de crabe dans la pâte, puis faites frire par lots successifs jusqu'à ce qu'elles soient bien dorées. Servez les beignets avec la sauce au vinaigre.

BOULETTES THAÏLANDAISES DE TEMPEH AVEC SAUCE AUX PIMENTS DOUX

Fait avec des germes de soja, le tempeh ressemble au tofu, mais il a un goût de noisette plus prononcé. Ici, il est associé à un mélange très parfumé de citronnelle, de coriandre et de gingembre.

Pour 8 boulettes

INGRÉDIENTS
- 250 g de tempeh, décongelé si nécessaire, coupé en tranches
- 1 tige de citronnelle débarrassée des feuilles extérieures et hachée menu
- 2 gousses d'ail hachées
- 2 ciboules hachées menu
- 2 échalotes hachées menu
- 2 piments rouges frais épépinés et hachés menu
- 2,5 cm de racine de gingembre fraîche hachée menu
- 4 cuil. à soupe de coriandre fraîche hachée, plus un peu pour garnir
- 1 cuil. à soupe de jus de citron vert frais
- 1 cuil. à café de sucre en poudre
- 3 cuil. à soupe de farine ordinaire
- 1 gros œuf légèrement battu
- sel et poivre noir fraîchement moulu
- huile végétale pour friture

Pour la sauce aux piments doux
- 3 cuil. à soupe de mirin (voir Conseil)
- 3 cuil. à soupe de vinaigre de vin blanc
- 2 ciboules coupées en tranches fines
- 1 cuil. à soupe de sucre en poudre
- 2 piments rouges frais épépinés et hachés menu
- 2 cuil. à soupe de coriandre fraîche hachée
- 1 grosse pincée de sel

1 Préparez la sauce. Mélangez le mirin, le vinaigre, les ciboules, le sucre, les piments, la coriandre et le sel dans un bol. Couvrez avec du film plastique et réservez en attendant de servir.

CONSEIL
Le mirin est un vin de riz sucré japonais. Il a un goût très délicat et est utilisé pour cuisiner. Le vin de riz destiné à être bu, appelé saké, coûte plus cher. Tous deux sont vendus dans les magasins de produits asiatiques. Si vous ne trouvez pas de mirin, vous pouvez le remplacer par du sherry sec, mais le résultat sera différent.

2 Mettez la citronnelle, l'ail, les ciboules, les échalotes, les piments, le gingembre et la coriandre dans un mixer et mixez jusqu'à obtention d'une pâte grumeleuse. Ajoutez le tempeh, le jus de citron vert et le sucre, puis mixez à nouveau. Incorporez la farine et l'œuf, salez et poivrez à votre goût. Mixez encore jusqu'à obtention d'une pâte collante. Transférez la pâte dans une jatte.

3 Prélevez un huitième de pâte à la fois et pétrissez-le en forme de boulette.

4 Chauffez un peu d'huile dans une grande poêle. Mettez à dorer les boulettes de tempeh 5 à 6 min en les retournant une fois. Égouttez sur de l'essuie-tout. Transférez sur un plat, décorez de coriandre et servez avec la sauce aux piments doux.

SAMOSAS AUX POMMES DE TERRE, À L'ÉCHALOTE ET À L'AIL AVEC PETITS POIS

La plupart des samosas sont frits. Ceux-ci sont cuits au four, ce qui est plus sain. Ils sont parfaits pour les fêtes et les réceptions, car la pâte ne requiert qu'un minimum d'attention de dernière minute.

Pour 25 samosas

INGRÉDIENTS
- 25 feuilles de pâte pour samosas ou 10 bandes de pâte filo de 5 cm de large
- 1 grosse pomme de terre de 250 g environ coupée en dés
- 75 g de petits pois
- 2 échalotes hachées menu
- 1 cuil. à soupe d'huile d'arachide
- 1 gousse d'ail hachée menu
- 4 cuil. à soupe de lait de coco
- 1 cuil. à café de pâte de curry thaïlandais vert ou rouge
- 1/2 citron vert pressé
- sel et poivre noir moulu
- huile pour badigeonner

1 Préchauffez le four à 220 °C (th. 8). Portez une petite casserole d'eau à ébullition, ajoutez la pomme de terre coupée en dés, couvrez et faites cuire 10 à 15 min. Égouttez et réservez.

2 Parallèlement, faites chauffer l'huile d'arachide dans une grande poêle à frire et mettez à fondre les échalotes et l'ail à feu moyen, en remuant de temps en temps, pendant 4 à 5 min.

3 Ajoutez dans la poêle les dés de pomme de terre égouttés, le lait de coco, la pâte de curry vert ou rouge, les petits pois et le jus de citron vert. Écrasez le tout à l'aide d'une cuillère en bois. Salez et poivrez à votre goût et faites cuire à feu doux 2 à 3 min, puis retirez du feu et laissez refroidir.

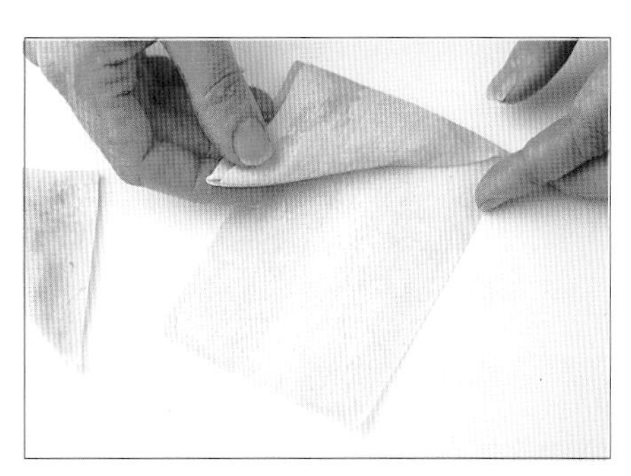

4 Badigeonnez d'un peu d'huile une feuille de pâte à samosa ou de pâte filo, mettez 1 bonne cuillerée à café de farce au milieu d'un bord court. Repliez un coin en biais par-dessus la farce de façon à le faire coïncider avec le bord long.

5 Continuez à replier la pâte autour de la farce en gardant une forme triangulaire. Badigeonnez à nouveau d'huile si nécessaire et placez sur une plaque à four. Préparez le reste des samosas de la même façon.

6 Faites cuire au four 15 min jusqu'à ce que la pâte soit dorée et croustillante. Laissez les samosas tiédir avant de les servir.

CONSEIL

Les magasins de produits asiatiques vendent des « blocs » de pâte pour samosas, en paquets de 50 feuilles oblongues, généralement congelées. On peut les remplacer par de la pâte filo recoupée aux bonnes dimensions.

ROULEAUX DE PRINTEMPS THAÏLANDAIS

Les rouleaux de printemps ont autant de succès en Thaïlande qu'en Chine. Les Thaïlandais farcissent les leurs avec un savoureux mélange de nouilles, de viande de porc hachée et d'ail.

Pour 24 rouleaux

INGRÉDIENTS
- 24 feuilles de pâte pour rouleaux de printemps de 15 cm², décongelées si nécessaire
- 2 cuil. à soupe de farine ordinaire
- huile végétale pour friture
- sauce au piment douce, pour servir

Pour la farce
- 4 à 6 champignons chinois séchés mis à tremper 30 min dans l'eau chaude
- 50 g de nouilles Cellophane
- 2 cuil. à soupe d'huile végétale
- 2 gousses d'ail hachées
- 2 piments rouges frais épépinés et hachés
- 225 g de viande de porc hachée
- 50 g de crevettes cuites décortiquées, décongelées si nécessaire
- 2 cuil. à soupe de sauce au poisson thaïlandaise
- 1 cuil. à café de sucre en poudre
- 1 carotte râpée
- 50 g de pousses de bambou en boîte égouttées et hachées
- 50 g de germes de soja
- 2 ciboules hachées menu
- 1 cuil. à café de coriandre fraîche hachée
- sel et poivre noir moulu

1 Préparez la farce. Égouttez les champignons trempés. Coupez et jetez les tiges, puis hachez les chapeaux finement.

2 Mettez les nouilles dans une jatte, couvrez d'eau bouillante et laissez tremper 10 min. Égouttez-les et coupez-les en segments de 5 cm.

3 Faites chauffer l'huile dans un wok, mettez l'ail et les piments à frire 30 s. Transférez sur un plat. Mettez la viande de porc dans le wok et faites revenir en remuant jusqu'à ce qu'elle brunisse.

4 Ajoutez les champignons, les nouilles et les crevettes. Incorporez la sauce au poisson et le sucre, puis salez à votre goût.

5 Versez le mélange dans une jatte. Ajoutez la carotte, la pousse de bambou, les germes de soja, les ciboules et la coriandre. Incorporez la préparation au piment et mélangez bien.

6 Sortez les feuilles de pâte de leur emballage et couvrez-les d'un torchon humide afin qu'elles ne dessèchent pas. Dans un bol, mélangez la farine et un peu d'eau pour faire une pâte. Mettez 1 cuillerée de farce au milieu d'une feuille de pâte.

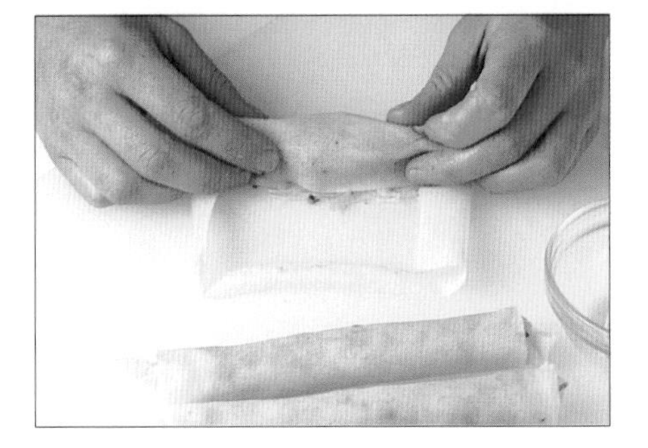

7 Repliez le bord inférieur par-dessus la garniture, puis les côtés. Enroulez la feuille de pâte presque jusqu'en haut, badigeonnez le bord supérieur de pâte à base de farine et fermez. Farcissez le reste des feuilles de pâte de la même façon.

8 Faites chauffer l'huile dans un wok. Mettez à frire les rouleaux de printemps par lots successifs afin qu'ils soient croustillants et dorés. Égouttez sur de l'essuie-tout et servez très chaud avec la sauce au piment douce.

OMELETTES GARNIES THAÏLANDAISES

La cuisine thaïlandaise associe souvent les piments aux saveurs sucrées, comme dans ces omelettes où la garniture relevée contraste agréablement avec le goût délicat des œufs.

Pour 4 personnes

INGRÉDIENTS

2 cuil. à soupe d'huile d'arachide
2 gousses d'ail hachées menu
1 petit oignon haché menu
225 g de viande de porc hachée
2 cuil. à soupe de sauce au poisson thaïlandaise
1 cuil. à café de sucre en poudre
2 tomates pelées et hachées
1 cuil. à soupe de coriandre fraîche hachée
poivre noir moulu

Pour les omelettes

5 œufs
1 cuil. à soupe de sauce au poisson thaïlandaise
2 cuil. à soupe d'huile d'arachide

Pour la garniture

brins de coriandre fraîche et piments rouges frais coupés en tranches

1 Faites chauffer l'huile dans un wok, mettez l'ail et l'oignon à fondre à feu moyen 3 à 4 min en remuant de temps en temps. Ajoutez la viande de porc et faites cuire encore 8 min en remuant souvent, jusqu'à ce qu'elle commence à brunir.

2 Incorporez la sauce au poisson thaïlandaise, le sucre et les tomates, poivrez à votre goût et laissez mijoter à feu doux jusqu'à ce que le mélange épaississe. Ajoutez la coriandre fraîche. Retirez le wok du feu, couvrez pour garder chaud et réservez pendant que vous préparez les omelettes.

3 Préparez les omelettes. Dans une jatte, battez légèrement à l'aide d'une fourchette les œufs et la sauce thaïlandaise.

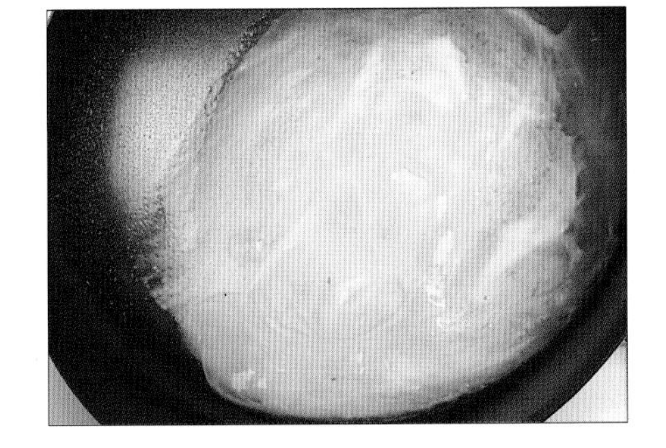

4 Faites chauffer à feu moyen 1 cuillerée à soupe d'huile dans une poêle à frire ou un wok. Dès que l'huile est assez chaude, ajoutez la moitié du mélange à base d'œufs battus et inclinez le wok ou la poêle de façon que les œufs se répandent en une couche régulière. Faites cuire à feu moyen jusqu'à ce que l'omelette commence à prendre et que le dessous soit bien doré.

5 Mettez la moitié de la garniture au milieu de l'omelette. Formez un paquet carré en repliant les côtés de l'omelette par-dessus. Faites glisser le paquet sur un plat de service avec le côté plié sur le dessous. Préparez un autre paquet de la même façon. Garnissez de brins de coriandre et de tranches de piments. Coupez chaque omelette en deux avant de servir.

ROULEAUX AUX ŒUFS

Le nom de cette recette pourrait prêter à confusion dans les pays où il désigne les rouleaux de printemps. Cependant, ces rouleaux aux œufs sont des tranches d'omelette parfumée thaïlandaise enroulées sur elles-mêmes. On les sert souvent comme amuse-gueule.

Pour 2 personnes

INGRÉDIENTS
- 3 œufs battus
- 1 cuil. à soupe de sauce de soja
- 1 botte de ciboulette hachée
- 1 à 2 petits piments rouges ou verts frais épépinés et hachés menu
- 1 petit bouquet de coriandre fraîche hachée
- 1 pincée de sucre en poudre
- sel et poivre noir moulu
- 1 cuil. à soupe d'huile d'arachide

Pour la sauce
- 4 cuil. à soupe de sauce de soja claire
- jus de citron vert frais

CONSEIL

Mettez des gants pour préparer les piments ou bien coupez-les à l'aide d'un couteau et d'une fourchette, sans les toucher. Lavez-vous les mains à l'eau chaude savonneuse après l'opération.

1 Préparez la sauce. Versez la sauce de soja dans un bol. Ajoutez une bonne giclée de jus de citron vert. Goûtez et ajustez si nécessaire.

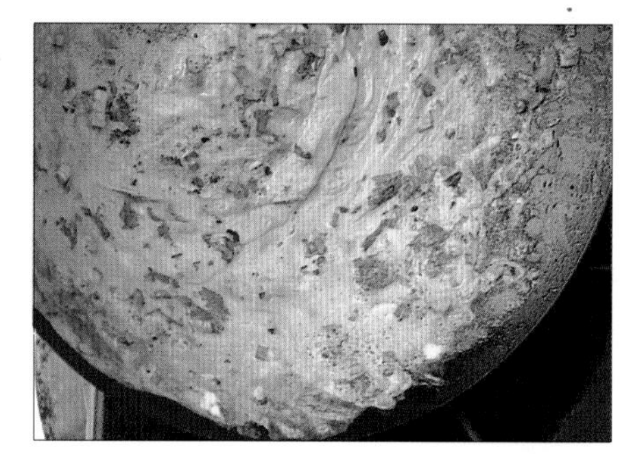

2 Mélangez les œufs, la sauce de soja, la ciboulette, les piments, la coriandre et le sucre, et assaisonnez. Chauffez l'huile dans une grande poêle, versez la préparation et tournez la poêle pour faire une omelette fine.

3 Faites cuire 1 à 2 min jusqu'à ce que l'omelette commence à prendre et que le dessous soit doré. Faites-la glisser sur une assiette et enroulez-la comme une crêpe. Laissez refroidir complètement.

4 Une fois l'omelette froide, coupez-la en tranches d'1 cm d'épaisseur en biais. Enroulez les tranches sur elles-mêmes et disposez-les sur un plat. Servez avec le bol de sauce.

ŒUFS À LA MODE BEAU-FILS

Ce nom curieux vient de l'histoire d'un jeune homme qui, pour impressionner sa future belle-mère, inventa une nouvelle recette basée sur le seul plat qu'il savait préparer – les œufs durs.

Pour 4 à 6 personnes

INGRÉDIENTS
- 6 œufs durs écalés
- 2 cuil. à soupe d'huile végétale
- 6 échalotes coupées en fines rondelles
- 6 gousses d'ail coupées en fines rondelles
- 6 piments rouges frais coupés en tranches
- huile pour friture
- feuilles de salade, pour servir
- brins de coriandre fraîche, pour garnir

Pour la sauce
- 75 g de sucre de palme ou de cassonade
- 5 cuil. à soupe de sauce au poisson thaïlandaise
- 6 cuil. à soupe de jus de tamarin

CONSEIL
Les piments sont plus ou moins forts suivant les variétés et selon que l'on incorpore les graines ou non.

1 Préparez la sauce. Mettez le sucre, le jus de tamarin et la sauce au poisson dans une casserole. Portez à ébullition en remuant. Quand le sucre est dissous, baissez le feu et laissez mijoter 5 min. Rectifiez l'assaisonnement. Versez la sauce dans un bol.

2 Faites chauffer l'huile végétale dans une poêle à frire et mettez à revenir les échalotes, l'ail et les piments pendant 5 min. Transférez dans un bol.

3 Pour la friture, faites chauffer l'huile dans une poêle ou un wok. Plongez les œufs dans l'huile bouillante 3 à 5 min jusqu'à ce qu'ils soient bien dorés. Sortez-les et égouttez-les sur de l'essuie-tout. Coupez-les et disposez-les sur un lit de feuilles de salade. Arrosez de sauce et parsemez de mélange à base d'échalotes. Garnissez avec des brins de coriandre et servez sans attendre.

SOUPES

En Thaïlande, on mange la soupe tout au long du repas et non au début. Les soupes apportent des saveurs qui contrastent avec les plats principaux ou qui les complètent. Que vous les serviez seules, à l'heure du déjeuner ou du souper, ou encore en prélude à un repas de fête, la soupe aux nouilles Cellophane ou la soupe aux courges du Nord rencontreront toujours un vif succès.

SOUPE ÉPICÉE AU TOFU ET AUX LÉGUMES

Ce curieux mélange de saveurs aigres-douces épicées donne une soupe nourrissante et apaisante. Elle est prête en quelques minutes car il suffit de mettre les épinards et le tofu dans des bols et de recouvrir le tout de bouillon parfumé aux épices.

Pour 4 personnes

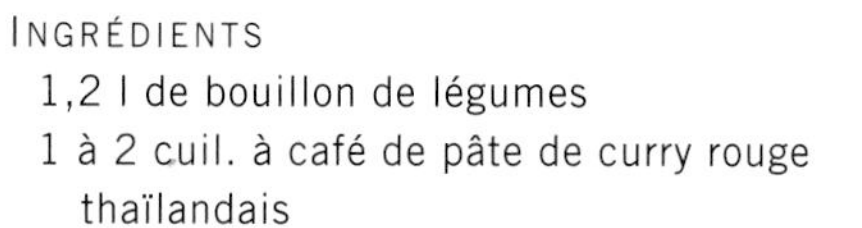

INGRÉDIENTS
- 1,2 l de bouillon de légumes
- 1 à 2 cuil. à café de pâte de curry rouge thaïlandais
- 2 feuilles de citron vert cafre déchirées
- 40 g de sucre de palme ou de cassonade
- 2 cuil. à soupe de sauce de soja
- 1 citron vert pressé
- 1 carotte coupée en lanières
- 50 g de feuilles d'épinards débarrassées des tiges
- 225 g de tofu coupé en dés

1 Chauffez le bouillon dans une grande casserole. Ajoutez la pâte de curry rouge et remuez jusqu'à ce qu'elle soit diluée. Incorporez les feuilles de citron vert, le sucre et la sauce de soja, et portez à ébullition.

2 Ajoutez le jus de citron vert et la carotte. Baissez le feu et laissez mijoter 5 à 10 min. Répartissez les épinards et le tofu dans 4 bols individuels et versez le bouillon chaud par-dessus. Servez immédiatement.

SOUPE AUX LÉGUMES MÉLANGÉS

En Thaïlande, on prépare généralement ce genre de soupe en grande quantité et on en mange pendant plusieurs jours. Vous pouvez faire de même en doublant ou en triplant les quantités indiquées. Mettez le surplus au réfrigérateur et réchauffez bien avant de servir.

Pour 4 personnes

INGRÉDIENTS

- 1,2 l de bouillon de légumes
- 2 cuil. à soupe d'huile d'arachide
- 1 cuil. à soupe de pâte magique (voir Conseil)
- 100 g de chou frisé de Milan ou de feuilles chinoises (chou chinois) coupées en lanières
- 100 g de daikon coupé en dés
- 1 chou-fleur de taille moyenne haché
- 4 bâtons de céleri hachés
- 125 g de tofu frit coupé en dés de 2,5 cm
- 1 cuil. à café de sucre de palme ou de cassonade
- 3 cuil. à soupe de sauce de soja claire

1 Faites chauffer l'huile dans une grande casserole à fond épais ou dans un wok. Mettez la pâte magique à cuire à feu doux en remuant souvent jusqu'à ce que l'arôme se dégage. Ajoutez le chou frisé de Milan ou les feuilles chinoises, le daikon, le chou-fleur et le céleri. Versez le bouillon de légumes, augmentez le feu et portez à ébullition en remuant de temps en temps. Incorporez les dés de tofu.

2 Ajoutez le sucre et la sauce de soja. Baissez le feu et laissez mijoter 15 min. Goûtez et ajoutez un peu de sauce de soja si nécessaire. Servez très chaud.

CONSEIL

La pâte magique est un mélange d'ail écrasé, de poivre blanc et de coriandre. Vous en trouverez dans les magasins de produits thaïlandais.

SOUPE À L'OMELETTE

Cette soupe consistante est facile et rapide à préparer. Vous pouvez varier les légumes suivant la saison.

Pour 4 personnes

INGRÉDIENTS
- 90 cl de bouillon de légumes
- 1 œuf
- 1 cuil. à soupe d'huile d'arachide
- 2 grosses carottes coupées en petits dés
- 4 feuilles de chou frisé de Milan déchirées en lanières
- 2 cuil. à soupe de sauce de soja
- 1/2 cuil. à café de sucre en poudre
- 1/2 cuil. à café de poivre noir moulu
- feuilles de coriandre fraîche, pour garnir

VARIANTE
Utilisez du pak-choï à la place du chou frisé de Milan. En Thaïlande, il existe une quarantaine de pak-choï différents, et notamment des variétés miniatures.

1 Dans un bol, fouettez légèrement l'œuf à la fourchette. Faites chauffer l'huile dans une petite poêle. Versez l'œuf battu et tournez la poêle pour le répartir au fond. Faites cuire à feu moyen jusqu'à ce que l'omelette commence à prendre et que le dessous soit bien doré. Faites-la glisser dans un plat et enroulez-la sur elle-même comme une crêpe. Coupez en rondelles de 5 mm d'épaisseur et réservez pour garnir.

2 Versez le bouillon dans une grande casserole. Incorporez les carottes et le chou et portez à ébullition. Baissez le feu et laissez mijoter 5 min, puis ajoutez la sauce de soja, le sucre et le poivre.

3 Mélangez bien, puis versez dans des bols individuels préchauffés. Posez quelques rondelles d'omelette sur chaque portion et complétez de quelques feuilles de coriandre.

SOUPE AUX NOUILLES CELLOPHANE

Les nouilles utilisées dans cette soupe portent différents noms : nouilles de verre, nouilles Cellophane ou nouilles transparentes. Elles sont très prisées en raison de leur consistance cassante.

Pour 4 personnes

INGRÉDIENTS

- 4 gros shiitakes séchés
- 15 g de boutons de lis séchés
- 1/2 concombre haché
- 2 gousses d'ail coupées en deux
- 100 g de chou blanc haché
- 125 g de nouilles Cellophane
- 2 cuil. à soupe de sauce de soja
- 1 cuil. à soupe de sucre de palme ou de cassonade
- 100 g de tofu soyeux solide coupé en dés
- feuilles de coriandre fraîche, pour garnir

1 Faites tremper les shiitakes dans de l'eau chaude pendant 30 min. Dans un autre bol, faites tremper les boutons de lis séchés dans de l'eau chaude, également pendant 30 min.

2 Pendant ce temps, mettez le concombre, l'ail et le chou dans un mixer et mixez jusqu'à obtention d'une pâte lisse. Versez le mélange dans une grande casserole et ajoutez 1,2 litre d'eau bouillante.

3 Portez à ébullition, puis baissez le feu et laissez cuire 2 min en remuant de temps en temps. Versez le bouillon dans une autre casserole en le filtrant, faites chauffer à feu doux et laissez frémir.

4 Égouttez les boutons de lis, rincez-les à l'eau froide, puis égouttez à nouveau. Coupez les extrémités dures. Ajoutez-les au bouillon avec les nouilles, la sauce de soja et le sucre, et laissez cuire encore 5 min.

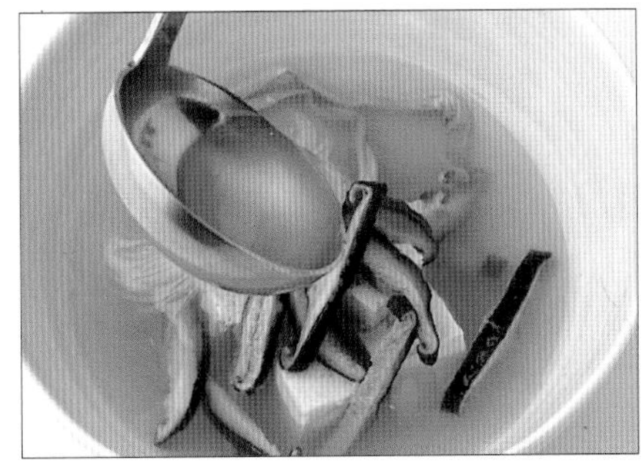

5 Filtrez le liquide des champignons et versez-le dans la soupe. Jetez les pieds des champignons et coupez les chapeaux en lamelles. Répartissez-les avec le tofu dans 4 bols. Versez la soupe et garnissez de coriandre.

SOUPE À LA COURGE DU NORD

Comme son nom l'indique, cette recette vient du nord de la Thaïlande. Elle est très consistante, à mi-chemin entre la soupe et le ragoût. La fleur de bananier n'est pas indispensable, mais elle donne une saveur authentique tout à fait unique.

Pour 4 personnes

INGRÉDIENTS

- 1 courge musquée d'environ 300 g
- 1 l de bouillon de légumes
- 100 g de haricots verts coupés en segments de 2,5 cm
- 50 g de fleur de bananier séchée (facultatif)
- 1 cuil. à soupe de sauce au poisson thaïlandaise
- 225 g de crevettes crues
- 1 petit bouquet de basilic
- riz cuit, pour servir

Pour la pâte pimentée

- 125 g d'échalotes coupées en rondelles
- 10 grains de poivre vert en bocal, égouttés
- 1 petit piment vert frais épépiné et haché menu
- 1/2 cuil. à café de pâte de crevettes

1 Épluchez la courge musquée et coupez-la en deux. Retirez les graines à l'aide d'une cuillère à café et jetez-les, puis coupez la chair en dés. Réservez.

2 Préparez la pâte pimentée en pilant les échalotes, les grains de poivre, le piment et la pâte de crevettes dans un mortier ou un moulin à épices.

3 Chauffez le bouillon dans une grande casserole, incorporez la pâte pimentée. Ajoutez la courge, les haricots et la fleur de bananier. Portez à ébullition et laissez cuire 15 min.

4 Ajoutez la sauce au poisson, les crevettes et le basilic. Portez au point d'ébullition, puis baissez le feu et laissez frémir 3 min. Servez dans des bols chauds, avec du riz.

SOUPE AUX TOMATES ET AU MAQUEREAU FUMÉ

Tous les ingrédients de cette soupe originale sont cuits dans la même casserole, aussi est-elle vite prête. Le maquereau fumé lui donne un goût prononcé, mais son arôme est tempéré par les saveurs acidulées de la citronnelle et du tamarin.

Pour 4 personnes

INGRÉDIENTS

- 4 tomates
- 200 g de filets de maquereau fumé
- 1 l de bouillon de légumes
- 1 tige de citronnelle hachée menu
- 5 cm de galanga frais coupé en petits dés
- 4 échalotes hachées menu
- 2 gousses d'ail hachées menu
- 1/2 cuil. à café de flocons de piment séché
- 1 cuil. à soupe de sauce au poisson thaïlandaise
- 1 cuil. à café de sucre de palme ou de cassonade
- 3 cuil. à soupe de jus de tamarin épais obtenu en mélangeant de la pâte de tamarin avec de l'eau chaude
- 1 petite botte de ciboulette hachée menu, pour garnir

1 Préparez les filets de maquereau fumé. Retirez la peau et jetez-la. Retirez les arêtes avec les doigts ou une pince à épiler, puis hachez la chair en gros morceaux.

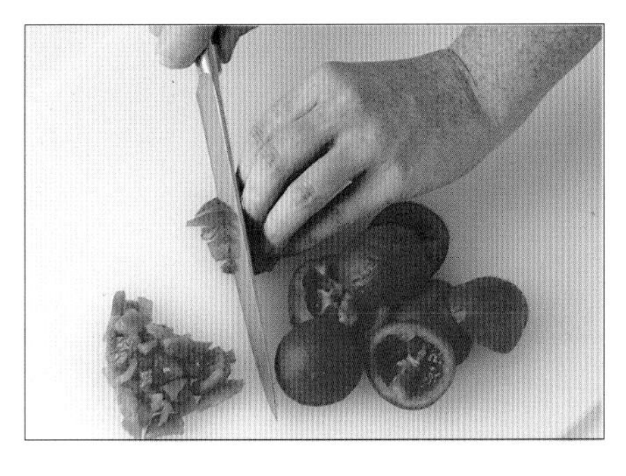

2 Coupez les tomates en deux, retirez les pépins, puis coupez la chair en petits dés à l'aide d'un couteau pointu. Réservez.

3 Versez le bouillon dans une grande casserole et ajoutez la citronnelle, le galanga, les échalotes et l'ail. Portez à ébullition, baissez le feu et laissez mijoter 15 min.

4 Ajoutez le maquereau, les tomates, les flocons de piment, la sauce au poisson, le sucre et le jus de tamarin. Laissez mijoter 4 à 5 min, puis répartissez dans 4 bols et parsemez de ciboulette hachée.

SOUPE AU POULET ET AU LAIT DE COCO

Cette riche soupe aromatique contient du lait de coco et doit sa saveur intense au galanga, à la citronnelle et aux feuilles de citron vert cafre.

Pour 4 à 6 personnes

INGRÉDIENTS
- 300 g de blancs de poulet dépiautés et coupés en minces lanières
- 75 cl de lait de coco en boîte
- 47 cl de bouillon de poulet
- 2,5 cm de galanga frais épluché et coupé en tranches fines
- 4 tiges de citronnelle, sans les racines
- 10 grains de poivre noir écrasés
- 10 feuilles de citron vert cafre déchirées
- 125 g de petits champignons de couche coupés en deux si nécessaire
- 50 g d'épis de maïs coupés en quatre dans le sens de la longueur
- 4 cuil. à soupe de jus de citron vert frais
- 3 cuil. à soupe de sauce au poisson thaïlandaise

Pour la garniture
- piments rouges frais hachés, ciboules hachées et coriandre fraîche hachée

1 Coupez les 5 cm du bas de chaque tige de citronnelle et hachez-les menu. Meurtrissez le reste des tiges. Portez le lait de coco et le bouillon de poulet à ébullition dans une grande casserole. Ajoutez la citronnelle, le galanga, les grains de poivre et la moitié des feuilles de citron vert cafre, baissez le feu et laissez mijoter 10 min à feu doux. Filtrez la soupe et versez-la dans une casserole.

2 Réchauffez la soupe à feu doux, puis ajoutez les lanières de blanc de poulet, les champignons et le maïs. Laissez mijoter à feu doux 5 à 7 min en remuant de temps en temps.

3 Incorporez le jus de citron vert et la sauce au poisson, puis ajoutez le reste des feuilles de citron vert cafre. Versez dans des bols préchauffés et servez garni de piments, de ciboules et de feuilles de coriandre hachés.

SOUPE AUX CREVETTES AIGRE ET ÉPICÉE

Cette soupe aux crevettes traditionnelle – Tom yam kung –, est l'une des soupes les plus populaires en Thaïlande.

Pour 4 à 6 personnes

INGRÉDIENTS
- 450 g de grosses crevettes crues, décongelées si nécessaire
- 1 l de bouillon de poulet ou d'eau
- 3 tiges de citronnelle sans les racines
- 10 feuilles de citron vert cafre déchirées en deux
- 225 g de champignons de couche en boîte égouttés
- 3 cuil. à soupe de sauce au poisson thaïlandaise
- 4 cuil. à soupe de jus de citron vert frais
- 2 cuil. à soupe de ciboules hachées
- 1 cuil. à soupe de feuilles de coriandre fraîche
- 4 piments rouges frais épépinés et hachés menu
- sel et poivre noir moulu

1 Décortiquez les crevettes sans jeter les carapaces. Déveinez-les et réservez.

2 Rincez les carapaces à l'eau froide, puis mettez-les dans une grande casserole avec le bouillon ou l'eau. Portez à ébullition.

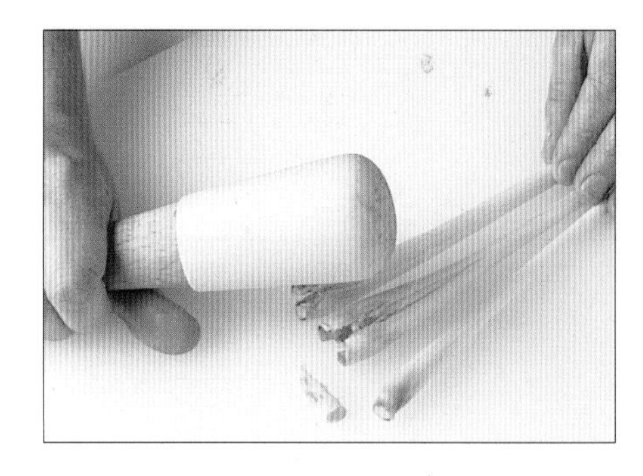

3 Meurtrissez les tiges de citronnelle et ajoutez-les au bouillon avec la moitié des feuilles de citron vert. Salez et poivrez. Laissez mijoter à feu doux 5 à 6 min.

4 Filtrez le bouillon, remettez-le dans la casserole et réchauffez-le. Ajoutez les champignons égouttés et les crevettes, puis faites cuire jusqu'à ce que les crevettes rosissent.

5 Incorporez la sauce au poisson, le jus de citron vert, la ciboule, la coriandre, les piments et le reste des feuilles de citron vert. Rectifiez l'assaisonnement si nécessaire. La soupe aux crevettes doit être aigre, salée et très relevée.

SOUPE AU POTIRON ET À LA CRÈME DE COCO

Dans cette soupe au bel aspect, la douceur naturelle du potiron est renforcée par l'addition d'un peu de sucre, mais elle est contrebalancée par les piments, la pâte de crevettes et les crevettes séchées. La crème de coco adoucit les contrastes entre les différentes saveurs.

Pour 4 à 6 personnes

INGRÉDIENTS
- 450 g de potiron
- 2 gousses d'ail écrasées
- 4 échalotes hachées menu
- 1/2 cuil. à café de pâte de crevettes
- 1 tige de citronnelle hachée
- 2 piments verts frais épépinés
- 1 cuil. à soupe de crevettes séchées trempées 10 min dans l'eau chaude
- 60 cl de bouillon de poulet
- 60 cl de crème de coco
- 2 cuil. à soupe de sauce au poisson thaïlandaise
- 1 cuil. à café de sucre en poudre
- 125 g de petites crevettes décortiquées
- sel et poivre noir moulu

Pour la garniture
- 2 piments rouges frais épépinés et coupés en tranches fines
- 10 à 12 feuilles de basilic frais

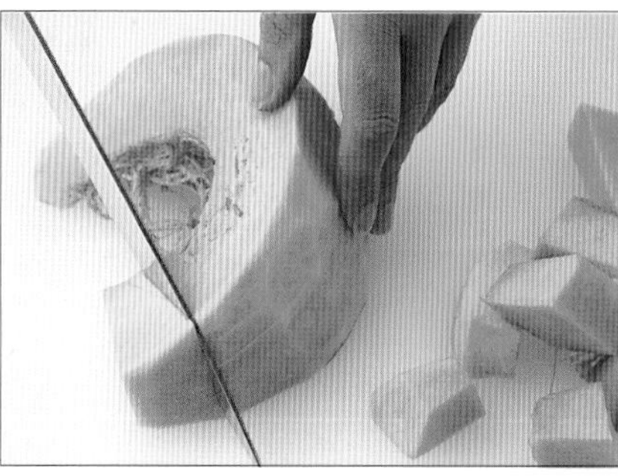

1 Épluchez le potiron et coupez-le en quatre à l'aide d'un couteau bien aiguisé. Retirez les graines avec une cuillère à café et jetez-les. Coupez la chair en morceaux de 2 cm d'épaisseur et réservez.

2 Dans un mortier, mettez l'ail, les échalotes, la pâte de crevettes, la citronnelle, les piments verts et du sel. Égouttez les crevettes séchées en jetant le liquide de trempage et ajoutez-les au mortier en utilisant un pilon pour écraser le tout de façon à obtenir une pâte. Ou bien, mettez tous les ingrédients dans un mixer et mixez.

3 Portez le bouillon de poulet à ébullition dans une grande casserole. Incorporez la pâte et mélangez bien de façon à la diluer dans le bouillon.

4 Ajoutez les morceaux de potiron et faites frémir. Laissez mijoter 10 à 15 min.

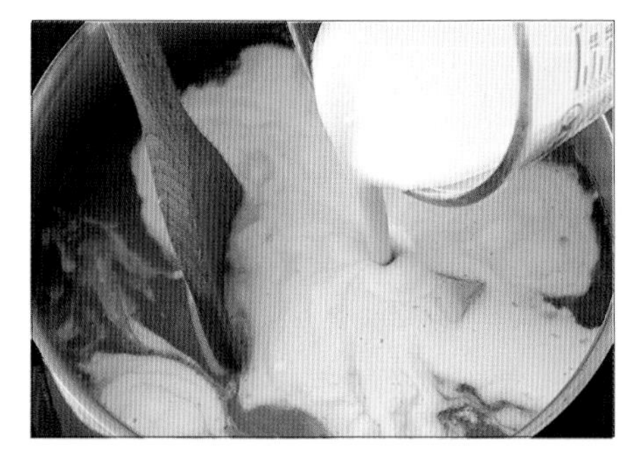

5 Versez la crème de coco, puis faites à nouveau frémir la soupe, sans la laisser bouillir. Ajoutez la sauce au poisson, le sucre et poivrez à votre goût.

6 Incorporez les crevettes et faites cuire 2 à 3 min. Versez la soupe au potiron dans des bols préchauffés et garnissez de tranches de piments et de feuilles de basilic.

CONSEIL

Pour réussir la pâte de crevettes, utilisez des crevettes fermentées dans la saumure.

SOUPE AUX NOUILLES CHIANGMAI

Devenue une sorte de symbole de la ville de Chiangmai, cette délicieuse soupe aux nouilles est en fait originaire de Birmanie (aujourd'hui le Myanmar), un peu plus au nord. Elle est aussi l'équivalent thaïlandais du célèbre « Laksa » malais.

Pour 4 à 6 personnes

INGRÉDIENTS

- 450 g de nouilles aux œufs fraîches cuites à l'eau bouillante
- 60 cl de lait de coco
- 2 cuil. à soupe de pâte de curry rouge thaïlandaise
- 1 cuil. à café de curcuma moulu
- 450 g de cuisses de poulet désossées et coupées en bouchées
- 60 cl de bouillon de poulet
- 4 cuil. à soupe de sauce au poisson thaïlandaise
- 1 cuil. à soupe de sauce de soja foncée
- 1 petit citron vert pressé
- sel et poivre noir moulu

Pour la garniture

- 3 ciboules hachées
- 4 piments rouges frais hachés
- 4 échalotes hachées
- 4 cuil. à soupe de condiment de feuilles de moutarde rincées et hachées
- 2 cuil. à soupe d'ail frit coupé en rondelles
- feuilles de coriandre
- 4 à 6 nids d'hirondelle frits (facultatif)

1 Versez environ un tiers du lait de coco dans une grande casserole à fond épais ou un wok. Portez à ébullition en remuant souvent à l'aide d'une cuillère en bois jusqu'à ce que le lait commence à s'écrémer.

2 Ajoutez la pâte de curry et le curcuma moulu, remuez bien et faites cuire jusqu'à ce que la mixture commence à embaumer.

3 Ajoutez les morceaux de poulet et laissez cuire 2 min en tournant, en vous assurant que tous les morceaux de viande sont bien enrobés de pâte.

4 Ajoutez le reste du lait de coco, le bouillon de poulet, la sauce au poisson et la sauce de soja. Salez et poivrez à votre goût. Portez juste au point d'ébullition en remuant constamment, puis baissez le feu et laissez cuire à feu doux 7 à 10 min. Retirez du feu et incorporez le jus de citron.

5 Réchauffez les nouilles aux œufs fraîches dans de l'eau bouillante. Égouttez-les et répartissez-les dans 4 à 6 bols préchauffés. Ajoutez le poulet, puis versez la soupe bouillante. Garnissez chaque portion avec des ciboules, du piment, des échalotes, des feuilles de moutarde, de l'ail frit, des feuilles de coriandre et un nid d'hirondelle frit. Servez immédiatement.

PORRIDGE AU RIZ

D'origine chinoise, ce plat s'est étendu à tout le Sud-Est asiatique où il est apprécié pour son goût très doux. Il est toujours accompagné d'ingrédients à la saveur plus prononcée.

Pour 2 personnes

INGRÉDIENTS
- 90 cl de bouillon de légumes
- 200 g de riz cuit
- 225 g de viande de porc hachée
- 1 cuil. à soupe de sauce au poisson thaïlandaise
- 2 têtes d'ail en condiment hachées menu
- 1 bâton de céleri coupé en petits dés
- sel et poivre noir moulu

Pour la garniture
- 2 cuil. à soupe d'huile d'arachide
- 4 gousses d'ail coupées en fines rondelles
- 4 petites échalotes rouges coupées en fines rondelles

1 Pour préparer la garniture, faites chauffer l'huile d'arachide dans une poêle à frire et mettez à dorer l'ail et les échalotes à feu doux. Égouttez sur de l'essuie-tout et réservez.

2 Versez le bouillon dans une grande casserole. Portez à ébullition et ajoutez le riz. Assaisonnez la viande de porc hachée. Ajoutez-la au contenu de la casserole à raison d'une cuillerée à café à la fois.

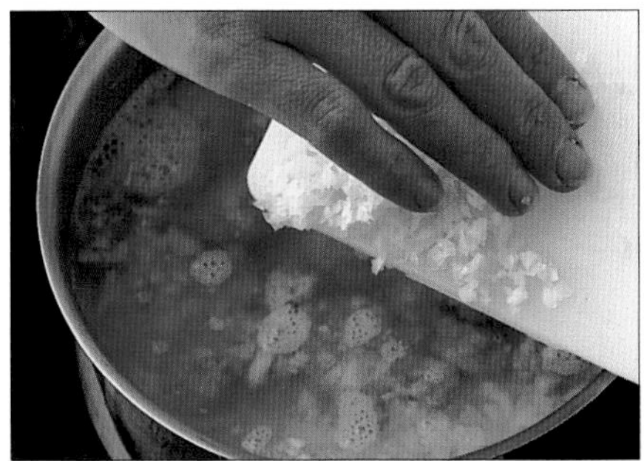

3 Incorporez la sauce au poisson et le condiment d'ail et laissez mijoter 10 min. Ajoutez le céleri.

4 Servez le porridge de riz dans des bols individuels préchauffés. Parsemez d'ail et d'échalotes frits et poivrez généreusement.

CONSEIL

Le condiment d'ail a un goût caractéristique. On le trouve dans les magasins de produits asiatiques.

SOUPE AUX FRUITS DE MER ET AU LAIT DE COCO

La longue liste d'ingrédients pourrait faire croire que la préparation de cette soupe est compliquée et prend beaucoup de temps. En fait, elle est très facile, et le mariage des saveurs est splendide.

Pour 4 personnes

INGRÉDIENTS
- 450 g de grosses crevettes crues décortiquées et déveinées
- 450 g de calmar préparé
- 40 cl de lait de coco en boîte
- 60 cl de bouillon de poisson
- 5 tranches fines de galanga ou de racine de gingembre frais
- 2 tiges de citronnelle hachées
- 3 feuilles de citron vert cafre déchirées
- 1 botte de ciboulette d'environ 25 g
- 1 petit bouquet de coriandre fraîche d'environ 15 g
- 1 cuil. à soupe d'huile végétale
- 4 échalotes hachées
- 2 à 3 cuil. à soupe de sauce au poisson thaïlandaise
- 3 à 4 cuil. à soupe de pâte de curry vert thaïlandaise
- 1 giclée de jus de citron vert frais (facultatif)
- sel et poivre noir moulu
- 4 cuil. à soupe de rondelles d'échalotes frites, pour servir

1 Versez le bouillon de poisson dans une grande casserole et ajoutez les tranches de galanga ou de gingembre, la citronnelle et la moitié des feuilles de citron vert cafre.

VARIANTES

- Vous pouvez remplacer le calmar par 400 g de poisson à chair blanche ferme, comme la lotte, coupé en petits morceaux.
- Vous pouvez également le remplacer par des moules. Faites cuire à la vapeur 700 g de moules dans une casserole couverte pendant 3 à 4 min afin qu'elles s'ouvrent. Jetez celles restées fermées, décoquillez les autres et mettez-les dans la soupe.

2 Réservez quelques brins de ciboulette pour la garniture et hachez le reste. Ajoutez la moitié de la ciboulette hachée dans la casserole. Détachez les feuilles de coriandre des tiges et mettez-les de côté. Portez à ébullition, baissez le feu et couvrez la casserole, puis laissez mijoter 20 min à feu doux. Filtrez le bouillon dans une jatte.

3 Rincez la casserole et essuyez-la. Versez-y l'huile et les échalotes. Faites fondre à feu moyen 5 à 10 min, jusqu'à ce que les échalotes commencent à dorer.

4 Incorporez le bouillon filtré, le lait de coco, le reste des feuilles de citron vert cafre et 2 cuillerées à soupe de sauce au poisson. Portez à feu moyen jusqu'au point d'ébullition, puis baissez le feu et laissez mijoter à feu doux 5 à 10 min.

5 Incorporez la pâte de curry et les crevettes et faites cuire 3 min. Ajoutez le calmar et faites cuire encore 2 min. Versez le jus de citron vert et assaisonnez en ajoutant de la sauce au poisson si vous le désirez. Incorporez le reste de ciboulette et les feuilles de coriandre réservées. Versez dans des bols et parsemez d'échalotes frites et de brins de ciboulette entiers.

SALADES

Comme tous les pays chauds, la Thaïlande a tout un éventail de salades et de plats froids. Ce ne sont pas des salades au sens occidental du terme, mais plutôt des associations de légumes frais et cuits, souvent avec un peu de poulet, de bœuf ou de fruits de mer. Les assaisonnements sont rarement à base d'huile. Il s'agit plutôt de mélanges aigres et épicés obtenus en associant de la sauce au poisson thaïlandaise avec du jus de citron vert, du jus de tamarin ou un peu de vinaigre de riz. Les nouilles sont également présentes, de même que des fruits comme la papaye ou la mangue.

SALADE DE POMELO

Le repas thaïlandais typique se compose d'environ cinq plats dont l'un est une salade rafraîchissante incluant des fruits tropicaux.

Pour 4 à 6 personnes

INGRÉDIENTS
- 1 gros pomelo
- 2 cuil. à soupe d'huile végétale
- 4 échalotes coupées en fines rondelles
- 2 gousses d'ail coupées en fines rondelles
- 1 cuil. à soupe de cacahuètes grillées
- 125 g de crevettes cuites décortiquées
- 125 g de chair de crabe cuite
- 10 à 12 petites feuilles de menthe fraîche

Pour l'assaisonnement
- 2 cuil. à soupe de sauce au poisson thaïlandaise
- 1 cuil. à soupe de sucre de palme ou de cassonade
- 2 cuil. à soupe de jus de citron vert frais

Pour la garniture
- 2 ciboules coupées en tranches fines
- 2 piments rouges frais épépinés et coupés en tranches fines
- feuilles de coriandre fraîche
- noix de coco fraîche coupée en lamelles (facultatif)

1 Préparez l'assaisonnement. Dans un bol, mélangez la sauce au poisson, le sucre et le jus de citron vert. Fouettez bien, puis couvrez avec du film plastique et réservez.

2 Faites chauffer l'huile dans une petite poêle à frire, mettez les échalotes et l'ail à dorer à feu moyen. Sortez-les de la poêle et réservez.

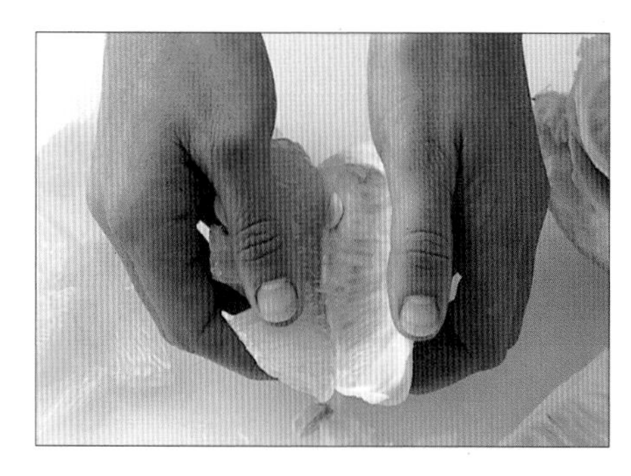

3 Pelez le pomelo et séparez les quartiers en ayant soin de retirer les membranes blanches.

4 Pilez les cacahuètes et mettez-les dans une jatte. Ajoutez les quartiers de pomelo, les crevettes, la chair de crabe, les feuilles de menthe et le mélange à base d'échalotes. Versez l'assaisonnement dessus, remuez légèrement, puis parsemez de ciboules, de tranches de piments et de feuilles de coriandre. Garnissez de lamelles de noix de coco et servez immédiatement.

À SAVOIR

Le pomelo est un gros agrume qui ressemble à un pamplemousse, mais avec un goût plus acide. Un peu en forme de poire, sa peau est jaune épaisse et sa chair est jaune rosé, plus sèche et plus ferme que celle du pamplemousse. Les pomelos sont parfois appelés « shaddocks », d'après le nom du capitaine au long cours qui les a rapportés de leur Polynésie natale pour les introduire aux Antilles.

SALADE DE RIZ

Cette recette se prête à toutes les improvisations. Utilisez les restes de viande, de fruits et de légumes que vous avez pour les mélanger au riz cuit et versez l'assaisonnement parfumé dessus.

Pour 4 à 6 personnes

INGRÉDIENTS
- 350 g de riz cuit
- 1 poire asiatique épluchée et coupée en dés
- 50 g de crevettes séchées hachées
- 1 avocat épluché et coupé en dés
- 1/2 concombre de taille moyenne coupé en petits dés
- 2 tiges de citronnelle hachées menu
- 2 cuil. à soupe de sauce au piment douce
- 1 piment rouge ou vert frais épépiné et coupé en fines tranches
- 100 g d'amandes effilées grillées
- 1 petit bouquet de coriandre fraîche hachée
- feuilles de basilic doux thaïlandais frais, pour garnir

Pour l'assaisonnement
- 2 cuil. à café de pâte de crevettes
- 1 cuil. à soupe de sucre de palme ou de cassonade
- 2 feuilles de citron vert cafre déchirées en petits morceaux
- 1/2 tige de citronnelle coupée en tranches

1 Préparez l'assaisonnement. Dans une casserole, mettez 30 centilitres d'eau, la pâte de crevettes, le sucre, les feuilles de citron vert et la citronnelle. Chauffez doucement en remuant. Quand le sucre est dissous, portez à ébullition et laissez mijoter 5 min. Filtrez dans une jatte et laissez refroidir.

2 Mettez le riz cuit dans une grande jatte et décollez les grains à la fourchette. Ajoutez la poire, les crevettes séchées, l'avocat, le concombre, la citronnelle et la sauce au piment douce. Mélangez bien.

3 Incorporez les piments coupés en dés, les amandes et la coriandre. Mélangez. Garnissez de feuilles de basilic thaïlandais et servez cette salade de riz accompagnée de son assaisonnement.

SALADE AUX NOUILLES AIGRE ET ÉPICÉE

Les nouilles sont une base de salade idéale car elles absorbent l'assaisonnement et contrastent agréablement avec la consistance croquante des légumes.

Pour 2 personnes

INGRÉDIENTS
- 200 g de nouilles de riz fines
- 1 petit bouquet de coriandre fraîche
- 2 tomates épépinées et coupées en tranches
- 125 g de petits épis de maïs coupés en bâtonnets
- 4 ciboules coupées en tranches fines
- 1 poivron rouge épépiné et haché menu
- 2 citrons verts pressés
- 2 petits piments verts frais épépinés et hachés menu
- 2 cuil. à café de sucre en poudre
- 125 g de cacahuètes grillées et hachées
- sel
- 2 cuil. à soupe de sauce de soja

1 Portez à ébullition une grande casserole d'eau légèrement salée. Brisez les nouilles en courts segments, jetez-les dans la casserole et faites cuire 3 à 4 min. Égouttez, rincez à l'eau froide et égouttez à nouveau.

2 Réservez quelques feuilles de coriandre pour la garniture. Hachez le reste des feuilles et mettez-les dans une grande jatte.

3 Mettez les nouilles dans la jatte avec les tranches de tomates, les épis de maïs, les ciboules, le poivron rouge, le jus de citron vert, les piments, le sucre et les cacahuètes grillées. Arrosez de sauce de soja, goûtez et ajoutez un peu de sel si nécessaire. Mélangez bien la salade, puis garnissez avec les feuilles de coriandre réservées et servez immédiatement.

SALADE AUX ŒUFS FRITS

L'association des piments et des œufs peut paraître surprenante, et pourtant leur mariage est souvent réussi. La saveur poivrée du cresson fait une base idéale pour cette salade délicieuse.

Pour 2 personnes

INGRÉDIENTS
- 4 œufs
- 1 cuil. à soupe d'huile d'arachide
- 1 gousse d'ail coupée en fines rondelles
- 2 échalotes coupées en fines rondelles
- 2 petits piments rouges frais épépinés et coupés en tranches fines
- 1/2 concombre coupé en petits dés
- 1 cm de racine de gingembre frais épluchée et râpée
- 2 citrons verts pressés
- 2 cuil. à soupe de sauce de soja
- 1 cuil. à café de sucre en poudre
- 1 petit bouquet de coriandre fraîche
- 1 botte de cresson

1 Faites chauffer l'huile dans une poêle à frire. Mettez l'ail à dorer à feu doux. Cassez les œufs. Écrasez les jaunes avec une spatule en bois, puis faites frire jusqu'à ce que les œufs deviennent fermes. Sortez-les de la poêle et réservez-les.

2 Dans une jatte, mélangez les échalotes, les piments, le concombre et le gingembre. Dans un autre récipient, mélangez le jus de citron vert, la sauce de soja et le sucre en fouettant. Versez cet assaisonnement sur les légumes et tournez légèrement.

3 Réservez quelques brins de coriandre pour la garniture. Hachez le reste et ajoutez-le à la salade. Mélangez à nouveau.

4 Réservez quelques brins de cresson et disposez le reste sur 2 plats de service. Versez le mélange à base d'échalotes dessus. Coupez les œufs frits en tranches et répartissez-les dans les plats. Garnissez de la coriandre et du cresson mis de côté.

SALADE D'AUBERGINES AUX CREVETTES ET AUX ŒUFS

Vous vous surprendrez à préparer très souvent cette salade originale et appétissante. Il est indispensable de faire rôtir les aubergines pour que leur goût ressorte bien.

Pour 4 à 6 personnes

INGRÉDIENTS
- 2 aubergines
- 2 cuil. à soupe de crevettes séchées trempées dans l'eau 10 min
- 1 œuf dur haché
- 1 cuil. à soupe d'huile végétale
- 1 cuil. à soupe d'ail haché
- 4 échalotes coupées en fines rondelles
- feuilles de coriandre fraîche et 2 piments rouges frais épépinés et coupés en tranches, pour garnir

Pour l'assaisonnement
- 2 cuil. à soupe de jus de citron vert frais
- 1 cuil. à café de sucre de palme ou de cassonade
- 2 cuil. à soupe de sauce au poisson thaïlandaise

1 Préchauffez le gril en le réglant à température moyenne ou préchauffez le four à 180 °C (th. 6). Piquez les aubergines en plusieurs endroits à l'aide d'une brochette, puis disposez-les sur une plaque à four. Faites-les cuire sous le gril 30 à 40 min ou faites-les rôtir à four moyen 1 h environ, en les retournant au moins deux fois. Sortez-les du four et laissez-les refroidir.

2 Pendant ce temps, préparez l'assaisonnement. Dans un bol, mettez le jus de citron vert, le sucre de palme ou la cassonade et la sauce au poisson. Fouettez vigoureusement à l'aide d'une fourchette ou d'un fouet. Couvrez avec du film plastique et réservez.

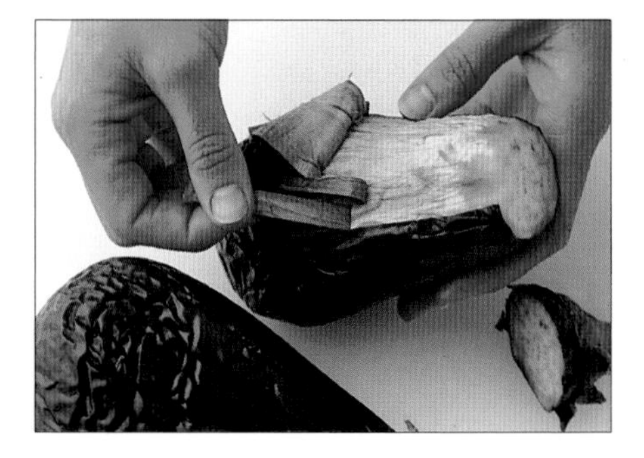

3 Une fois que les aubergines ont refroidi, pelez la peau et coupez la chair en morceaux de taille moyenne.

4 Faites chauffer l'huile dans une petite poêle. Égouttez les crevettes séchées et mettez-les dans la poêle avec l'ail. Faites cuire 3 min à feu moyen. Réservez.

5 Disposez les tranches d'aubergines sur un plat de service. Garnissez avec le mélange à base de crevettes séchées dans lequel vous aurez incorporé l'œuf dur et les échalotes. Versez l'assaisonnement dessus, garnissez avec de la coriandre et des tranches de piment rouge, et servez.

VARIANTE

Pour les grandes occasions, remplacez les œufs de poule par des œufs de caille ou de canard salés, coupés en deux.

SALADE DE FRUITS DE MER AUX HERBES PARFUMÉES

Cette salade fait beaucoup d'effet. La superbe association de crevettes, de noix de Saint-Jacques et de calmar en fait un plat idéal pour les grandes occasions.

Pour 4 à 6 personnes

INGRÉDIENTS
- 350 g de calmar nettoyé et coupé en anneaux
- 12 grosses crevettes crues décortiquées mais pas équeutées
- 12 noix de Saint-Jacques
- 25 cl de bouillon de poisson ou d'eau
- 50 g de nouilles Cellophane trempées dans l'eau chaude 30 min
- 1/2 concombre coupé en fines lanières
- 1 tige de citronnelle hachée menu
- 2 feuilles de citron vert cafre déchirées
- 2 échalotes coupées en fines rondelles
- 2 cuil. à soupe de ciboules hachées
- 2 cuil. à soupe de feuilles de coriandre fraîches
- 12 à 15 feuilles de menthe fraîches déchirées
- 4 piments rouges frais épépinés et coupés en petites tranches
- 2 citrons verts pressés
- 2 cuil. à soupe de sauce au poisson thaïlandaise
- brins de coriandre fraîche, pour garnir

1 Versez le bouillon de poisson ou l'eau dans une casserole de taille moyenne et portez à ébullition. Faites cuire séparément les différents fruits de mer dans le bouillon pendant 3 à 4 min, puis sortez-les à l'aide d'une cuillère à trous et laissez-les refroidir.

2 Égouttez les nouilles. Coupez-les en segments de 5 cm à l'aide de ciseaux. Mettez-les dans une jatte et ajoutez le concombre, la citronnelle, les feuilles de citron vert cafre, les échalotes, les ciboules, la coriandre, la menthe et les piments.

3 Arrosez de jus de citron vert et de sauce au poisson. Mélangez, puis ajoutez les fruits de mer. Remuez bien. Garnissez avec des brins de coriandre fraîche et servez.

SALADE DE CREVETTES AVEC ASSAISONNEMENT À L'AIL ET AUX ÉCHALOTES CROUSTILLANTES

Dans cette salade très parfumée, les crevettes et la mangue sont agrémentées d'un assaisonnement aigre-doux pimenté. Les échalotes croustillantes sont traditionnellement présentes dans les salades thaïlandaises.

Pour 4 à 6 personnes

INGRÉDIENTS

- 700 g de crevettes crues décortiquées et déveinées, mais pas équeutées
- écorce d'1 citron vert coupée en fines lanières
- 1/2 piment rouge frais épépiné et haché menu
- 2 cuil. à soupe d'huile d'olive, plus un peu pour badigeonner
- 1 mangue mûre mais ferme
- 2 carottes coupées en fines lanières
- 10 cm de concombre coupé en tranches
- 1 petit oignon rouge coupé en deux et finement tranché
- 3 cuil. à soupe de cacahuètes grillées, hachées
- 4 grosses échalotes coupées en fines rondelles et frites dans 2 cuil. à soupe d'huile d'arachide
- sel et poivre noir moulu

Pour l'assaisonnement

- 1 grosse gousse d'ail hachée
- 2 à 3 cuil. à café de sucre en poudre
- 2 citrons verts pressés
- 1 à 2 cuil. à soupe de sauce au poisson thaïlandaise
- 1 piment rouge frais épépiné et haché menu
- 1 à 2 cuil. à café de vinaigre de riz clair

Pour la garniture

- quelques brins de menthe fraîche et de coriandre fraîche

1 Mettez les crevettes dans une jatte avec l'écorce de citron vert, le piment, l'huile, du sel et du poivre. Mélangez et laissez mariner 30 à 40 min à température ambiante.

2 Préparez l'assaisonnement. Mettez l'ail dans un mortier avec 2 cuillerées à café de sucre en poudre. Pilez jusqu'à obtenir un mélange homogène, incorporez les trois quarts du jus de citron, puis 1 cuillerée à soupe de sauce au poisson thaïlandaise.

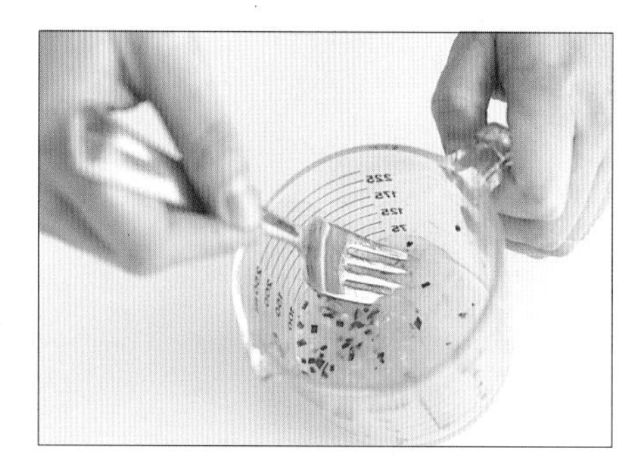

3 Versez l'assaisonnement dans un verre à mesurer, avec la moitié du piment rouge haché. Goûtez l'assaisonnement et ajoutez du sucre, du jus de citron vert et/ou de la sauce au poisson si nécessaire. Ajoutez du vinaigre de riz clair à votre goût.

4 Épluchez et dénoyautez la mangue. Le meilleur moyen de procéder consiste à couper de chaque côté du noyau, aussi près que possible de celui-ci. Coupez la chair en fines lanières et récupérez celle qui adhère encore au noyau.

5 Mettez les lanières de mangue dans une jatte et ajoutez les carottes, les tranches de concombre et l'oignon rouge. Versez la moitié de l'assaisonnement par-dessus et mélangez bien. Répartissez la salade entre 4 à 6 assiettes individuelles.

6 Faites chauffer un gril en fonte ou une poêle à fond épais. Versez un peu d'huile, puis faites griller les crevettes marinées 2 à 3 min de chaque côté, jusqu'à ce qu'elles rosissent. Disposez-les sur les portions de salade.

7 Versez le reste de l'assaisonnement dans les assiettes et garnissez de brins de menthe et de coriandre. Parsemez le reste du piment dessus, ainsi que les cacahuètes et les échalotes frites. Servez sans attendre.

CONSEIL

Pour déveiner les crevettes, pratiquez une entaille peu profonde le long du dos de chacune d'entre elles à l'aide d'un petit couteau. Avec la pointe de celui-ci, retirez la mince veine noire, puis rincez les crevettes sous le robinet d'eau froide, égouttez-les et séchez-les avec de l'essuie-tout.

SALADE DE POISSON PARFUMÉE

Pour cette délicieuse salade de poisson parfumée avec de la noix de coco, des fruits et des épices, essayez de trouver une pitaya, ou fruit dragon. La chair de ces fruits exotiques rose fuchsia ou jaunes est sucrée et rafraîchissante, avec une pointe d'acidité qui évoque le melon et se marie à merveille au poisson.

Pour 4 personnes

INGRÉDIENTS

- 350 g de filet de rouget ou de dorade
- 1 laitue
- 1 papaye ou 1 mangue pelée et coupée en tranches
- 1 pitaya pelée et coupée en tranches
- 1 grosse tomate mûre coupée en quartiers
- 1/2 concombre épluché et coupé en lanières
- 3 ciboules coupées en tranches
- sel

Pour la marinade

- 1 cuil. à café de graines de coriandre
- 1 cuil. à café de graines de fenouil
- 1/2 cuil. à café de graines de cumin
- 1 cuil. à café de sucre en poudre
- 1/2 cuil. à café de sauce au piment forte
- 2 cuil. à soupe d'huile à l'ail

Pour l'assaisonnement

- 1 cuil. à soupe de crème de coco
- 4 cuil. à soupe d'huile d'arachide
- 3 cuillerées à soupe d'eau bouillante
- écorce râpée et jus d'1 citron vert
- 1 piment rouge frais épépiné et haché menu
- 1 cuil. à café de sucre en poudre
- 3 cuil. à soupe de coriandre fraîche hachée

1 Coupez le poisson en lanières, en retirant les arêtes. Posez-le sur un plat.

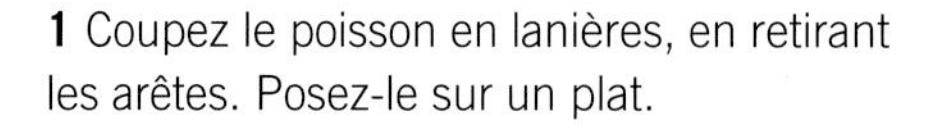

2 Préparez la marinade. Mettez les graines de coriandre, de fenouil et de cumin dans un mortier. Ajoutez le sucre et pilez. Incorporez la sauce au piment et l'huile à l'ail, salez à votre goût et mélangez bien.

3 Étalez la marinade sur le poisson, couvrez et laissez mariner au moins 20 min dans un endroit frais.

4 Pour l'assaisonnement, mettez dans un bocal à couvercle à vis : crème de coco, sel, huile, eau bouillante, écorce et jus de citron, piment, sucre et coriandre. Secouez.

5 Lavez et séchez les feuilles de laitue. Mettez-les dans une jatte avec la papaye ou la mangue, la pitaya, la tomate, le concombre et les ciboules. Versez l'assaisonnement dessus et mélangez bien.

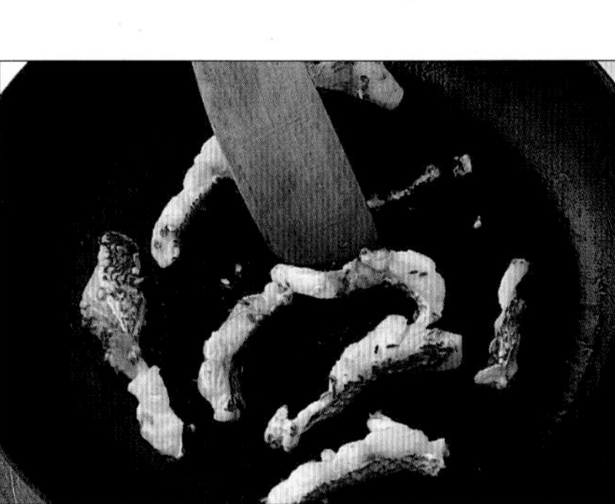

6 Faites chauffer une grande poêle anti-adhésive, mettez le poisson à cuire 5 min, en le retournant une fois. Disposez le poisson dans la salade, tournez et servez.

CONSEILS

- Si vous voulez préparer cette salade à l'avance, laissez le poisson mariner au réfrigérateur. L'assaisonnement peut aussi être préparé à l'avance, mais n'ajoutez la coriandre fraîche qu'au dernier moment et secouez vigoureusement le bocal avant de verser l'assaisonnement sur la salade.
- Pour préparer l'huile à l'ail, faites chauffer 12 centilitres d'huile de tournesol dans une petite casserole. Mettez 2 cuillerées à soupe d'ail écrasé à revenir à feu doux 5 min, jusqu'à ce que l'ail commence à dorer (il ne doit pas brûler car donnerait un goût amer à l'huile). Laissez refroidir, filtrez dans un bocal à couvercle à pas de vis et utilisez comme indiqué dans la recette.

SALADE PIQUANTE AUX CREVETTES

L'assaisonnement à base de sauce au poisson donne un goût délicieux aux nouilles et aux crevettes. Cette superbe salade se déguste chaude ou froide. En apéritif, elle suffira pour six personnes.

Pour 4 personnes

INGRÉDIENTS
- 450 g de grosses crevettes crues décortiquées
- 200 g de vermicelles de riz
- 8 petits épis de maïs coupés en deux
- 150 g de mange-tout
- 1 cuil. à soupe d'huile végétale
- 2 gousses d'ail hachées menu
- 2,5 cm de racine de gingembre frais épluchée et hachée menu
- 1 piment vert ou rouge frais épépiné et haché menu
- 4 ciboules très finement tranchées
- 1 cuil. à soupe de graines de sésame grillées
- 1 tige de citronnelle hachée menu

Pour l'assaisonnement
- 1 cuil. à soupe de ciboulette fraîche hachée
- 1 cuil. à soupe de sauce au poisson thaïlandaise
- 1 cuil. à café de sauce de soja
- 3 cuil. à soupe d'huile d'arachide
- 1 cuil. à café d'huile de sésame
- 2 cuil. à soupe de vinaigre de riz

1 Mettez les vermicelles de riz dans un grand faitout, versez de l'eau bouillante pardessus et laissez tremper 10 min. Égouttez, rafraîchissez à l'eau froide et égouttez à nouveau soigneusement. Versez dans une jatte et réservez.

2 Faites bouillir les épis de maïs et les mange-tout ou cuisez-les à la vapeur 3 min. Passez-les sous l'eau froide et égouttez-les. Pour préparer l'assaisonnement, mélangez tous les ingrédients dans un bocal à couvercle à pas de vis. Fermez bien et secouez vigoureusement pour mélanger.

3 Faites chauffer l'huile dans une grande poêle à frire ou un wok. Mettez l'ail, le gingembre et le piment rouge ou vert et faites revenir 1 min. Ajoutez les crevettes et laissez cuire 3 min tout en remuant, jusqu'à ce qu'elles rosissent. Incorporez les ciboules, les épis de maïs, les mange-tout et les graines de sésame.

4 Versez le contenu de la casserole ou du wok sur les vermicelles de riz. Répandez l'assaisonnement dessus et mélangez bien. Parsemez de citronnelle hachée et servez, ou bien réfrigérez 1 h avant de servir.

SALADE DE POULET PIQUANTE

Ce plat frais aux saveurs intéressantes est typique de la cuisine thaïlandaise. Il est idéal pour un déjeuner léger lors d'une chaude journée d'été.

Pour 4 à 6 personnes

INGRÉDIENTS
- 4 blancs de poulet dépiautés
- 2 gousses d'ail écrasées
- 2 cuil. à soupe de sauce de soja
- 2 cuil. à soupe d'huile végétale
- 12 cl de crème de coco
- 2 cuil. à soupe de sauce au poisson thaïlandaise
- 1 citron vert pressé
- 2 cuil. à soupe de sucre de palme ou de cassonade
- 125 g de châtaignes d'eau coupées en tranches
- 50 g de noix de cajou rôties et hachées
- 4 échalotes coupées en fines rondelles
- 4 feuilles de citron vert cafre hachées menu
- 10 à 12 feuilles de menthe fraîche déchirées
- 1 tige de citronnelle hachée menu
- 1 cuil. à café de galanga frais haché
- 1 gros piment rouge frais épépiné et haché menu
- 2 ciboules coupées en tranches fines
- 1 laitue préparée, pour servir
- 2 piments rouges frais épépinés et coupés en tranches, pour garnir

1 Mettez le poulet dans un grand plat. Frottez-le avec l'ail, la sauce de soja et 1 cuillerée à soupe d'huile. Couvrez et laissez mariner 1 à 2 h.

2 Faites chauffer le reste de l'huile dans un wok ou une poêle à frire. Mettez à revenir le poulet 3 à 4 min de chaque côté. Retirez du feu et laissez refroidir.

3 Dans une casserole, faites chauffer la crème de coco, la sauce au poisson, le jus de citron et le sucre en remuant. Réservez.

4 Déchirez le poulet cuit en lanières dans une jatte. Ajoutez les châtaignes d'eau, les noix de cajou, les échalotes, les feuilles de citron vert cafre et de menthe, la citronnelle, le galanga, le piment rouge et la ciboule.

5 Versez l'assaisonnement à base de crème de coco sur le tout et mélangez. Servez le poulet sur un lit de feuilles de laitue et garnissez de piments rouges en tranches.

SAENG WA OU FILET DE PORC GRILLÉ

Pour cette recette, le filet de porc est découpé en bandes avant d'être grillé. Mélangé avec une sauce aigre-douce parfumée, il fait une merveilleuse salade chaude.

Pour 4 personnes

INGRÉDIENTS

- 400 g de filet de porc
- 2 cuil. à soupe de sauce de soja foncée
- 1 cuil. à soupe de miel liquide
- 6 échalotes coupées en fines lamelles dans le sens de la longueur
- 1 tige de citronnelle coupée en tranches fines
- 5 feuilles de citron vert cafre coupées en petits morceaux
- 5 cm de racine de gingembre frais épluché et coupé en petits morceaux
- 1/2 piment rouge frais épépiné et coupé en fines lanières
- 1 petit bouquet de coriandre fraîche hachée

Pour l'assaisonnement

- 2 cuil. à soupe de sucre de palme ou de cassonade
- 2 cuil. à soupe de sauce au poisson thaïlandaise
- 2 citrons verts pressés
- 4 cuil. à café de jus de tamarin obtenu en diluant de la pâte de tamarin dans de l'eau chaude

1 Préchauffez le gril sur médium. Versez la sauce de soja avec le miel dans un petit bol ou une cruche et mélangez jusqu'à ce que le miel soit complètement dissous.

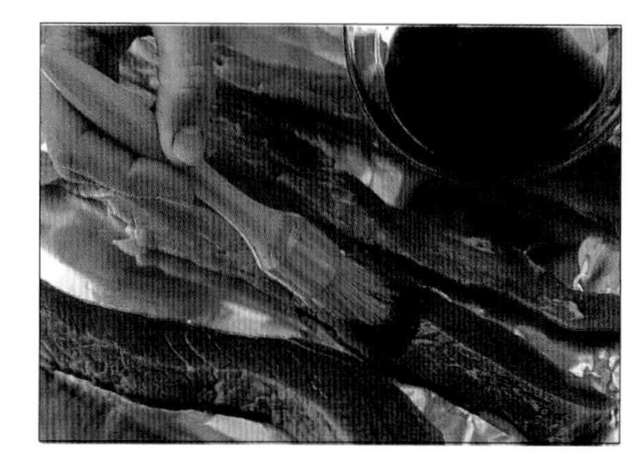

2 À l'aide d'un couteau pointu, coupez le filet de porc en 4 dans le sens de la longueur de façon à obtenir 4 longues bandes épaisses. Disposez ces bandes sur un gril. Badigeonnez-les généreusement avec le mélange de sauce de soja et de miel, puis faites griller 10 à 15 min. Retournez-les souvent et arrosez-les avec le reste du mélange.

3 Transférez les lanières de porc sur une planche. Coupez-les en travers du fil, puis déchiquetez à la fourchette. Mettez la viande dans une grande jatte avec les échalotes, la citronnelle, les feuilles de citron vert cafre, le gingembre, le piment et la coriandre.

4 Préparez l'assaisonnement. Dans un bol, fouettez tous les ingrédients jusqu'à ce que le sucre soit complètement dissous. Versez sur le mélange à base de porc et remuez bien. Servez le saeng wa immédiatement.

VARIANTE

Pour un plat plus consistant, ajoutez du riz cuit ou des nouilles. Vous pouvez également utiliser de minces lanières de poivron rouge ou jaune. Pour créer un contraste de couleurs, ajoutez des haricots verts peu cuits et des mange-tout.

SALADE DE BŒUF ET DE CHAMPIGNONS

Tous les ingrédients de ce plat traditionnel thaïlandais, appelé Yam nua yang, sont vendus dans les supermarchés.

Pour 4 personnes

INGRÉDIENTS
- 700 g de filet de bœuf ou de rumsteck
- 225 g de shiitakes frais équeutés et coupés en lamelles
- 2 cuil. à soupe d'huile d'olive
- 2 petits piments rouges doux épépinés et coupés en tranches

Pour l'assaisonnement
- 3 ciboules hachées menu
- 2 gousses d'ail hachées menu
- 1 citron vert pressé
- 1 à 2 cuil. à soupe de sauce au poisson thaïlandaise
- 1 cuil. à café de sucre roux
- 2 cuil. à soupe de coriandre fraîche hachée

Pour servir
- 1 laitue déchirée en bandes
- 175 g de tomates cerises coupées en deux
- 5 cm de concombre épluché, coupé en deux et tranché finement
- 3 cuil. à soupe de graines de sésame grillées

VARIANTE
Les piments jaunes ajoutent une note de couleur à ce plat.

1 Préchauffez le gril et faites cuire le filet de bœuf 2 à 4 min de chaque côté – augmentez le temps si vous le désirez bien cuit. (En Thaïlande, la viande de bœuf est traditionnellement servie saignante.) Laissez refroidir au moins 15 min.

2 Tranchez la viande finement et mettez les tranches dans un plat creux.

3 Faites chauffer l'huile d'olive dans une petite poêle à frire. Mettez les piments rouges coupés en lanières et les lamelles de shiitakes. à revenir 5 min en remuant de temps en temps. Éteignez le feu et ajoutez les tranches de steak, toujours en remuant pour bien mélanger la viande, les champignons et les piments.

4 Pour l'assaisonnement, mélangez tous les ingrédients dans un bol, puis versez sur la préparation à la viande et tournez.

5 Disposez la laitue, les tomates et le concombre sur un plat. Versez le mélange à base de viande au milieu et parsemez de graines de sésame. Servez sans attendre.

LARP DE CHIANGMAI

Chiangmai est une ville du nord de la Thaïlande, très proche du Laos d'un point de vue culturel. Elle est réputée pour ses salades de poulet, à l'origine appelées « Laap » ou « Larp ». On peut remplacer le poulet par du canard, du bœuf ou du porc.

Pour 4 à 6 personnes

INGRÉDIENTS
- 450 g de poulet haché
- 1 tige de citronnelle débarrassée de la racine
- 3 feuilles de citron vert cafre hachées menu
- 4 piments rouges frais épépinés et hachés
- 4 cuil. à soupe de jus de citron vert frais
- 2 cuil. à soupe de sauce au poisson thaïlandaise
- 1 cuil. à soupe de riz rôti pilé (voir Conseil)
- 2 ciboules hachées menu
- 2 cuil. à soupe de feuilles de coriandre fraîche

Pour la garniture
- feuilles de citron vert déchiquetées mélangées avec des feuilles de salade et des brins de menthe fraîche

1 Faites chauffer une grande poêle à frire antiadhésive. Mettez le poulet haché, mouillé avec un peu d'eau, à revenir à feu moyen 7 à 10 min en remuant constamment. Dès que le poulet est cuit, retirez la poêle du feu et jetez l'excédent de graisse. Coupez 5 cm du bas de la tige de citronnelle et hachez menu.

2 Transférez le poulet cuit dans un récipient creux et ajoutez la citronnelle hachée, les feuilles de citron vert, les piments, le jus de citron vert, la sauce au poisson, le riz rôti pilé, les ciboules et la coriandre. Mélangez.

3 Versez ce mélange dans un saladier. Parsemez de feuilles de citron vert déchirées et garnissez de feuilles de salade et de brins de menthe avant de servir.

CONSEIL

Utilisez du riz gluant pour le riz rôti pilé. Mettez le riz dans une poêle à frire et faites rissoler sans huile jusqu'à ce qu'il soit bien doré. Sortez-le du feu et pilez-le dans un mortier ou bien utilisez un mixer. Dès que le riz est froid, mettez-le dans un bocal en verre, dans un endroit frais et sec.

SALADE AU BŒUF THAÏLANDAISE

Cette consistante salade à la viande, qui peut faire office de repas, associe des lanières de steak d'aloyau et des lanières de concombre assaisonnées au jus de citron vert pimenté.

Pour 4 personnes

INGRÉDIENTS
- 2 steaks d'aloyau de 225 g chacun
- 1 tige de citronnelle sans la racine
- 1 oignon rouge ou 4 échalotes thaïlandaises coupé(es) en fines rondelles
- 1/2 concombre coupé en lanières
- 2 cuil. à soupe de ciboules hachées
- 2 citrons pressés
- 1 à 2 cuil. à soupe de sauce au poisson thaïlandaise
- 2 à 4 piments rouges frais épépinés et hachés menu
- cresson alénois chinois, cresson ou coriandre fraîche, pour garnir

CONSEIL

Essayez de trouver des feuilles de « gui chai » dans les épiceries chinoises et thaïlandaises. Elles ressemblent beaucoup à des ciboules et souvent les remplacent.

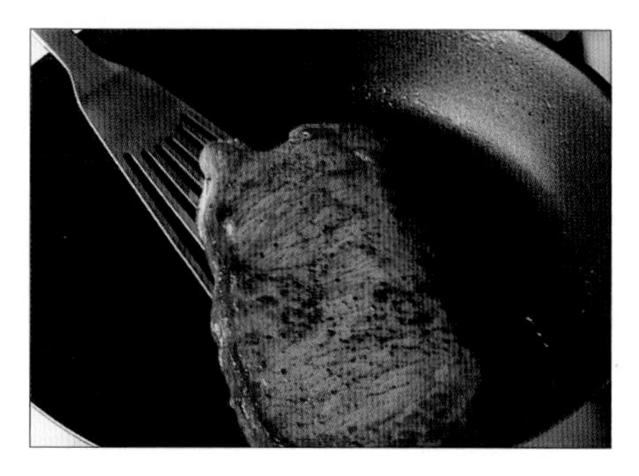

1 Faites cuire la viande dans une grande poêle à frire à fond épais sur feu moyen. Faites-la cuire 4 à 6 min pour une viande bleue, 6 à 8 min pour une viande à point et jusqu'à 10 min pour une viande bien cuite. (En Thaïlande, le steak se mange traditionnellement saignant.) Vous pouvez aussi la faire cuire sous un gril préchauffé. Sortez la viande de la poêle et laissez reposer 10 à 15 min. Pendant ce temps, coupez les 5 cm du bas de la tige de citronnelle et hachez menu.

2 Une fois que la viande a refroidi, coupez-la en tranches fines et mettez-les dans une jatte. Ajoutez les rondelles d'oignon ou d'échalotes, le concombre, la citronnelle et la ciboule hachée.

3 Mélangez bien, puis assaisonnez à votre goût de jus de citron vert et de sauce au poisson. Transférez dans un plat de service. Servez la salade à température ambiante ou rafraîchie, garnie de cresson alénois, de cresson ou de feuilles de coriandre.

PLATS DE VOLAILLE

L'un des principaux avantages des plats de volaille thaïlandais est qu'ils sont vite prêts. Même les currys, qui ailleurs requièrent des temps de cuisson très longs, peuvent souvent être préparés en moins d'une heure. Aussi faut-il acheter de la volaille tendre et de bonne qualité. La plupart des recettes présentées ici sont à base de blancs de poulet. Dans le centre et le nord de la Thaïlande, les oiseaux sauvages remplacent parfois les volailles fermières, et les délicieuses recettes de canard sont souvent héritées de la gastronomie chinoise.

CURRY DE POULET VERT

Pour ce plat, utilisez un ou deux piments verts frais suivant le résultat souhaité. Le goût aromatique très doux du riz fait bien ressortir la saveur épicée du poulet.

Pour 3 à 4 personnes

INGRÉDIENTS
- 4 blancs de poulet dépiautés et coupés en dés
- 1 gros poivron vert épépiné et coupé en tranches fines
- 4 ciboules hachées
- 1 à 2 piments verts frais épépinés et hachés
- 2 cm de racine de gingembre frais épluchée
- 2 gousses d'ail
- 1 cuil. à café de sauce au poisson thaïlandaise
- 1 grosse botte de coriandre fraîche
- 1 petite poignée de persil frais
- 2 cuil. à soupe d'huile de tournesol
- 60 cl de lait de coco ou 75 g de crème de noix de coco diluée dans 40 cl d'eau bouillante
- sel et poivre noir moulu
- riz à la noix de coco très chaud, pour servir

1 Mettez les ciboules, les piments verts, le gingembre, l'ail, la sauce au poisson, la coriandre et le persil dans un mixer, versez 2 cuillerées à soupe d'eau et mixez jusqu'à obtention d'une pâte lisse en ajoutant un peu d'eau si nécessaire.

CONSEIL

Presque tous les chefs thaïlandais ont leur propre recette de pâte de curry, qui est traditionnellement préparée en pilant les ingrédients dans un mortier avec un pilon. L'utilisation d'un mixer facilite la tâche.

2 Chauffez la moitié de l'huile dans une grande poêle. Faites bien dorer les dés de poulet, puis transférez-les dans un plat.

3 Faites chauffer le reste de l'huile dans la poêle. Mettez le poivron vert à sauter 3 à 4 min, puis ajoutez la pâte au gingembre et aux piments. Laissez cuire 3 à 4 min, jusqu'à ce que le mélange épaississe.

4 Remettez le poulet dans la poêle et ajoutez le liquide à base de noix de coco. Salez et poivrez, portez à ébullition, puis baissez le feu, couvrez la poêle à moitié et laissez mijoter 8 à 10 min.

5 Une fois le poulet cuit, transférez-le avec le poivron vert dans un plat. Faites bouillir 10 à 12 min le liquide de cuisson resté dans la poêle, jusqu'à ce qu'il devienne une sauce épaisse.

6 Remettez le poulet et le poivron dans cette sauce au curry vert, mélangez bien et réchauffez à feu doux 2 à 3 min. À l'aide d'une cuillère, versez le curry sur le riz à la noix de coco et servez aussitôt.

CURRY DE POULET PARFUMÉ

Ce plat est idéal pour les réceptions car on peut préparer le poulet et la sauce à l'avance, puis les mélanger et les réchauffer au dernier moment.

Pour 4 personnes

INGRÉDIENTS
- 1 poulet cuit d'environ 1,5 kg
- 3 cuil. à soupe d'huile
- 1 oignon haché
- 2 gousses d'ail écrasées
- 1 cuil. à soupe de pâte de curry rouge thaïlandaise
- 1 l de lait de coco ou 125 g de crème de coco diluée dans 90 cl d'eau bouillante
- 2 tiges de citronnelle hachées
- 6 feuilles de citron vert cafre hachées
- 15 cl de yoghourt à la grecque
- 2 cuil à soupe de confiture d'abricots
- 2 cuil. à soupe de coriandre fraîche hachée
- sel et poivre noir moulu
- riz bouilli, pour servir

Pour la garniture
- feuilles de citron vert cafre déchirées, copeaux de noix de coco et coriandre fraîche

CONSEIL
Si vous préférez une sauce plus épaisse, incorporez un peu de crème de noix de coco après avoir ajouté le poulet.

1 Faites chauffer l'huile dans une grande casserole. Mettez l'oignon et l'ail à fondre à feu doux 5 à 10 min. Incorporez la pâte de curry rouge. Faites cuire 2 à 3 min en remuant constamment. Incorporez la crème de coco diluée ou le lait de coco, puis ajoutez la citronnelle, les feuilles de citron vert, le yoghourt et la confiture d'abricots. Mélangez. Couvrez et laissez mijoter 30 min.

2 Retirez la casserole du feu et laissez refroidir un peu. Versez la sauce dans un mixer et mixez jusqu'à obtention d'une purée lisse. Transférez-la dans la casserole rincée à travers une passoire en appuyant sur la purée avec le dos d'une cuillère en bois. Réservez pendant que vous préparez le poulet.

3 Dépiautez et désossez le poulet, puis coupez la chair en bouchées, que vous incorporez à la sauce.

4 Portez la sauce au point d'ébullition, ajoutez la coriandre fraîche, salez et poivrez. Garnissez de feuilles de citron vert, de copeaux de noix de coco et de coriandre. Servez accompagné de riz.

CURRY DE POULET ROUGE AUX POUSSES DE BAMBOU

Les pousses de bambou ont une consistance merveilleusement croquante. Vous pouvez utiliser des pousses en boîte, car il est difficile d'en trouver des fraîches en Occident. Achetez des pousses de bambou entières, plus croquantes et de meilleure qualité que les pousses coupées en tranches.

Pour 4 à 6 personnes

INGRÉDIENTS
- 450 g de blancs de poulet dépiautés et coupés en dés
- 1 l de lait de coco
- 1 à 2 boîtes de pousses de bambou égouttées d'un poids total de 225 g, rincées et coupées en tranches
- 2 cuil à soupe de sauce au poisson thaïlandaise
- 1 cuil. à soupe de sucre en poudre
- 5 feuilles de citron vert cafre déchirées
- sel et poivre noir moulu

Pour la pâte de curry rouge
- 1 cuil. à café de graines de coriandre
- 1/2 cuil. à café de graines de cumin
- 12 à 15 piments rouges frais épépinés et hachés
- 4 échalotes coupées en tranches fines
- 2 gousses d'ail hachées
- 1 cuil. à soupe de galanga frais haché
- 2 tiges de citronnelle hachées
- 3 feuilles de citron vert cafre hachées
- 4 racines de coriandre fraîche
- 10 grains de poivre noir
- 1 bonne pincée de cannelle moulue
- 1 cuil. à café de curcuma moulu
- 1/2 cuil. à café de pâte de crevettes
- 1 cuil. à café de sel
- 2 cuil. à soupe d'huile végétale

Pour la garniture
- piments rouges frais hachés et feuilles de citron vert cafre

1 Préparez la pâte de curry. Faites revenir les graines de coriandre et de cumin sans huile 1 à 2 min, puis mettez-les dans un mortier ou un mixer avec tous les autres ingrédients excepté l'huile. Pilez ou mixez jusqu'à obtention d'une pâte.

2 Incorporez peu à peu l'huile végétale en pilant ou mixant bien après chaque addition. Transférez dans un bocal à couvercle à pas de vis, fermez et mettez au réfrigérateur.

3 Versez la moitié du lait de coco dans une grande casserole à fond épais. Portez à ébullition sur feu moyen, en remuant, jusqu'à ce que le lait commence à se séparer.

4 Incorporez 2 cuillerées à soupe de pâte de curry rouge en remuant constamment, 2 à 3 min. (Le reste de la pâte de curry rouge se conservera dans un bocal fermé au réfrigérateur pendant 3 mois.)

5 Mettez les dés de poulet, la sauce au poisson et le sucre dans la casserole. Mélangez bien, puis baissez le feu et laissez cuire à feu doux 5 à 6 minutes, jusqu'à ce que le poulet soit bien cuit. Remuez bien pour empêcher le curry de coller au fond de la casserole.

6 Versez le reste du lait de coco dans la casserole puis ajoutez les pousses de bambou et les feuilles de citron vert. Portez à ébullition sur feu moyen en remuant constamment, goûtez, et ajoutez du sel et du poivre si nécessaire.

7 Pour servir, versez le curry dans un plat de service préchauffé et garnissez de piments hachés et de feuilles de citron vert.

VARIANTE

Vous pouvez remplacer les pousses de bambou par des champignons de couche frais ou en boîte. Égouttez-les bien et ajoutez-les au curry en fin de cuisson. Les champignons de couche ont une agréable consistance et une saveur délicate.

CONSEIL

Il est essentiel d'utiliser des blancs de poulet plutôt que d'autres morceaux, car ce curry cuit très vite. Pour gagner du temps, vous pouvez acheter dans un supermarché des blancs de poulet déjà coupés en dés ou en lamelles.

CURRY DE POULET À LA CITRONNELLE

Ce curry délicieusement parfumé est très facile à préparer – il sera prêt en moins de 20 minutes. Une recette idéale pour les week-ends paresseux !

Pour 4 personnes

INGRÉDIENTS
- 500 g de cuisses de poulet désossées et hachées en petits morceaux
- 3 cuil. à soupe d'huile végétale
- 2 gousses d'ail écrasées
- 3 cuil. à soupe de sauce au poisson thaïlandaise
- 12 cl de bouillon de poulet
- 1 cuil. à café de sucre en poudre
- 1 tige de citronnelle coupée en 4 dans le sens de la longueur et légèrement écrasée
- 5 feuilles de citron vert cafre enroulées en forme de cylindre et coupées transversalement, plus un peu pour garnir

Pour la pâte de curry
- 1 tige de citronnelle hachée
- 2,5 cm de galanga frais épluché et haché
- 2 feuilles de citron vert cafre hachées
- 3 échalotes hachées
- 6 racines de coriandre hachées
- 2 gousses d'ail
- 2 piments verts frais épépinés et hachés
- 1 cuil. à café de pâte de crevettes
- 1 cuil. à café de curcuma moulu

Pour la garniture
- cacahuètes grillées hachées et coriandre fraîche hachée

1 Préparez la pâte de curry. Mettez tous les ingrédients dans un grand mortier ou dans un mixer, et pilez ou mixez jusqu'à obtention d'une pâte lisse.

2 Faites chauffer l'huile végétale dans un wok ou une grande poêle à fond épais, et mettez l'ail à revenir à feu doux en remuant constamment, jusqu'à ce qu'il commence à dorer. Ne le laissez pas brûler, car le goût serait amer. Ajoutez la pâte de curry et faites frire 30 s avec l'ail en remuant toujours.

3 Ajoutez les morceaux de poulet et mélangez bien pour qu'ils soient complètement enrobés de pâte de curry. Versez la sauce au poisson thaïlandaise et le bouillon de poulet ainsi que le sucre, et faites cuire 2 min en remuant constamment.

4 Incorporez la citronnelle et les feuilles de citron vert, baissez le feu et laissez mijoter 10 min. Si le mélange se dessèche, ajoutez un peu de bouillon ou d'eau.

5 Retirez la citronnelle si vous le souhaitez. Répartissez le curry dans 4 assiettes creuses, garnissez de feuilles de citron vert, de cacahuètes et de coriandre. Servez aussitôt.

CURRY DE POULET JAUNE

L'association du lait de coco, légèrement sucré, et des fruits avec le poulet et les épices donne un plat à la fois réconfortant, rafraîchissant et exotique.

Pour 4 personnes

INGRÉDIENTS
- 250 g de blancs de poulet dépiautés et coupés en dés
- 30 cl de bouillon de légumes
- 3 cl de jus de tamarin épais obtenu en diluant de la pâte de tamarin dans de l'eau chaude
- 1 cuil. à soupe de sucre en poudre
- 20 cl de lait de coco
- 1 papaye verte épluchée, épépinée et coupée en tranches fines
- 1 citron vert pressé
- tranches de citron vert pour garnir

Pour la pâte de curry
- 1 piment rouge frais épépiné et haché
- 4 gousses d'ail hachées
- 3 échalotes hachées
- 2 tiges de citronnelle coupées en tranches
- 5 cm de curcuma frais haché ou 1 cuil. à café de curcuma moulu
- 1 cuil. à café de pâte de crevettes
- 1 cuil. à café de sel

1 Préparez la pâte de curry jaune. Mettez tous les ingrédients dans un mortier ou un mixer. Pilez ou mixez jusqu'à obtention d'une pâte, en ajoutant un peu d'eau si nécessaire.

CONSEIL
Le curcuma frais ressemble à de la racine de gingembre – il appartient à la même famille. Mettez des gants pour le préparer afin d'éviter de vous tacher les mains.

2 Versez le bouillon dans un wok ou une poêle de taille moyenne et portez à ébullition. Incorporez la pâte de curry. Portez à nouveau à ébullition et ajoutez le jus de tamarin, le sucre et le lait de coco. Ajoutez la papaye et le poulet et faites cuire 15 min à feu moyen ou fort, en remuant souvent, jusqu'à ce que le poulet soit cuit.

3 Ajoutez le jus de citron, transférez dans un plat de service chaud, garnissez de tranches de citron vert et servez.

CURRY DE POULET DU SUD

Ce curry doux à la noix de coco parfumé au curcuma, à la coriandre et aux graines de cumin reflète l'influence de la cuisine malaise sur la gastronomie thaïlandaise.

Pour 4 personnes

INGRÉDIENTS
- 1 poulet d'environ 1,5 kg coupé en 12 gros morceaux
- 4 cuil. à soupe d'huile végétale
- 1 grosse gousse d'ail écrasée
- 40 cl de crème de coco
- 25 cl de bouillon de légumes
- 2 cuil. à soupe de sauce au poisson thaïlandaise
- 2 cuil. à soupe de sucre
- 2 citrons verts pressés

Pour la pâte de curry
- 1 cuil. à café de flocons de piment séché
- 1/2 cuil. à café de sel
- 5 cm de curcuma frais ou 1 cuil. à café de curcuma moulu
- 1/2 cuil. à café de graines de coriandre
- 1/2 cuil. à café de graines de cumin
- 1 cuil. à café de pâte de crevettes

Pour la garniture
- 2 petits piments rouges frais épépinés et hachés menu
- 1 gros bouquet de ciboules hachées

1 Préparez d'abord la pâte de curry. Mettez tous les ingrédients dans un mortier, un mixer ou un moulin à épices et écrasez de façon à obtenir une pâte lisse.

2 Chauffez l'huile dans un wok ou une poêle et faites revenir l'ail. Mettez le poulet à sauter. Lorsqu'il est doré, sortez-le du wok ou de la poêle et réservez.

3 Réchauffez l'huile. Mettez la pâte de curry et la moitié de la crème de coco à cuire quelques minutes.

4 Remettez le poulet dans le wok ou la poêle, versez le bouillon en mélangeant, puis ajoutez le reste de la crème de coco, la sauce au poisson, le sucre et le jus de citron vert. Remuez et portez à ébullition, puis baissez le feu et laissez mijoter 15 min.

5 Répartissez le curry dans 4 assiettes creuses, garnissez de piment frais haché et de ciboules. Servez aussitôt.

CONSEIL

Utilisez un grand couteau pointu ou un couperet chinois pour hacher le poulet. Une fois l'opération terminée, lavez soigneusement la planche à découper et le couteau, et rincez-vous les mains à l'eau très chaude car le poulet contient des bactéries et des micro-organismes.

POULET GRILLÉ PARFUMÉ

Pour cette recette, si vous avez le temps, préparez le poulet à l'avance et laissez-le mariner au réfrigérateur plusieurs heures ou même toute une nuit.

Pour 4 personnes

INGRÉDIENTS
- 450 g de blancs de poulet avec la peau
- 2 cuil. à soupe d'huile de sésame
- 2 gousses d'ail écrasées
- 2 racines de coriandre hachées menu
- 2 petits piments rouges frais épépinés et hachés menu
- 2 cuil. à soupe de sauce au poisson thaïlandaise
- 1 cuil. à café de sucre
- riz cuit, pour servir
- tranches de citron vert, pour garnir

Pour la sauce
- 6 cuil. à soupe de vinaigre de riz
- 4 cuil. à soupe de sucre
- 1/2 cuil. à café de sel
- 2 gousses d'ail écrasées
- 1 petit piment rouge frais épépiné et haché menu
- 125 g de coriandre fraîche

1 Posez les blancs de poulet entre deux feuilles de film plastique ou de papier aluminium, et aplatissez-les à l'aide d'un rouleau à pâtisserie jusqu'à ce que la viande fasse la moitié de son épaisseur initiale. Mettez dans un grand plat peu profond.

2 Dans une petite jatte, mélangez l'huile de sésame, l'ail, les racines de coriandre, les piments rouges, la sauce au poisson et le sucre, jusqu'à ce que ce dernier soit dissous. Versez le mélange sur le poulet et tournez. Couvrez avec du film plastique et laissez mariner au moins 20 min dans un endroit frais. Pendant ce temps, préparez la sauce.

3 Faites chauffer le vinaigre dans une petite casserole, ajoutez le sucre et mélangez pour faire fondre. Salez et laissez réduire en remuant. Mettez le reste des ingrédients de la sauce, mélangez à nouveau puis versez dans un bol de service.

4 Préchauffez le gril et faites rôtir le poulet 5 min. Retournez-le et arrosez-le de marinade, puis faites cuire encore 5 min de façon qu'il soit bien doré. Garnissez de tranches de citron vert, servez accompagné de riz et du bol de sauce.

POULET RÔTI AU CITRON VERT ET AUX PATATES DOUCES

En Thaïlande, on fait rôtir ce poulet à la broche, mais il est tout aussi délicieux cuit au four. Les patates douces complètent à merveille cette recette.

Pour 4 personnes

INGRÉDIENTS

- 1 poulet à rôtir d'1,5 kg
- 4 patates douces de taille moyenne ou grosse épluchées et coupées en tranches fines
- 1 citron vert coupé en deux
- 4 gousses d'ail, dont 2 hachées menu et 2 entières mais meurtries
- 1 petit bouquet de coriandre avec les racines, finement hachée
- 1 cuil. à café de curcuma moulu
- 5 cm de curcuma frais
- 30 cl de bouillon de poulet ou de légumes
- 2 cuil. à soupe de sauce de soja
- sel et poivre noir moulu

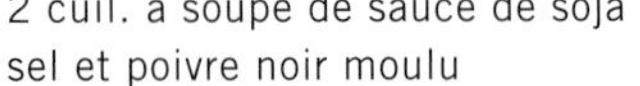

1 Préchauffez le four à 190 °C (th. 6). Calculez le temps de cuisson du poulet en comptant 20 min par livre, plus 20 min. Dans un mortier ou un mixer, écrasez l'ail haché, la coriandre, 2 cuillerées à café de sel et le curcuma de façon à obtenir une pâte.

2 Placez le poulet dans un plat à rôtir et enduisez-le de pâte. Arrosez-le de jus de citron vert et enfoncez les moitiés de citron et les gousses d'ail dans la cavité. Couvrez de papier aluminium et faites cuire au four.

3 Pendant ce temps, portez une casserole d'eau à ébullition et faites bouillir les patates douces 10 à 15 min, jusqu'à ce qu'elles soient tout juste cuites. Égouttez-les puis disposez-les autour du poulet dans le plat à rôtir. Arrosez de jus de cuisson, salez et poivrez. Recouvrez avec le papier aluminium et enfournez à nouveau.

4 Environ 20 min avant la fin de la cuisson, retirez le papier aluminium et arrosez le poulet. Retournez les patates douces.

5 À la fin du temps de cuisson, vérifiez que le poulet est à point. Sortez-le du plat et posez-le sur une planche à découper. Couvrez de papier aluminium et laissez reposer. Dégraissez le jus de cuisson. Transférez les patates douces dans un plat de service et gardez-les au chaud dans le four pendant que vous préparez la sauce.

6 Posez le plat à rôtir sur le feu et réchauffez le jus de cuisson jusqu'à ce qu'il commence à bouillonner. Versez le bouillon. Portez le mélange à ébullition en remuant constamment à l'aide d'une cuillère en bois et en grattant le fond du plat pour incorporer les résidus.

7 Incorporez la sauce de soja et vérifiez l'assaisonnement avant de verser la sauce dans un bol à travers un chinois. Servez-la avec la viande et les patates douces.

CONSEILS

- Une fois que le poulet est cuit, les pattes sont plus faciles à bouger. Insérez la pointe d'un couteau ou d'une brochette dans la partie la plus épaisse de l'une des cuisses. Le jus qui s'en écoule doit être transparent. S'il est rosé, remettez le poulet au four quelque temps.
- Bien qu'elles soient originaires d'Amérique tropicale, les patates douces sont devenues une culture très courante dans tout le Sud-Est asiatique. Il en existe de nombreuses variétés ; leur consistance peut être humide ou farineuse, tandis que leur couleur va du doré au blanc en passant par l'orangé.

POULET FRIT AU BASILIC ET AU PIMENT

Ce plat de poulet, facile et rapide à préparer, est une excellente introduction à la cuisine thaïlandaise. Le basilic thaïlandais, parfois appelé « basilic saint », a un goût piquant unique, à la fois acidulé et épicé. Le fait d'en faire frire les feuilles donne une autre dimension à ce mets.

Pour 4 à 6 personnes

INGRÉDIENTS

- 450 g de blancs de poulet dépiautés coupés en bouchées
- 10 à 12 feuilles de basilic thaïlandais fraîches
- 2 à 4 piments rouges frais épépinés et hachés menu
- 3 cuil. à soupe d'huile végétale
- 4 gousses d'ail coupées en fines rondelles
- 3 cuil. à soupe de sauce au poisson thaïlandaise
- 2 cuil. à café de sauce de soja foncée
- 1 cuil. à café de sucre en poudre

Pour la garniture

- 2 piments rouges frais épépinés et hachés menu, et 20 feuilles de basilic frites

1 Faites chauffer l'huile dans un wok ou une grande poêle à frire à fond épais. Mettez l'ail et les piments à revenir à feu moyen 1 à 2 min, jusqu'à ce que l'ail devienne doré. Ne le laissez pas brûler car il prendrait un goût amer.

2 Mettez les morceaux de poulet dans le wok et faites-les revenir, par lots successifs si nécessaire.

3 Incorporez la sauce au poisson, la sauce de soja et le sucre. Continuez à faire frire le mélange 3 à 4 min, jusqu'à ce que le poulet soit bien cuit.

4 Ajoutez les feuilles de basilic thaïlandais fraîches. Versez le mélange sur un plat préchauffé ou répartissez-le entre des assiettes individuelles. Garnissez de piment haché et de feuilles de basilic frites. Servez aussitôt.

CONSEIL

Pour faire revenir les feuilles de basilic thaïlandais, assurez-vous d'abord qu'elles sont bien sèches, sinon elles cracheront dans l'huile. Faites chauffer de l'huile végétale ou de l'huile d'arachide dans un wok. Faites frire les feuilles rapidement jusqu'à ce qu'elles soient translucides et cassantes – cela ne doit pas prendre plus de 30 à 40 s. Sortez-les de l'huile à l'aide d'une cuillère à trous et laissez-les égoutter sur de l'essuie-tout avant de les utiliser.

POULET AU BARBECUE

Le poulet cuit au barbecue est servi dans presque toute la Thaïlande, depuis les étals des marchands ambulants jusque dans les stades. C'est un plat idéal pour une réception estivale, mais vous pouvez aussi faire cuire la volaille au four si le beau temps n'est pas au rendez-vous.

Pour 4 à 6 personnes

INGRÉDIENTS
- 1 poulet d'environ 1,5 kg, coupé en 8 à 10 morceaux

Pour la marinade
- 2 tiges de citronnelle sans les racines
- 2,5 cm de racine de gingembre frais épluché et coupé en tranches fines
- 6 gousses d'ail hachées
- 4 échalotes hachées
- 1/2 botte de racines de coriandre hachées
- 1 cuil. à soupe de sucre de palme ou de cassonade
- 12 cl de lait de coco
- 2 cuil. à soupe de sauce au poisson thaïlandaise
- 2 cuil. à soupe de sauce de soja claire

Pour la marinade
- tranches de citron vert et piments rouges

1 Préparez la marinade. Coupez 5 cm de la partie inférieure des tiges de citronnelle et hachez-les. Mettez-les dans un mixer avec le gingembre, l'ail, les échalotes, la coriandre, le sucre, le lait de coco et les sauces, et mixez jusqu'à obtention d'un mélange homogène.

2 Disposez les morceaux de poulet dans un plat, versez la marinade dessus et mélangez bien. Couvrez le plat et laissez mariner au moins 4 h dans un endroit frais ou laissez au réfrigérateur toute une nuit.

3 Préparez le barbecue ou préchauffez le four à 200 °C (th. 7). Égouttez le poulet en réservant la marinade. Si vous utilisez le four, disposez les morceaux de poulet en une seule couche sur une grille placée au-dessus du plat à rôtir.

4 Faites cuire le poulet au barbecue – sur feu moyen pour un barbecue au gaz –, ou bien enfournez-le 20 à 30 min. En cours de cuisson, retournez les morceaux et badigeonnez-les une à deux fois avec la marinade réservée.

5 Dès que les morceaux de poulet sont bien dorés, transférez-les sur un plat de service, garnissez de tranches de citron vert et de piments rouges, servez aussitôt.

CONSEILS
- On trouve du lait de coco frais ou en boîte dans les magasins de produits asiatiques et dans la plupart des supermarchés. Il est également vendu en poudre. Vous pouvez aussi diluer 50 g de crème de coco dans de l'eau chaude.
- Les racines de coriandre sont plus parfumées que les feuilles, mais il est parfois difficile de trouver cette herbe avec les racines intactes.

POULET AUX NOIX DE CAJOU

Bien qu'il ne soit pas originaire de l'Asie du Sud-Est, l'anacardier est très prisé en Thaïlande, et l'association classique de ses noix légèrement sucrées et du poulet a beaucoup de succès, dans le pays comme à l'étranger.

Pour 4 à 6 personnes

INGRÉDIENTS

- 450 g de blancs de poulet
- 1 poivron rouge
- 2 gousses d'ail
- 4 piments rouges séchés
- 2 cuil. à soupe d'huile végétale
- 2 cuil. à soupe de sauce aux huîtres
- 1 cuil. à soupe de sauce de soja
- 1 pincée de sucre en poudre
- 1 botte de ciboules coupées en segments de 5 cm
- 175 g de noix de cajou rôties
- feuilles de coriandre, pour garnir

1 Dépiautez les blancs de poulet et retirez l'excédent de gras. À l'aide d'un couteau pointu, coupez les blancs en morceaux et réservez.

2 Coupez le poivron rouge en deux, retirez les graines et les membranes et jetez-les, puis détaillez la chair en dés de 2 cm. Épluchez et coupez l'ail en fines rondelles. Hachez les piments rouges séchés.

3 Préchauffez un wok et faites chauffer l'huile. Commencez par répandre un filet d'huile le long du bord afin qu'il s'écoule vers le milieu et revête toute la surface. Tournez le wok pour qu'il soit huilé de façon égale.

4 Mettez l'ail et les piments séchés dans le wok et faites revenir à feu moyen. Ne laissez pas l'ail brûler car le plat prendrait un goût amer.

5 Ajoutez le poulet, faites-le bien cuire, puis incorporez les dés de poivron rouge. Vous pouvez versez un peu d'eau si le mélange vous semble trop sec.

6 Incorporez la sauce aux huîtres, la sauce de soja et le sucre. Ajoutez les ciboules et les noix de cajou et faites revenir 1 à 2 min. Transférez dans un plat préchauffé, garnissez de feuilles de coriandre et servez.

À SAVOIR

Les Thaïlandais aiment les noix de cajou, mais aussi le « fruit » sous lequel elles se développent. Appelés pommes de cajou, ces « fruits » sont en fait la partie bulbeuse de la tige. Ils peuvent être rosés, rouges ou jaunes, et leur chair sucrée et croquante peut être consommée crue ou sous forme de boisson très rafraîchissante. Ces fruits peuvent même servir à faire des confitures. On trouve rarement des pommes de cajou et des noix fraîches en dehors des régions de production.

CURRY DE PINTADE

Ce curry du centre-nord de la Thaïlande, traditionnellement préparé avec des ingrédients sauvages, s'accommode de n'importe quel gibier, aussi bien que de poisson ou de poulet. La pintade n'est pas typique de la cuisine thaïlandaise, mais elle convient parfaitement pour cette recette.

Pour 4 à 6 personnes

INGRÉDIENTS
- 1 pintade ou autre volaille
- 1 cuil. à soupe d'huile végétale
- 2 cuil. à café de pâte de curry vert
- 1 cuil. à soupe de sauce au poisson thaïlandaise
- 2,5 cm de galanga frais épluché et haché menu
- 1 cuil. à soupe de grains de poivre noir
- 3 feuilles de citron vert cafre déchirées
- 1 cuil. à soupe de whisky, de préférence du Mekhong
- 30 cl de bouillon de légumes
- 50 g de haricots serpents ou de haricots verts longs coupés en segments de 2,5 cm
- 225 g de champignons de Paris coupés en lamelles
- 1 morceau de 50 g de pousse de bambou en boîte, égoutté et coupé en lanières
- 1 cuil. à café de flocons de piment séché, pour garnir (facultatif)

1 Découpez la pintade, dépiautez-la et désossez-la. Coupez la chair en petits morceaux et réservez.

2 Faites chauffer l'huile dans un wok ou une poêle à frire et ajoutez la pâte de curry.

3 Incorporez la sauce au poisson et les morceaux de pintade que vous faites revenir jusqu'à ce qu'ils soient bien dorés. Ajoutez le galanga, les grains de poivre, les feuilles de citron vert et le whisky, puis le bouillon.

4 Faites frémir. Mettez tous les légumes, portez au point d'ébullition, puis laissez cuire à feu doux 2 à 3 min. Transférez dans un plat de service, parsemez de flocons de piment séché si vous le souhaitez et servez.

À SAVOIR
- La pintade est originaire d'Afrique occidentale, où elle est considérée comme un gibier. Cependant, elle est domestiquée en Europe depuis cinq siècles. Les pintades peuvent peser entre 700 grammes et 2 kilos, le poids moyen étant de 1,2 kilo.
- Les grains de poivre vert frais sont en fait des baies insuffisamment mûres. Ils sont vendus sur la tige et ressemblent à des choux de Bruxelles miniatures. Vous en trouverez dans les supermarchés thaïlandais. Sinon, remplacez-les par des grains de poivre vert en bocal, mais rincez-les et égouttez-les soigneusement avant utilisation.

CURRY DE CANARD CHINOIS

Ce curry riche en épices illustre bien l'influence chinoise sur la cuisine thaïlandaise. Il est souhaitable de faire mariner le canard le plus longtemps possible, mais il sera quand même délicieux si vous ne le faites mariner que peu de temps.

Pour 4 personnes

INGRÉDIENTS

- 4 blancs de canard dépiautés
- 2 cuil. à soupe de poudre de cinq-épices
- 2 cuil. à soupe d'huile de sésame
- écorce râpée et jus d'1 orange
- 1 courge musquée de taille moyenne épluchée et coupée en dés
- 2 cuil. à café de pâte de curry rouge thaïlandais
- 2 cuil. à soupe de sauce au poisson thaïlandaise
- 1 cuil. à soupe de sucre de palme ou de cassonade
- 30 cl de lait de coco
- 2 piments rouges frais épépinés
- 4 feuilles de citron vert cafre déchirées
- 1 petit bouquet de coriandre hachée, pour garnir

1 Coupez la chair de canard en petits morceaux et disposez-les dans un récipient creux avec la poudre de cinq-épices, l'huile de sésame ainsi que le jus et l'écorce d'orange. Mélangez bien et enrobez le canard de cette marinade. Couvrez avec du film plastique et laissez mariner au moins 15 min dans un endroit frais.

2 Pendant ce temps, portez une casserole d'eau à ébullition. Mettez la courge musquée à cuire 10 à 15 min. Égouttez bien et réservez.

3 Versez la marinade du canard dans un wok et portez à ébullition. Incorporez la pâte de curry et faites cuire 2 à 3 min. Mettez les morceaux de canard à revenir 3 à 4 min en remuant constamment ; la viande doit être bien dorée.

4 Ajoutez la sauce au poisson et le sucre de palme et faites cuire 2 min. Incorporez le lait de coco, puis la courge musquée cuite, ainsi que les piments et les feuilles de citron vert cafre.

5 Laissez mijoter à feu doux 5 min en remuant souvent. Transférez dans un plat de service, garnissez de coriandre et servez.

VARIANTE

Cette recette est tout aussi délicieuse avec des blancs de poulet.

FRITURE DE CANARD AU SÉSAME

Cette recette vient du nord de la Thaïlande. Elle exige des canards sauvages car les canards fermiers sont trop gras. Vous pouvez remplacer le canard sauvage par de la pintade, du faisan ou du pigeon. Si vous utilisez toutefois du canard fermier, retirez la peau et la couche de gras.

Pour 4 personnes

INGRÉDIENTS

- 250 g de viande de canard sauvage
- 1 cuil. à soupe d'huile de sésame
- 1 cuil. à soupe d'huile végétale
- 4 gousses d'ail coupées en fines rondelles
- 1/2 cuil. à café de flocons de piment séché
- 1 cuil. à soupe de sauce au poisson thaïlandaise
- 1 cuil. à soupe de sauce de soja claire
- 1 tête de brocoli coupée en morceaux
- coriandre et 1 cuil. à soupe de graines de sésame rôties, pour garnir

VARIANTE

Vous pouvez remplacer le brocoli par du pak-choï ou du chou-fleur chinois.

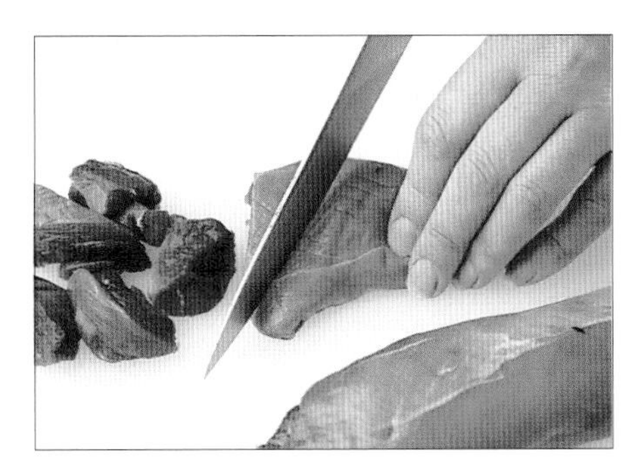

1 Coupez la chair de canard en morceaux. Faites chauffer les huiles dans un wok ou une grande poêle et mettez à dorer l'ail à feu moyen, en remuant – ne le laissez surtout pas brûler. Faites revenir 2 min les morceaux de canard dans le wok ou la poêle, en remuant, jusqu'à ce qu'ils brunissent.

2 Incorporez les flocons de piment, la sauce au poisson, la sauce de soja, 12 centilitres d'eau et le brocoli. Continuez à faire revenir environ 2 min, en remuant.

3 Garnissez de coriandre et de graines de sésame et servez dans des assiettes chaudes.

PLATS DE VIANDE

En Thaïlande, la plupart des plats à base de viande sont des currys, mais ils sont si variés et si subtils qu'il nous a paru absurde de les grouper sous la même rubrique. Les currys thaïlandais sont à base de pâtes humides plutôt que de mélanges d'épices sèches, les aromates prédominants étant les piments, l'ail, les échalotes, le gingembre et le galanga. Les Thaïlandais font grand usage de citronnelle et de coriandre fraîches, tandis que le lait de coco sert de liant entre les différents ingrédients.

CURRY DE BŒUF VERT AUX AUBERGINES THAÏLANDAISES

Ce curry est très vite prêt, aussi devez-vous utiliser une viande de bonne qualité – de préférence du steak d'aloyau ou du rumsteck.

Pour 4 à 6 personnes

INGRÉDIENTS
- 450 g de steak d'aloyau
- 150 g de petites aubergines thaïlandaises
- 1 cuil. à soupe d'huile végétale
- 3 cuil. à soupe de pâte de curry verte thaïlandaise
- 60 cl de lait de coco
- 4 feuilles de citron vert cafre déchirées
- 1 à 2 cuil. à soupe de sauce au poisson thaïlandaise
- 1 cuil. à café de sucre de palme ou de cassonade
- 1 petite poignée de basilic thaïlandais frais
- 2 piments verts frais, pour garnir

1 Débarrassez la viande de tout excédent de gras et coupez-la en fines lanières. (Cette opération est plus facile lorsque la viande a été réfrigérée.) Réservez.

2 Faites chauffer l'huile dans une grande poêle à fond épais ou un wok. Mettez la pâte de curry à cuire 1 à 2 min.

3 Incorporez la moitié du lait de coco par petites quantités. Faites cuire 5 à 6 min en remuant souvent, jusqu'à ce qu'un reflet huileux apparaisse à la surface du liquide.

4 Ajoutez le bœuf, les feuilles de citron vert cafre, la sauce au poisson, le sucre et les aubergines coupées en deux. Faites cuire 2 à 3 min puis versez le reste du lait de coco.

5 Portez à nouveau au point d'ébullition et faites cuire jusqu'à ce que la viande et les aubergines soient tendres. Ajoutez le basilic thaïlandais au dernier moment. Hachez les piments verts et garnissez-en le curry.

CONSEIL

Pour préparer une pâte de curry vert, mettez dans un mixer 15 piments verts frais, 2 tiges de citronnelle, 3 échalotes émincées, 2 gousses d'ail, 1 cuil. à soupe de galanga haché, 4 feuilles de citron vert cafre hachées, 1/2 cuil. à café d'écorce de citron vert râpée, 1 cuil. à café de racine de coriandre hachée, 6 grains de poivre noir, 1 cuil. à café de graines de coriandre et 1 cuil. à café de graines de cumin rôties, 1 cuil. à soupe de sucre en poudre, 1 cuil. à café de sel et 1 cuil. à café de pâte de crevettes. Mixez bien. Ajoutez peu à peu 2 cuil. à soupe d'huile végétale en mixant à chaque addition.

CURRY DE BŒUF ÉPAIS À LA SAUCE AUX CACAHUÈTES

Ce curry délicieusement riche est plus épais que la plupart des autres currys thaïlandais. Vous pouvez le servir avec du riz jasmin bouilli et des œufs de canard salés.

Pour 4 à 6 personnes

INGRÉDIENTS
- 450 g de rumsteck coupé en fines lanières
- 75 g de cacahuètes grillées, écrasées
- 60 cl de lait de coco
- 3 cuil. à soupe de pâte de curry rouge thaïlandais
- 3 cuil. à soupe de sauce au poisson thaïlandaise
- 2 cuil. à soupe de sucre de palme ou de cassonade
- 2 tiges de citronnelle meurtries
- 2 piments rouges frais coupés en tranches
- 5 feuilles de citron vert cafre déchirées
- sel et poivre noir moulu

Pour la garniture
- 2 œufs durs émincés et 10 à 15 feuilles de basilic thaïlandais

1 Dans une grande casserole à fond épais, portez à ébullition sur feu moyen la moitié du lait de coco, en remuant constamment, jusqu'à ce que le lait commence à se séparer.

2 Incorporez la pâte de curry et faites cuire 2 à 3 min afin que le mélange soit parfumé. Ajoutez la sauce au poisson, le sucre et les tiges de citronnelle meurtries. Mélangez.

3 Continuez à cuire jusqu'à ce que la couleur devienne plus foncée. Ajoutez progressivement le reste du lait de coco en remuant constamment. Portez à nouveau à ébullition.

CONSEIL
Si vous n'avez pas le temps de préparer votre propre pâte de curry, achetez de la pâte de curry thaïlandaise prête à l'emploi. Il en existe toute une gamme dans les magasins de produits asiatiques.

4 Ajoutez le bœuf et les cacahuètes. Faites réduire 8 à 10 min sans cesser de remuer. Ajoutez les piments et les feuilles de citron vert. Assaisonnez à votre goût, garnissez de tranches d'œufs salés et de feuilles de basilic thaïlandais. Servez aussitôt.

CURRY MUSSAMAN

Ce plat est traditionnellement préparé avec du bœuf, mais on peut aussi l'accommoder avec du poulet, de l'agneau ou du tofu. Il a un goût à la fois sucré et épicé très riche. Servez-le accompagné de riz bouilli. La pâte de curry Mussaman se vend dans les magasins spécialisés.

Pour 4 à 6 personnes

INGRÉDIENTS

- 700 g de viande pour ragoût
- 3 cuil. à soupe de pâte de curry Mussaman
- 60 cl de lait de coco
- 25 cl de crème de coco
- 2 cuil. à soupe de sauce au poisson thaïlandaise
- 1 cuil. à soupe de sucre de palme ou de cassonade
- 4 cuil. à soupe de jus de tamarin (pâte de tamarin diluée dans de l'eau chaude)
- 6 cosses de cardamome verte
- 1 bâton de cannelle
- 1 grosse pomme de terre d'environ 225 g coupée en morceaux de taille égale
- 1 oignon coupé en rondelles
- 50 g de cacahuètes grillées

1 Débarrassez la viande de tout excédent de gras, puis coupez-la en morceaux de 2,5 cm à l'aide d'un couteau bien aiguisé.

2 Versez le lait de coco dans une grande casserole à fond épais et portez à ébullition à feu moyen. Mettez les morceaux de bœuf, baissez le feu, couvrez partiellement et laissez mijoter 40 min.

3 Mettez la crème de coco dans une autre casserole. Cuisez à feu moyen en remuant constamment environ 5 min, jusqu'à ce que la crème se sépare. Incorporez la pâte de curry Mussaman et faites cuire 2 à 3 min – la pâte doit être bien mélangée et doit dégager son parfum.

4 Transférez le mélange de crème de coco et de pâte de curry dans la casserole du bœuf et remuez bien. Laissez mijoter 4 à 5 min en tournant de temps en temps.

5 Incorporez dans le curry de bœuf la sauce au poisson, le sucre, le jus de tamarin, les cosses de cardamome, le bâton de cannelle, les morceaux de pomme de terre et les rondelles d'oignon. Laissez mijoter 15 à 20 min, puis répartissez dans des bols. Servez aussitôt.

CONSEIL

Pour préparer la pâte de curry Mussaman, ouvrez en deux 12 gros piments séchés et jetez les graines, puis faites-les tremper 15 min dans de l'eau très chaude. Sortez-les de l'eau et hachez-les menu. Mettez les piments hachés dans un mortier ou un mixer et pilez ou mixez avec 4 cuil. à soupe d'échalotes hachées, 5 gousses d'ail, la partie inférieure d'une tige de citronnelle et 2 cuil. à soupe de galanga frais haché. À feu doux et sans huile, faites rissoler 1 à 2 min 1 cuil. à café de graines de cumin, 1 cuil. à soupe de graines de coriandre, 2 clous de girofle et 6 grains de poivre noir. Pilez les épices rôties, puis mélangez-les avec 1 cuil. à café de pâte de crevettes, 1 cuil. à café de sel, 1 cuil. à café de sucre en poudre et 2 cuil. d'huile végétale. Ajoutez le mélange à base d'échalotes aux épices et pilez ou mixez jusqu'à obtention d'une pâte.

CURRY SEC DE BŒUF AUX CACAHUÈTES ET CITRON VERT

Originaire des régions montagneuses du nord de la Thaïlande, les currys secs sont devenus très populaires dans tout le pays. Ce curry de bœuf sec est généralement servi avec un plat en sauce comme le curry de poisson du Nord aux échalotes et à la citronnelle.

Pour 4 à 6 personnes

INGRÉDIENTS

- 1 kg de viande pour ragoût hachée menu
- 2 cuil. à soupe de beurre de cacahuètes croquant
- 2 citrons verts pressés
- 400 g de lait de coco en boîte
- 30 cl de bouillon de bœuf

Pour la pâte de curry rouge

- 2 cuil. à soupe de graines de coriandre
- 1 cuil. à café de graines de cumin
- graines de 6 gousses de cardamome verte
- 1/2 cuil. à café de noix de muscade râpée ou moulue
- 2 pincées de clous de girofle moulus
- 1/2 cuil. à café de cannelle moulue
- 4 cuil. à café de paprika
- écorce d'1 orange hachée menu
- 4 à 5 piments rouges frais épépinés et hachés menu
- 5 cuil. à café de sucre en poudre
- 1/2 cuil à café de sel
- 1 morceau de citronnelle d'environ 10 cm de long haché
- 3 gousses d'ail écrasées
- 2 cm de galanga frais épluché et haché menu
- 4 échalotes rouges hachées menu
- 1 morceau de pâte de crevettes de 2 cm^2
- 50 g de racines ou de tige de coriandre hachée
- 1/2 citron vert pressé
- 2 cuil. à soupe d'huile végétale

Pour la garniture

- tranches de citron vert, coriandre hachée et lanières de piment rouge frais

1 Filtrez de lait de coco dans une jatte en gardant le lait épais retenu dans le filtre.

2 Versez le contenu de la jatte dans une grande casserole, puis mettez la moitié du résidu épais en réservant l'autre moitié. Ajoutez la viande hachée. Incorporez le bouillon de bœuf et portez à ébullition. Baissez le feu, couvrez la casserole et laissez mijoter à feu doux 50 min.

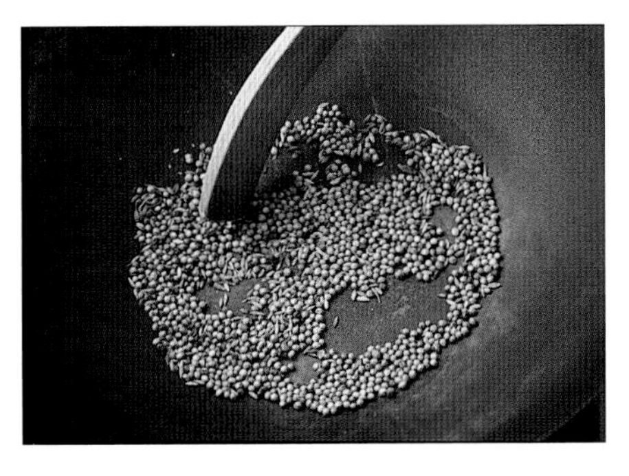

3 Pour la pâte de curry, faites rissoler les graines sans huile 1 à 2 min. Mélangez-les dans un bol avec noix de muscade, clous de girofle, cannelle, paprika et écorce d'orange. Pilez les piments avec le sucre et le sel. Ajoutez le mélange d'épices, la citronnelle, l'ail, le galanga, les échalotes et la pâte de crevettes, et pilez pour obtenir une pâte. Incorporez coriandre, jus de citron et huile.

4 Filtrez le bœuf en réservant le liquide de cuisson. Mettez une tasse de ce liquide dans un wok. Incorporez 2 à 3 cuillerées à soupe de pâte de curry. Faites bouillir rapidement jusqu'à ce que tout le liquide soit évaporé. Ajoutez le lait de coco épais réservé, le beurre de cacahuètes et le bœuf. Laissez mijoter sans couvrir 15 à 20 min, en versant un peu de liquide de cuisson si le mélange commence à adhérer à la poêle. Le curry doit cependant rester sec.

5 Incorporez le jus de citron vert au dernier moment. Garnissez de tranches de citron vert, de coriandre hachée et de lanières de piment rouge. Servez aussitôt.

VARIANTE

Ce curry est tout aussi délicieux avec de l'épaule ou du gigot d'agneau.

RAGOÛT DE BŒUF À L'ANIS

Il ne s'agit pas d'un ragoût au sens occidental du terme mais plutôt d'une soupe parfumée avec de tendres morceaux de viande. Les germes de soja, la ciboule et la coriandre sont ajoutés en fin de cuisson pour créer un contraste de goût et de consistance.

Pour 4 personnes

INGRÉDIENTS

- 450 g de viande de bœuf coupée en petites tranches
- 1 l de bouillon de poulet ou de légumes
- 3 gousses d'ail hachées menu
- 3 racines de coriandre hachées menu
- 2 bâtons de cannelle
- 4 anis étoilés
- 2 cuil. à soupe de sauce de soja claire
- 2 cuil. à soupe de sauce de poisson thaïlandaise
- 1 cuil. à café de sucre en poudre
- 125 g de germes de soja

Pour la garniture

- 1 ciboule hachée menu et 1 petit bouquet de coriandre fraîche hachée

1 Versez le bouillon dans une grande casserole à fond épais. Ajoutez le bœuf, l'ail, les racines de coriandre hachées, les bâtons de cannelle, l'anis étoilé, la sauce de soja, la sauce au poisson et le sucre. Portez à ébullition, puis baissez le feu et laissez mijoter 30 min. Écumez la mousse qui monte à la surface, avec une écumoire.

2 Parallèlement, répartissez les germes de soja dans 4 bols. Retirez les bâtons de cannelle et les anis étoilés à l'aide d'une cuillère à trous et jetez-les. Avec une louche, versez le ragoût sur les germes de soja, garnissez de ciboule et de coriandre fraîche hachées et servez aussitôt.

SAUTÉ DE BŒUF AVEC SAUCE AUX HUÎTRES

Voici une recette simple et délicieuse. En Thaïlande, on utilise généralement des champignons de couche, mais on peut les remplacer par des pleurotes. Un mélange des deux donnera de l'intérêt au plat.

Pour 4 à 6 personnes

INGRÉDIENTS
- 450 g de rumsteck
- 2 cuil. à soupe de sauce de soja
- 1 cuil. à soupe de farine de maïs
- 3 cuil. à soupe d'huile végétale
- 1 cuil. à soupe d'ail haché
- 1 cuil. à soupe de racine de gingembre frais haché
- 225 g de champignons mélangés (shiitakes, champignons de couche et pleurotes)
- 2 cuil. à soupe de sauce aux huîtres
- 1 cuil. à café de sucre en poudre
- 4 ciboules coupées en petits segments
- poivre noir moulu
- 2 piments rouges frais épépinés et coupés en lanières, pour garnir

1 Mettez le rumsteck au congélateur 30 à 40 min pour le raffermir, puis, avec un couteau aiguisé, coupez-le en lanières, en biais.

2 Mélangez la sauce de soja et la farine de maïs dans une jatte. Ajoutez la viande en remuant pour bien l'enrober de mélange, recouvrez de film plastique et laissez mariner 1 à 2 h à température ambiante.

3 Faites chauffez la moitié de l'huile dans un wok ou une grande poêle à frire à fond épais. Ajoutez l'ail et le gingembre et faites cuire 1 à 2 min, jusqu'à ce qu'ils deviennent parfumés. Égouttez les lanières de steak, mettez-les dans le wok ou la poêle et remuez pour séparer les morceaux. Faites cuire 1 à 2 min en remuant souvent jusqu'à ce que la viande soit bien dorée. Sortez-la de la poêle ou du wok et réservez.

4 Faites chauffer le reste de l'huile dans le wok ou la poêle, et incorporez les différents champignons. Faites sauter à feu moyen jusqu'à ce qu'ils soient bien dorés.

5 Remettez les lanières de viande dans le wok et mélangez-les avec les champignons. Ajoutez la sauce aux huîtres et le sucre, remuez bien, puis poivrez à votre goût. Continuez de faire cuire sans cesser de tourner.

6 Incorporez les ciboules. Versez la préparation dans un plat de service, garnissez de lanières de piment rouge et servez.

CURRY DE PORC AU CONDIMENT D'AIL

Ce curry très riche gagne à être servi avec un riz blanc et des légumes légers. Il convient pour 4 personnes si vous l'accompagnez d'un curry de légumes. On trouve du condiment d'ail dans les magasins de produits asiatiques. Achetez-en un bocal, vous ne le regretterez pas car c'est délicieux.

Pour 2 personnes

INGRÉDIENTS

- 125 g de viande de porc maigre
- 4 gousses d'ail en condiment hachées menu
- 2 cuil. à soupe d'huile végétale
- 1 gousse d'ail écrasée
- 1 cuil. à soupe de pâte de curry rouge thaïlandais
- 15 cl de crème de coco
- 2,5 cm de racine de gingembre frais haché menu
- 2 cuil. à soupe de bouillon de poulet ou de légumes
- 2 cuil. à soupe de sauce au poisson thaïlandaise
- 1 cuil. à café de sucre en poudre
- 1/2 cuil. à café de curcuma moulu
- 2 cuil. à café de jus de citron

Pour la garniture

lanières d'écorces de citrons jaune et vert

1 Mettez la viande de porc au congélateur 30 à 40 min pour la raffermir, puis coupez-la en minces lanières à l'aide d'un couteau bien aiguisé, en retirant l'excédent de gras.

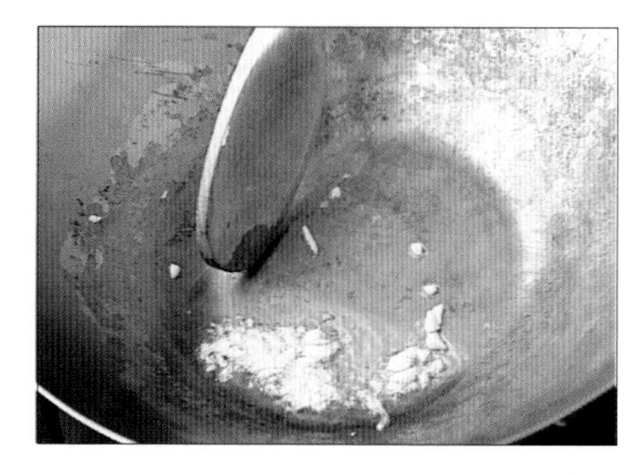

2 Faites chauffer l'huile dans un wok ou une grande poêle à frire à fond épais et faites dorer l'ail à feu doux/moyen – ne le laissez surtout pas brûler. Ajoutez la pâte de curry et mélangez bien.

3 Incorporez la crème de coco en tournant jusqu'à ce que le liquide réduise et épaississe. Mettez la viande de porc à cuire 2 min.

4 Ajoutez le gingembre, le bouillon, la sauce au poisson, le sucre et le curcuma en remuant constamment, puis incorporez le jus de citron et le condiment d'ail. Versez dans des bols, garnissez de lanières d'écorces des deux citrons et servez.

PORC AIGRE-DOUX À LA MODE THAÏLANDAISE

Ce sont les Chinois qui ont inventé la cuisine aigre-douce, mais les Thaïlandais l'ont très bien adoptée. Cette variante a une saveur plus fraîche que la version d'origine. Servi avec du riz, ce plat constitue un repas à lui tout seul.

Pour 4 personnes

INGRÉDIENTS

350 g de viande de porc maigre
2 cuil. à soupe d'huile végétale
4 gousses d'ail coupées en fines rondelles
1 petit oignon rouge coupé en rondelles
2 cuil. à soupe de sauce au poisson thaïlandaise
1 cuil. à soupe de sucre en poudre
poivre noir moulu
1 poivron rouge épépiné et coupé en dés
1/2 concombre épépiné et coupé en tranches
2 olivettes coupées en quartiers
125 g d'ananas frais coupé en petits morceaux
2 ciboules coupées en petits segments

Pour la garniture
feuilles de coriandre
ciboules hachées

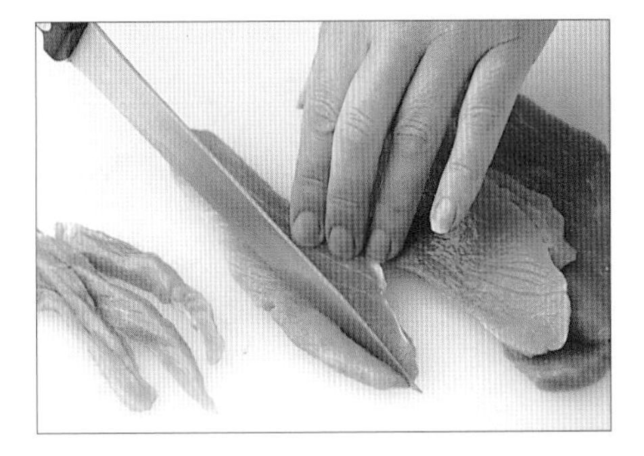

1 Mettez la viande de porc au congélateur 30 à 40 min pour la raffermir, puis détaillez-la en fines lanières avec un couteau aiguisé.

2 Faites chauffer l'huile dans un wok ou une grande poêle à fond épais et mettez à dorer l'ail à feu moyen. Ajoutez la viande de porc et faites sauter 4 à 5 min, puis les rondelles d'oignon. Mélangez bien.

3 Incorporez la sauce au poisson, le sucre et le poivre noir moulu. Laissez cuire 3 à 4 min en remuant.

4 Ajoutez le poivron rouge, le concombre, les olivettes, l'ananas et les ciboules. Faites revenir 3 à 4 min, puis transférez dans une jatte. Garnissez de coriandre et de ciboules hachées, et servez.

PORC ET CURRY DE NOIX DE COCO À L'ANANAS

Ce curry sucré et relevé, dont la cuisson est rapide, constitue un plat agréable et parfumé, idéal pour un dîner rapide avant une sortie.

Pour 4 personnes

INGRÉDIENTS

- 400 g d'échine de porc parée et coupée en tranches fines
- 40 cl de lait de coco en boîte
- 2 cuil. à café de pâte de curry rouge thaïlandais
- 1 cuil. à soupe de sauce au poisson thaïlandaise
- 1 cuil. à café de sucre de palme ou de cassonade
- 1 cuil. à soupe de jus de tamarin obtenu en diluant de la pâte de tamarin dans de l'eau chaude
- 2 feuilles de citron vert cafre déchirées
- 1/2 ananas de taille moyenne épluché et coupé en morceaux
- 1 piment rouge frais épépiné et haché menu, pour garnir

1 Versez le lait de coco dans une jatte et laissez reposer en attendant que la crème remonte à la surface. Mettez cette crème dans un verre doseur – vous devez en avoir environ 25 centilitres. Au besoin, ajoutez un peu de lait de coco.

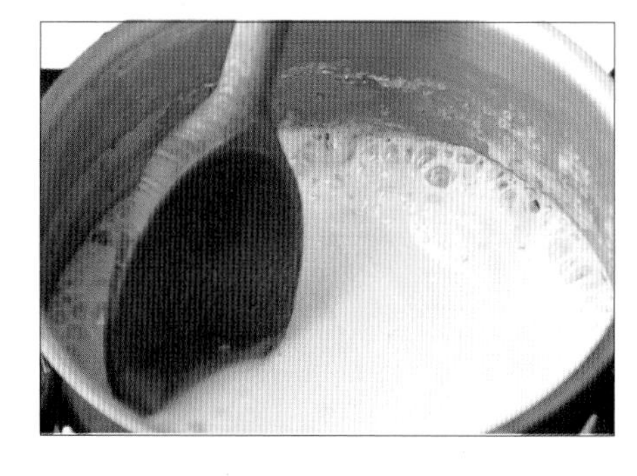

2 Versez la crème de coco dans une grande casserole et portez à ébullition.

3 Faites chauffer jusqu'à ce que la crème de coco se sépare, en remuant souvent pour l'empêcher d'attacher et de brûler. Ajoutez la pâte de curry rouge et mélangez. Faites cuire 4 min en tournant de temps en temps jusqu'à ce que la pâte devienne parfumée.

4 Ajoutez les tranches de porc et incorporez la sauce au poisson, le sucre et le jus de tamarin. Faites cuire 1 à 2 min en remuant constamment jusqu'à ce que le sucre soit dissous et que le porc ne soit plus rose.

5 Ajoutez le reste du lait de coco et les feuilles de citron vert. Portez à ébullition, puis mettez l'ananas. Baissez le feu et laissez mijoter 3 min. Parsemez de piment haché et servez.

PORC À LA CITRONNELLE

Les piments et la citronnelle parfument cette friture toute simple, tandis que les cacahuètes apportent un contraste de texture intéressant. Achetez des bocaux de citronnelle hachée, très pratiques lorsque vous ne trouvez pas de citronnelle fraîche.

Pour 4 personnes

INGRÉDIENTS
- 700 g d'échine de porc désossée
- 2 tiges de citronnelle hachées menu
- 4 ciboules coupées en tranches fines
- 1 cuil. à café de sel
- 12 grains de poivre noir écrasés
- 2 cuil. à soupe d'huile d'arachide
- 2 gousses d'ail hachées
- 2 piments rouges frais épépinés et hachés
- 1 cuil. à café de sucre roux
- 2 cuil. à soupe de sauce au poisson thaïlandaise
- 25 g de cacahuètes grillées non salées, hachées
- poivre noir moulu
- feuilles de coriandre déchirées, pour garnir
- nouilles de riz cuites, pour servir

1 Dégraissez la viande. Coupez-la en tranches de 5 mm d'épaisseur, puis recoupez les tranches en lanières de 5 mm. Mettez la viande dans une jatte avec la citronnelle, les ciboules, le sel et les grains de poivre noir écrasés. Mélangez bien. Couvrez avec du film plastique et laissez mariner dans un endroit frais pendant 30 min.

2 Préchauffez un wok, versez l'huile et tournez le wok pour bien la répartir. Ajoutez le mélange à base de porc et faites dorer à feu moyen 3 min tout en remuant.

3 Ajoutez l'ail et les piments et faites cuire à feu moyen 5 à 8 min de plus, jusqu'à ce que le porc soit cuit et très tendre.

4 Incorporez le sucre, la sauce au poisson et les cacahuètes hachées, puis poivrez à votre goût. Garnissez de feuilles de coriandre déchirées et servez aussitôt sur un lit de nouilles de riz.

À SAVOIR

Ce sont les membranes qui entourent les graines de piment qui sont épicées et non pas les graines elles-mêmes.

POITRINE DE PORC AU CINQ-ÉPICES

L'influence chinoise sur la cuisine thaïlandaise remonte aux premiers temps de son histoire, lorsque les colons du sud de la Chine s'installèrent dans le pays, important avec eux certains de leurs plats. Mais les cuisiniers thaïlandais ont apporté à celui-ci leur touche personnelle.

Pour 4 personnes

INGRÉDIENTS
- 500 g de poitrine de porc coupée en morceaux de 2,5 cm
- 2 cuil. à soupe de poudre de cinq-épices
- 1 gros bouquet de coriandre fraîche avec les racines
- 2 cuil. à soupe d'huile végétale
- 1 gousse d'ail écrasée
- 400 g de tomates concassées en boîte
- 2 cuil. à soupe de sauce de soja foncée
- 3 cuil. à soupe de sauce au poisson thaïlandaise
- 2 cuil. à soupe de sucre en poudre
- 1 citron vert coupé en deux

CONSEIL

Assurez-vous d'acheter de la poudre de cinq-épices chinoise, car la version indienne est préparée avec des épices différentes.

1 Coupez les racines de coriandre. Hachez-en 5 et mettez le reste au congélateur. Hachez les tiges et les feuilles et réservez-les. Mettez les racines à part.

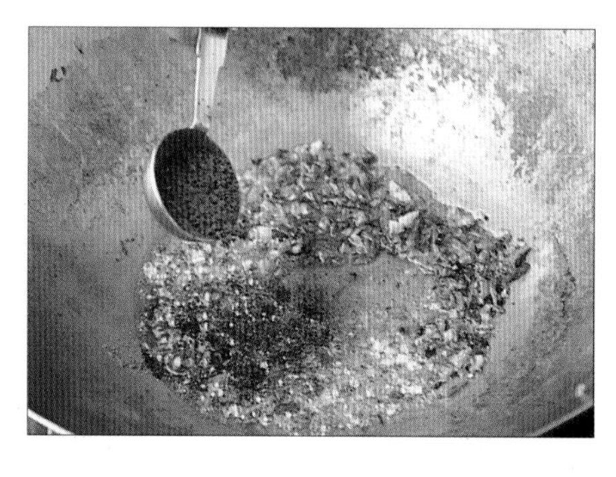

2 Faites chauffer l'huile dans une grande casserole et faites dorer l'ail. Ajoutez la coriandre hachée puis la poudre de cinq-épices en remuant constamment.

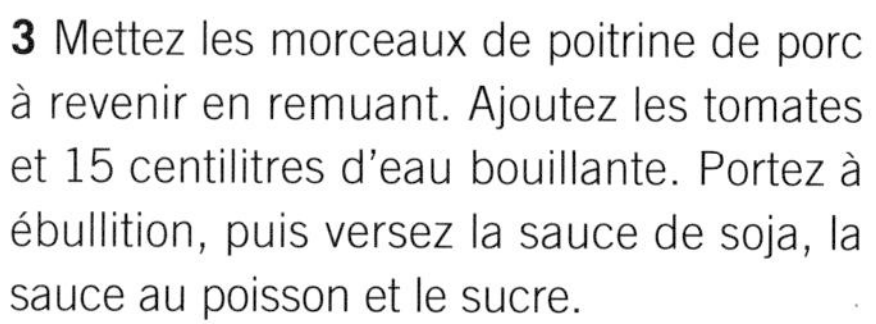

3 Mettez les morceaux de poitrine de porc à revenir en remuant. Ajoutez les tomates et 15 centilitres d'eau bouillante. Portez à ébullition, puis versez la sauce de soja, la sauce au poisson et le sucre.

4 Baissez le feu, couvrez la casserole et laissez mijoter 30 min. Parsemez de feuilles et de tiges de coriandre hachées, pressez le citron vert sur le tout et servez.

CÔTES DE PORC AUX CHAMPIGNONS DES PRÉS

En Thaïlande, on fait souvent cuire la viande sur des braseros ou dans la cheminée, aussi les recettes de plats au barbecue y sont-elles nombreuses. Ces excellentes côtes de porc ont beaucoup de succès et sont délicieuses servies avec des nouilles ou du riz.

Pour 4 personnes

INGRÉDIENTS
- 4 côtes de porc
- 4 gros pieds bleus des prés ou psalliotes des prés
- 3 cuil. à soupe d'huile végétale
- 4 piments rouges frais épépinés et coupés en tranches fines
- 3 cuil. à soupe de sauce au poisson thaïlandaise
- 6 cuil. à soupe de jus de citron vert frais
- 4 échalotes hachées
- 1 cuil. à café de riz rôti pilé
- 2 cuil. à soupe de ciboules hachées, plus un peu pour garnir
- feuilles de coriandre, pour garnir

Pour la marinade
- 2 gousses d'ail hachées
- 1 cuil. à soupe de sucre en poudre
- 1 cuil. à soupe de sauce au poisson thaïlandaise
- 2 cuil. à soupe de sauce de soja
- 1 cuil. à soupe d'huile de sésame
- 1 cuil. à soupe de whisky ou de sherry sec
- 2 tiges de citronnelle hachées menu
- 2 ciboules hachées

1 Préparez la marinade. Mélangez l'ail, le sucre, les sauces, l'huile et le whisky dans un grand plat peu profond. Incorporez la citronnelle et les ciboules.

2 Placez les côtes de porc dans la marinade. Couvrez et laissez mariner 1 à 2 h.

3 Sortez les côtes de porc de la marinade et mettez-les sur la grille du barbecue ou sur un gril. Ajoutez les champignons et badigeonnez-les avec 1 cuillerée à soupe d'huile. Faites cuire les côtes de porc 5 à 7 min de chaque côté et les champignons 2 min environ. Au cours de la cuisson, badigeonnez la viande et les champignons avec de la marinade.

4 Faites chauffer le reste de l'huile dans un wok ou une petite poêle. Hors du feu, incorporez les piments, la sauce au poisson, le jus de citron vert, les échalotes, le riz pilé et la moitié des ciboules hachées. Disposez les côtes de porc et les champignons sur un plat de service et versez la sauce dessus. Garnissez de feuilles de coriandre et de ciboules hachées et servez.

PORC SAUTÉ AUX CREVETTES SÉCHÉES

On pourrait penser que les crevettes séchées donnent un goût de poisson à ce plat, mais elles ne font qu'ajouter une note salée tout à fait délicieuse.

Pour 4 personnes

INGRÉDIENTS

- 250 g de filet de porc coupé en tranches
- 3 cuil. à soupe de crevettes séchées
- 2 cuil. à soupe d'huile végétale
- 2 gousses d'ail hachées menu
- 2 cuil. à café de pâte de crevettes séchées ou 5 mm de pâte de crevette solide
- 2 cuil. à soupe de sauce de soja
- 1 citron vert pressé
- 1 cuil. à soupe de sucre de palme ou de cassonade
- 1 petit piment rouge ou vert frais épépiné et haché menu
- 4 pak-choï ou 450 g de légumes verts de printemps hachés

1 Mettez le filet de porc au congélateur 30 min pour le raffermir. Coupez-le en tranches fines avec un couteau aiguisé.

2 Faites chauffer l'huile dans un wok ou une poêle à frire et mettez à dorer l'ail. Ajoutez la viande et faites revenir 4 min en remuant.

3 Incorporez les crevettes séchées, la pâte de crevettes, la sauce de soja, le jus de citron vert et le sucre. Ajoutez les piments et le pak-choï ou les légumes verts, et mélangez jusqu'à ce que les légumes soient cuits.

4 Répartissez dans 4 bols préchauffés et servez aussitôt.

BROCHETTES DE PORC SUR TIGES DE CITRONNELLE

Cette recette toute simple fait un snack substantiel, et les brochettes en tiges de citronnelle apportent une saveur subtile tout en fournissant un bon sujet de conversation.

Pour 4 personnes

INGRÉDIENTS

- 300 g de viande de porc hachée
- 8 tiges de citronnelle de 10 cm
- 4 gousses d'ail écrasées
- 4 racines de coriandre fraîche hachées menu
- 1/2 cuil. à café de sucre en poudre
- 1 cuil. à soupe de sauce de soja
- sel et poivre noir moulu
- sauce au piment douce, pour servir

VARIANTE

Vous pouvez faire des mini-brochettes pour une réception ou une fête. Dans ce cas, le mélange suffit pour 12 brochettes.

1 Dans une jatte, mettez la viande de porc hachée, l'ail écrasé, la racine de coriandre hachée, le sucre et la sauce de soja. Salez et poivrez à votre goût et mélangez bien.

2 Répartissez en 8 parts et pétrissez chaque part en forme de boulette. Mouillez-vous les mains pour éviter que les boulettes collent.

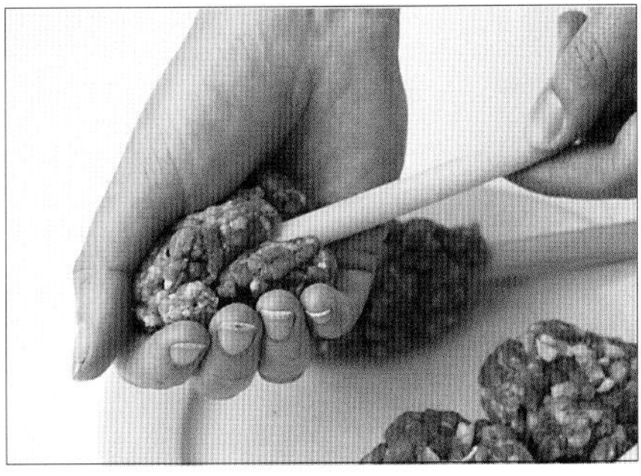

3 Enfoncez une brochette en citronnelle jusqu'au milieu de chaque boulette, puis pétrissez la viande autour de la brochette pour obtenir une forme de cuisse de poulet.

4 Faites cuire les brochettes sous un gril très chaud 3 à 4 min de chaque côté en vous assurant que la viande est à point. Servez avec la sauce au piment douce.

POISSONS ET FRUITS DE MER

Il suffit de jeter un coup d'œil à une mappemonde pour comprendre pourquoi la Thaïlande a tant de fabuleux poissons et coquillages. Le pays a une côte très longue, dont une grande partie est située sur le golfe de Siam, très poissonneux, et la plupart des cours d'eau recèlent une grande variété de poissons d'eau douce. Les crevettes fraîches et séchées sont très populaires. Si vous n'avez jamais goûté de curry de poisson, essayez l'une des recettes présentées dans ce chapitre. Les saveurs citronnées qui caractérisent les currys thaïlandais se marient à merveille avec le poisson et les coquillages.

CURRY DE SAUMON DU NORD AUX ÉCHALOTES ET À LA CITRONNELLE

Ce curry léger et très liquide a des saveurs prononcées. Servez-le dans des bols avec beaucoup de riz gluant pour absorber les jus.

Pour 4 personnes

INGRÉDIENTS

- 450 g de filet de saumon
- 50 cl de bouillon de légumes
- 4 échalotes hachées menu
- 1 tige de citronnelle hachée menu
- 2 gousses d'ail hachées menu
- 2,5 cm de galanga frais haché menu
- 1/2 cuil. à café de flocons de piment séché
- 1 cuil. à soupe de sauce au poisson thaïlandaise
- 1 cuil. à café de sucre de palme ou de cassonade

1 Mettez le saumon au congélateur 30 à 40 min pour le raffermir. Détachez la peau et jetez-la, retirez les arêtes avec vos doigts ou en vous servant d'une pince à épiler, puis détaillez la chair en dés de 2,5 cm à l'aide d'un couteau bien aiguisé.

2 Versez le bouillon dans une grande casserole à fond épais et portez à ébullition à feu moyen. Ajoutez les échalotes, l'ail, le galanga, la citronnelle, les flocons de piment, la sauce au poisson et le sucre. Portez de nouveau à ébullition, puis diminuez le feu et laissez mijoter à feu doux 15 min.

3 Incorporez le poisson, portez de nouveau à ébullition puis éteignez le feu. Laissez reposer 10 à 15 min afin que le saumon finisse de cuire, puis servez.

MOULES ET PALOURDES À LA CITRONNELLE ET À LA CRÈME DE COCO

La citronnelle a une saveur incroyablement aromatique qui fait merveille avec les fruits de mer. Aussi les Thaïlandais en font-ils grand usage dans les plats à base de poisson et de coquillages.

Pour 6 personnes

INGRÉDIENTS
- 1,8 kg de moules fraîches
- 450 g de petites palourdes
- 2 tiges de citronnelle hachées
- 20 cl de crème de coco
- 15 cl de vin blanc sec
- 1 botte de ciboules hachées
- 6 feuilles de citron vert cafre hachées
- 2 cuil. à café de pâte de curry vert thaïlandais
- 2 cuil. à soupe de coriandre fraîche hachée
- sel et poivre noir moulu
- ciboulette, pour garnir

1 Nettoyez les moules en arrachant les barbes et en grattant les coquilles à l'aide d'un couteau pour retirer les bernacles. Grattez les palourdes. Jetez les coquillages cassés ou qui ne se ferment pas immédiatement lorsque vous les tapotez.

2 Mettez le vin dans une grande casserole avec les ciboules, la citronnelle, les feuilles de citron vert et la pâte de curry. Faites mijoter jusqu'à ce que le vin soit presque entièrement évaporé.

CONSEILS
- En raison de la pollution marine, il est imprudent de ramasser les coquillages soi-même. Ceux vendus chez les poissonniers proviennent d'élevages ou ont été purgés.
- Si vous habitez loin des côtes, il peut être difficile de trouver des palourdes. Dans ce cas, n'utilisez que des moules.

3 Jetez les coquillages dans la casserole et augmentez le feu. Couvrez bien et faites cuire 5 à 6 min jusqu'à ce qu'ils s'ouvrent.

4 À l'aide d'une cuillère à trous, transférez les coquillages dans un plat de service préchauffé, couvrez et gardez au chaud. Jetez les coquillages qui restent fermés. Filtrez le liquide de cuisson dans une casserole à l'aide d'une passoire garnie de mousseline et laissez mijoter jusqu'à ce qu'il ne reste plus que 25 centilitres de liquide.

5 Incorporez dans la sauce la crème de coco et la coriandre hachée. Salez et poivrez à votre goût. Réchauffez bien, puis versez la sauce sur les coquillages. Garnissez de ciboulette et servez aussitôt.

MOULES VAPEUR AUX HERBES THAÏLANDAISES

Comme de nombreuses autres spécialités thaïlandaises, ce plat est très facile à préparer. La citronnelle et les feuilles de citron vert cafre ajoutent une note piquante rafraîchissante.

Pour 4 à 6 personnes

INGRÉDIENTS
- 1 kg de moules fraîches
- 2 tiges de citronnelle hachées menu
- 4 échalotes hachées
- 4 feuilles de citron vert cafre déchirées
- 2 piments rouges frais coupés en tranches
- 1 cuil. à soupe de sauce au poisson thaïlandaise
- 2 cuil. à soupe de jus de citron vert frais

Pour la garniture
ciboules coupées en tranches fines et feuilles de coriandre hachées

1 Nettoyez les moules en arrachant les barbes et en grattant les coquilles pour ôter les bernacles. Jetez les moules cassées et celles qui ne se ferment pas lorsque vous les tapotez.

2 Dans une grande casserole à fond épais, mettez les moules, la citronnelle, les échalotes, les feuilles de citron vert cafre, les piments, la sauce au poisson et le jus de citron vert. Mélangez. Couvrez hermétiquement et faites cuire à la vapeur à feu fort 5 à 7 min, en secouant la casserole de temps à autre, jusqu'à ce que les moules s'ouvrent.

3 À l'aide d'une cuillère à trous, transférez les moules cuites dans un plat de service ou des assiettes individuelles préchauffées. Jetez celles qui ne sont pas ouvertes.

4 Garnissez les moules de ciboules et de feuilles de coriandre hachées. Servez immédiatement.

FRITURE DE CRABE ET DE TOFU

Pour un repas léger à déguster en toute saison, cette friture vite prête est un choix idéal. Ne contenant que peu de chair de crabe – vous pouvez utiliser du crabe en boîte –, ce plat est en outre bon marché.

Pour 2 personnes

INGRÉDIENTS
- 125 g de chair de crabe blanc
- 250 g de tofu soyeux
- 4 cuil. à soupe d'huile végétale
- 2 gousses d'ail hachées menu
- 125 g de petits épis de maïs coupés en deux dans le sens de la longueur
- 2 ciboules hachées
- 1 piment rouge frais épépiné et haché menu
- 2 cuil. à soupe de sauce de soja
- 1 cuil. à soupe de sauce au poisson thaïlandaise
- 1 cuil. à café de sucre de palme ou de cassonade
- 1 citron vert pressé
- 1 petit bouquet de coriandre fraîche hachée, pour garnir

1 Coupez le tofu soyeux en dés de 1 cm à l'aide d'un couteau bien aiguisé.

2 Faites chauffer l'huile dans un wok ou une grande poêle à frire à fond épais. Mettez à dorer les dés de tofu en évitant de les casser. Sortez-les de l'huile à l'aide d'une cuillère à trous et réservez.

3 Faites revenir l'ail dans le wok, en remuant. Ajoutez la chair de crabe, le tofu, le maïs, les ciboules, le piment, la sauce de soja, la sauce au poisson et le sucre. Remuez jusqu'à ce que les légumes soient cuits mais croquants. Versez le jus de citron vert et transférez dans des bols préchauffés. Parsemez de coriandre et servez aussitôt.

CURRY DE LA MER AU LAIT DE COCO

Ce curry est inspiré d'un grand classique thaïlandais. La jolie couleur verte est due aux piments et aux herbes fraîches hachés menu ajoutés en fin de cuisson.

Pour 4 personnes

INGRÉDIENTS
- 225 g de petits calmars préparés
- 225 g de grosses crevettes crues
- 450 g de filets de poisson blanc ferme dépiautés et coupés en morceaux
- 40 cl de lait de coco
- 2 feuilles de citron vert cafre hachées menu
- 2 cuil. à soupe de sauce au poisson thaïlandaise
- 2 piments verts frais épépinés et hachés menu
- 2 cuil. à soupe de feuilles de coriandre ou de basilic frais déchirées
- 1 filet de jus de citron vert frais
- riz jasmin cuit, pour servir

Pour la pâte de curry
- 6 ciboules hachées
- 4 brins de coriandre fraîche, plus 3 cuil. à soupe de coriandre fraîche hachée
- 4 feuilles de citron vert cafre déchirées
- 8 piments verts frais épépinés et hachés
- 1 tige de citronnelle hachée
- 2,5 cm de racine de gingembre fraîche épluchée et hachée
- 3 cuil. à soupe de basilic frais haché
- 1 cuil. à soupe d'huile végétale

1 Préparez la pâte de curry. Mettez tous les ingrédients excepté l'huile dans un mixer ou dans un mortier, et mixez ou pilez jusqu'à obtenir une pâte. Incorporez l'huile.

2 Rincez les calmars et séchez-les à l'essuie-tout. Détaillez les corps en anneaux et coupez les tentacules en deux si nécessaire.

3 Faites chauffer un wok à feu fort et mettez à revenir les crevettes sans huile environ 4 min, jusqu'à ce qu'elles rosissent.

4 Sortez les crevettes du wok et laissez-les un peu refroidir, puis décortiquez-les en en gardant quelques-unes intactes pour la garniture. Incisez le long du dos de chaque crevette et retirez la veine noire.

5 Versez le lait de coco dans le wok, puis portez à ébullition à feu moyen en remuant constamment. Ajoutez 2 cuillerées à soupe de pâte de curry, les feuilles de citron vert cafre et la sauce au poisson. Mélangez bien. Baissez le feu et laissez mijoter à feu doux une dizaine de min.

6 Incorporez le calmar, les crevettes et les morceaux de poisson et faites cuire 2 min environ. Ne laissez pas cuire le calmar trop longtemps car il durcirait.

7 Ajoutez les piments et la coriandre ou le basilic juste avant de servir. Goûtez et arrosez d'un filet de jus de citron vert si nécessaire. Garnissez de crevettes entières et servez avec du riz jasmin thaïlandais.

VARIANTES
- Vous pouvez utiliser tout poisson à chair blanche ferme, comme la lotte, le cabillaud, l'aiglefin ou le saint-pierre.
- Si vous préférez, remplacez le calmar par des noix de Saint-Jacques. Coupez-les en deux horizontalement et ajoutez-les en même temps que les crevettes. Prenez garde de ne pas les faire cuire trop longtemps pour éviter qu'elles durcissent.

SATAY DE CREVETTES

Ce plat délicieux est inspiré du classique satay indonésien. L'association des cacahuètes douces, des épices aromatiques, du lait de coco et du jus de citron acidulé dans la sauce fait merveille – vos convives en redemanderont.

Pour 4 à 6 personnes

INGRÉDIENTS
- 450 g de grosses crevettes
- 1 cuil. à soupe 1/2 d'huile végétale

Pour la sauce aux cacahuètes
- 1 cuil. à soupe 1/2 d'huile végétale
- 1 cuil. à soupe d'ail haché
- 1 petit oignon haché
- 3 à 4 piments rouges frais épépinés et hachés
- 3 feuilles de citron vert cafre déchirées
- 1 tige de citronnelle meurtrie et hachée
- 1 cuil. à café de pâte de curry moyenne
- 25 cl de lait de coco
- 1 cm de bâton de cannelle
- 75 g de beurre de cacahuètes croquant
- 3 cuil. à soupe de jus de tamarin obtenu en diluant de la pâte de tamarin dans de l'eau chaude
- 2 cuil. à soupe de sauce au poisson thaïlandaise
- 2 cuil. à soupe de sucre de palme ou de cassonade
- 1/2 citron vert pressé

Pour la garniture
- ciboules coupées en diagonale
- 1/2 bouquet de feuilles de coriandre fraîche (facultatif)
- 4 piments rouges frais coupés en tranches fines (facultatif)

1 Décortiquez les crevettes en laissant les queues. Incisez le long du dos à l'aide d'un couteau pointu et retirez la veine noire. Rincez à l'eau froide, séchez à l'essuie-tout et réservez.

2 Préparez la sauce aux cacahuètes. Faites chauffer la moitié de l'huile dans un wok ou une grande poêle à frire à fond épais. Mettez l'ail et l'oignon à revenir à feu moyen 3 à 4 min en remuant de temps en temps, sans laisser brunir.

3 Ajoutez les piments, les feuilles de citron vert cafre, la citronnelle et la pâte de curry. Mélangez bien et faites cuire 2 à 3 min, puis incorporez le lait de coco, le bâton de cannelle, le beurre de cacahuètes, le jus de tamarin, la sauce au poisson, le sucre et le jus de citron vert. Faites cuire sans cesser de remuer afin que tous les ingrédients soient bien amalgamés.

4 Portez à ébullition, puis baissez le feu et laissez réduire 15 à 20 min à feu doux. Remuez de temps à autre avec une cuillère en bois pour éviter que la sauce attache.

5 Enfilez les crevettes sur des brochettes et arrosez d'un peu d'huile. Faites cuire 2 min de chaque côté sous un gril préchauffé, jusqu'à ce que les crevettes rosissent et soient fermes. Vous pouvez aussi les faire frire avant de les enfiler sur des brochettes.

6 Sortez les bâtons de cannelle de la sauce et jetez-les. Disposez les brochettes de crevettes sur un plat préchauffé, garnissez de ciboules, de feuilles de coriandre et de piments rouges coupés en tranches. Servez accompagné de sauce.

VARIANTES

- Pour un plat plus proche du curry, faites chauffer l'huile dans un wok ou une poêle, mettez les crevettes à revenir 3 à 4 min en remuant. Mélangez les crevettes avec la sauce et servez accompagné de riz jasmin.
- Vous pouvez également utiliser la sauce pour un satay de poulet ou de porc. À l'aide d'un couteau pointu, coupez les filets de porc ou les blancs de poulet dépiautés en fines lanières et faites-les revenir dans l'huile bouillante jusqu'à ce qu'ils brunissent, puis incorporez à la sauce.
- Pour cette recette, vous pouvez utiliser de la pâte de curry rouge ou verte thaïlandaise. Fabriquez votre propre pâte ou achetez une pâte de bonne qualité dans un magasin de produits asiatiques. Une fois ouverts, les bocaux de pâte de curry se gardent au réfrigérateur jusqu'à 2 mois.
- Vous pouvez préparer la sauce satay à l'avance et la laisser refroidir. Versez-la dans un bol, couvrez de film plastique et mettez au réfrigérateur. Réchauffez à feu doux en remuant de temps en temps avant de faire frire les crevettes.

FRITURE DE CREVETTES AU TAMARIN

Le goût amer-acidulé qui caractérise de nombreux plats thaïlandais est dû au tamarin. On peut acheter des cosses de tamarin fraîches, mais leur préparation est compliquée. Il est beaucoup plus pratique d'utiliser un bloc de pâte de tamarin.

Pour 4 à 6 personnes

INGRÉDIENTS

- 450 g de crevettes crues décortiquées
- 6 cuil. à soupe de jus de tamarin obtenu en diluant de la pâte de tamarin dans de l'eau chaude
- 6 piments rouges séchés
- 2 cuil. à soupe d'huile végétale
- 2 cuil. à soupe d'oignon haché
- 2 cuil. à soupe de sucre de palme ou de cassonade
- 2 cuil. à soupe de bouillon de poulet ou d'eau
- 1 cuil. à soupe de sauce au poisson thaïlandaise
- 1 cuil. à soupe d'ail haché frit
- 2 cuil. à soupe d'échalotes coupées en rondelles et frites
- 2 ciboules hachées, pour garnir

1 Faites chauffer un wok ou une grande poêle à frire sans huile. Mettez les piments séchés à rôtir en les pressant sur le fond du wok ou de la poêle à l'aide d'une spatule et en les retournant de temps en temps – ne les laissez pas brûler. Réservez.

2 Versez l'huile dans le wok ou la poêle et réchauffez. Mettez l'oignon haché à fondre à feu moyen, 2 à 3 min, en remuant de temps en temps.

3 Ajoutez le sucre, le bouillon ou l'eau, la sauce au poisson, les piments frits et le jus de tamarin sans cesser de remuer, jusqu'à ce que le sucre soit dissous. Portez à ébullition, puis baissez un peu le feu.

4 Incorporez les crevettes, l'ail et les échalotes frits. Faites cuire 3 à 4 min tout en remuant. Garnissez de ciboules et servez.

CONSEIL

Si vous le souhaitez, gardez quelques crevettes entières pour la garniture.

SAUMON MARINÉ AUX ÉPICES THAÏLANDAISES

Cette recette est l'interprétation d'une spécialité scandinave, le Gravadlax. Utilisez du saumon très frais. Le poisson doit mariner pendant plusieurs jours dans une saumure aux épices thaïlandaises qui le « cuit ».

Pour 4 à 6 personnes

INGRÉDIENTS

- 1 queue de saumon d'environ 700 g nettoyée, écaillée et coupée en filets
- 4 cuil. à café de gros sel de mer
- 4 cuil. à café de sucre en poudre
- 2,5 cm de racine de gingembre fraîche épluchée et râpée
- 2 tiges de citronnelle hachées
- 4 feuilles de citron vert cafre hachées ou déchirées
- écorce râpée d'1 citron vert
- 1 piment rouge frais épépiné et haché menu
- 1 cuil. à café de grains de poivre noir écrasés
- 2 cuil. à soupe de coriandre fraîche hachée

Pour l'assaisonnement

- 2 cuil. à soupe de mayonnaise
- 1/2 citron vert pressé
- 2 cuil. à café de coriandre fraîche hachée

Pour la garniture

- brins de coriandre fraîche et quartiers de citron vert

1 Vérifiez que le saumon ne contient plus d'arêtes et retirez celles qui restent éventuellement à l'aide d'une pince à épiler.

2 Dans une jatte, mélangez le gros sel de mer, le sucre, le gingembre, la citronnelle, les feuilles de citron vert cafre, l'écorce de citron vert, le piment haché, les grains de poivre noir écrasés et la coriandre hachée.

3 Mettez un quart du mélange d'épices dans un plat peu profond. Placez un filet de saumon dessus, peau sur le dessous. Étalez les deux tiers du reste de mélange sur la chair, puis placez l'autre filet pardessus, chair en dessous. Parsemez avec le reste du mélange d'épices.

4 Couvrez de papier aluminium, puis d'une planche. Ajoutez des poids, tels des bocaux de fruits. Réfrigérez 2 à 5 jours en retournant le poisson chaque jour dans la saumure.

5 Pour préparer l'assaisonnement, mélangez dans un bol la mayonnaise, le jus de citron vert et la coriandre hachée.

6 Grattez le poisson pour retirer les épices. Coupez-le en tranches aussi fines que possible. Garnissez de coriandre et de quartiers de citron vert cafre. Servez accompagné de l'assaisonnement à base de citron vert.

CONSEIL

Demandez au poissonnier d'écailler le poisson et de le partager en deux filets de taille égale.

FRITURE DE CALMARS AU GINGEMBRE

Les eaux très poissonneuses du golfe de Thaïlande alimentent les restaurants et les hôtels, et tous les marchés ont des étals où l'on prépare et où l'on sert de délicieux fruits de mer fraîchement pêchés. Cette recette est une spécialité des marchands ambulants.

Pour 2 personnes

INGRÉDIENTS

- 4 petits calmars préparés d'un poids total de 250 g
- 2,5 cm de racine de gingembre frais épluchée et hachée menu
- 1 cuil. à soupe d'huile végétale
- 2 gousses d'ail hachées menu
- 2 cuil. à soupe de sauce de soja
- 1/2 citron pressé
- 1 cuil. à café de sucre en poudre
- 2 ciboules hachées

VARIANTES

Ce plat est souvent préparé avec du galanga frais à la place du gingembre ; il est tout aussi délicieux avec d'autres fruits de mer, telles les crevettes et les noix de Saint-Jacques.

1 Rincez les calmars et séchez-les à l'essuie-tout. Détaillez les corps en anneaux et coupez les tentacules en deux si nécessaire.

2 Faites chauffer l'huile dans un wok ou une poêle et mettez à dorer l'ail sans le laisser brûler. Ajoutez les calmars et faites frire 30 s à feu fort en remuant.

3 Incorporez sauce de soja, gingembre, jus de citron, sucre et ciboules. Faites revenir 30 s en remuant. Servez aussitôt.

À SAVOIR

Le calmar peut avoir une consistance caoutchouteuse, qui résulte en fait d'une cuisson trop longue.

CREVETTES FRITES AUX NOUILLES

L'un des aspects les plus séduisants de la cuisine thaïlandaise est sa présentation. Les ingrédients sont choisis pour que même les plats les plus simples, comme cette friture, soient harmonieux en termes de couleurs, de texture et de goût.

Pour 4 personnes

INGRÉDIENTS
- 150 g de grosses crevettes décortiquées et déveinées
- 15 g de crevettes séchées
- 125 g de nouilles de riz
- 2 cuil. à soupe d'huile d'arachide
- 1 grosse gousse d'ail écrasée
- 1 morceau de daikon d'environ 75 g, râpé
- 1 cuil. à soupe de sauce au poisson thaïlandaise
- 2 cuil. à soupe de sauce de soja
- 2 cuil. à soupe de sucre de palme ou de cassonade
- 2 cuil. à soupe de jus de citron vert frais
- 100 g de germes de soja
- 40 g de cacahuètes hachées
- 1 cuil. à soupe d'huile de sésame

Pour la garniture
- 1 cuil. à café de flocons de piment séché, coriandre hachée et 2 échalotes hachées menu

1 Faites tremper les nouilles dans un récipient d'eau bouillante pendant 5 min ou en vous conformant aux instructions figurant sur le paquet. Faites chauffer l'huile dans un wok ou une grande poêle à frire. Mettez l'ail à dorer 2 à 3 min à feu moyen.

2 Mettez les crevettes, fraîches et séchées, et le daikon râpé à revenir 2 min en remuant. Ajoutez la sauce au poisson, la sauce de soja, le sucre et le jus de citron vert.

3 Égouttez les nouilles et coupez-les en petits segments avec des ciseaux de cuisine. Jetez-les dans le wok ou la poêle avec les germes de soja, les cacahuètes et l'huile de sésame. Mélangez et faites revenir 2 min en remuant. Garnissez de flocons de piment, de coriandre et d'échalotes hachées, servez.

CONSEIL
Avant d'utiliser le daikon, vous pouvez le saler, le laisser dégorger, le rincer et le sécher.

POISSON AIGRE-DOUX

Quand on fait cuire de cette manière des poissons comme le rouget barbet, la peau devient très croustillante, tandis que la chair reste moelleuse et juteuse. La sauce aigre-douce complète joliment le poisson avec ses petites tomates cerises rouge vif.

Pour 4 à 6 personnes

INGRÉDIENTS

- 1 gros poisson ou 2 poissons de taille moyenne comme le rouget barbet, sans la tête
- 4 cuil. à café de farine de maïs
- 15 cl d'huile végétale
- 1 cuil. à soupe d'ail haché
- 1 cuil. à soupe de racine de gingembre fraîche hachée
- 2 cuil. à soupe d'échalotes hachées
- 225 g de tomates cerises
- 2 cuil. à soupe de vinaigre de vin rouge
- 2 cuil. à soupe de sucre en poudre
- 2 cuil. à soupe de ketchup
- 1 cuil. à soupe de sauce au poisson thaïlandaise
- sel et poivre noir moulu

Pour la garniture

- feuilles de coriandre déchirées et ciboules hachées

1 Rincez le poisson et séchez-le. Entaillez la peau en biais de chaque côté. Farinez le poisson avec 3 cuillerées à café de farine de maïs, secouez pour ôter l'excédent.

2 Faites chauffer l'huile dans un wok ou une grande poêle. Mettez le poisson à cuire à feu moyen 6 à 7 min. Retournez-le et laissez cuire encore 6 à 7 min, afin qu'il soit doré et croustillant.

3 Placez le poisson sur un grand plat et réservez au chaud. Retirez 3 cuillerées à soupe d'huile du wok ou de la poêle et réchauffez le reste. Mettez l'ail, le gingembre et les échalotes à revenir à feu moyen, 3 à 4 min, en remuant de temps en temps.

4 Ajoutez les tomates cerises et faites cuire jusqu'à ce qu'elles éclatent. Incorporez le vinaigre, le sucre, le ketchup et la sauce au poisson. Baissez le feu et laissez mijoter à feu doux 1 à 2 min, puis goûtez et rectifiez l'assaisonnement si nécessaire.

5 Dans un bol, mélangez 1 cuillerée à café de farine de maïs et 3 cuillerées à soupe d'eau afin d'obtenir une pâte. Incorporez cette pâte dans la sauce et faites chauffer en remuant jusqu'à ce qu'elle épaississe. Versez la sauce sur le poisson, garnissez de feuilles de coriandre et de ciboules hachées. Servez.

POISSON CUIT À LA VAPEUR AVEC SAUCE AU PIMENT

La cuisson à la vapeur est ce qui convient le mieux au poisson. Il est préférable de laisser le poisson entier si l'on veut que la chair reste bien moelleuse et conserve toute sa saveur. La feuille de bananier a un effet authentique et décoratif, mais vous pouvez également utiliser du papier sulfurisé.

Pour 4 personnes

INGRÉDIENTS

- 1 gros poisson à chair ferme ou 2 poissons de taille moyenne (bar ou mérou), écaillés et nettoyés
- 2 cuil. à soupe de vin de riz
- 3 piments rouges frais épépinés et coupés en tranches fines
- 2 gousses d'ail hachées menu
- 2 cm de racine de gingembre fraîche épluchée et hachée menu
- 2 tiges de citronnelle écrasées et hachées menu
- 2 ciboules hachées
- 2 cuil. à soupe de sauce au poisson thaïlandaise
- 1 citron vert pressé
- 1 feuille de bananier fraîche

Pour la sauce au piment

- 10 piments rouges frais épépinés et hachés
- 4 gousses d'ail hachées
- 4 cuil. à soupe de sauce au poisson thaïlandaise
- 1 cuil. à soupe de sucre en poudre
- 5 cuil. à soupe de jus de citron vert frais

1 Rincez soigneusement le poisson à l'eau froide. Séchez-le avec de l'essuie-tout. À l'aide d'un couteau bien aiguisé, faites plusieurs entailles de chaque côté du poisson.

2 Dans une jatte, mélangez le vin de riz, les piments, l'ail, le gingembre, la citronnelle et les ciboules. Ajoutez la sauce au poisson et le jus de citron vert et mélangez jusqu'à obtention d'une pâte. Posez le poisson sur la feuille de bananier et étalez la pâte épicée par-dessus en la faisant pénétrer dans les entailles.

3 Placez une grille ou une soucoupe retournée au fond d'un wok. Versez 5 cm d'eau bouillante. Déposez la feuille de bananier qui contient le poisson sur la grille ou la soucoupe. Couvrez et faites cuire à la vapeur 10 à 15 min, jusqu'à ce que le poisson soit cuit.

4 Pendant ce temps, préparez la sauce au piment. Mettez tous les ingrédients dans un mixer et mixez. Si le mélange devient trop épais, ajoutez un peu d'eau froide. Transférez dans un récipient de service.

5 Servez le poisson très chaud sur la feuille de bananier, accompagné de la sauce au piment.

TRUITE PARFUMÉE AUX ÉPICES

Cette pâte très épicée peut servir de marinade à n'importe quel poisson ou n'importe quelle viande, principalement pour les viandes grillées.

Pour 4 personnes

INGRÉDIENTS

- 2 truites ou autres poissons à chair ferme d'environ 350 g chacun, nettoyés
- 2 gros piments verts frais épépinés et hachés
- 5 échalotes épluchées
- 5 gousses d'ail épluchées
- 2 cuil. à soupe de jus de citron vert frais
- 2 cuil. à soupe de sauce au poisson thaïlandaise
- 1 cuil. à soupe de sucre de palme ou de cassonade
- 4 feuilles de citron vert enroulées en forme de cylindre et coupées en tranches fines
- ciboulette fraîche, pour garnir
- riz bouilli, pour servir

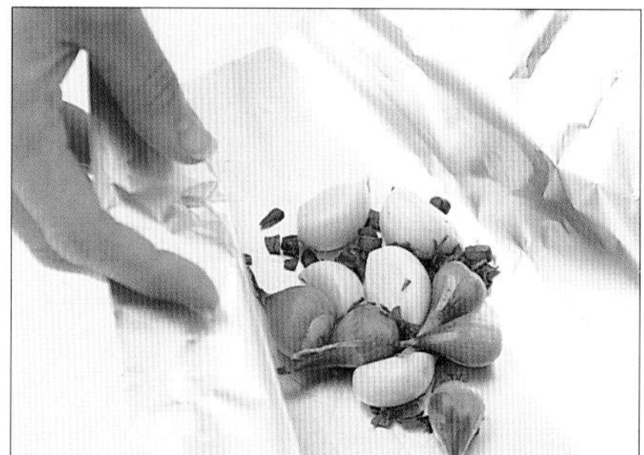

1 Enveloppez les piments, les échalotes et l'ail dans du papier aluminium et mettez 10 min sous un gril très chaud.

2 Laissez refroidir, puis versez le contenu du paquet dans un mortier ou un mixer, et pilez ou mixez jusqu'à obtenir une pâte.

3 Ajoutez le jus de citron vert, la sauce au poisson, le sucre et les feuilles de citron vert, puis mélangez. À l'aide d'une cuillère à café, fourrez de la pâte l'intérieur des poissons et tartinez-en un peu sur la peau. Faites griller les poissons 5 min de chaque côté. Disposez-les sur un plat, garnissez de ciboulette et servez avec du riz.

TRUITE AU TAMARIN ET À LA SAUCE PIMENTÉE

La truite a parfois un goût insipide, mais cette sauce épicée lui donne de l'intérêt. Si vous aimez manger très épicé, vous pouvez ajouter un piment.

Pour 4 personnes

INGRÉDIENTS
- 4 truites nettoyées
- 6 ciboules coupées en tranches
- 4 cuil. à soupe de sauce de soja
- 1 cuil. à soupe d'huile végétale

Pour la sauce
- 50 g de pulpe de tamarin
- 2 échalotes hachées
- 1 piment rouge frais épépiné et haché
- 1 cm de racine de gingembre fraîche épluchée et hachée
- 1 cuil. à café de sucre roux
- 3 cuil. à soupe de sauce au poisson thaïlandaise

Pour la garniture
- 2 cuil. à soupe de coriandre fraîche hachée et lanières de piment rouge frais

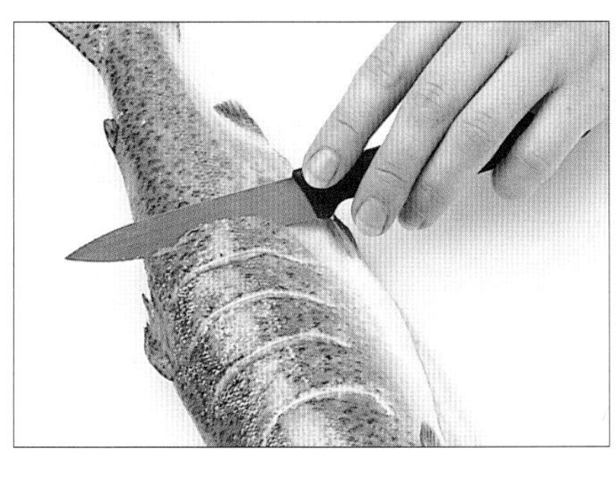

1 Pratiquez 4 ou 5 entailles en biais de chaque côté des truites. Mettez-les dans un plat peu profond assez grand pour les contenir toutes en une seule couche.

2 Remplissez les cavités avec des ciboules et arrosez chaque truite de sauce de soja. Retournez les poissons avec précaution pour bien les enrober de sauce. Parsemez avec le reste des ciboules.

3 Préparez la sauce. Mettez la pulpe de tamarin dans un bol et ajoutez 10 centilitres d'eau bouillante. Écrasez bien à l'aide d'une fourchette. Versez le mélange dans un mixer avec les échalotes, le piment frais, le gingembre, le sucre et la sauce au poisson. Mixez, puis transférez dans une jatte.

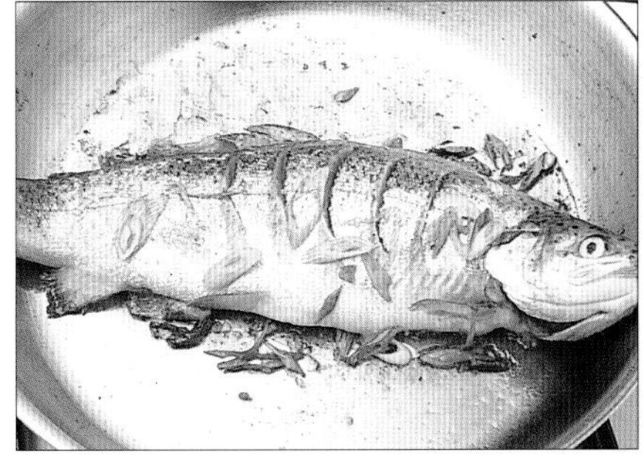

4 Faites chauffer l'huile dans une grande poêle à frire ou un wok et mettez à cuire les truites 5 min de chaque côté, jusqu'à ce que la peau soit dorée et croustillante. Répartissez-les dans 4 assiettes chaudes et versez un peu de sauce dessus. Parsemez de coriandre et de lanières de piment, puis servez avec le reste de la sauce.

PLATS À BASE DE LÉGUMES

En Thaïlande, il est quelque peu inapproprié de parler de « plats principaux » car tous les plats sont traditionnellement servis en même temps. Pourtant, cette expression permet de distinguer les plats plus substantiels, composés d'un nombre assez important d'ingrédients, et les plats que les Occidentaux qualifieraient d'« accompagnement ». Vous trouverez dans ce chapitre de délicieux currys de légumes, des fritures et des légumes farcis, ainsi qu'une tempura savoureuse. La plupart de ces recettes sont faciles à réaliser, la préparation prenant en général plus de temps que la cuisson.

CURRY DE LÉGUMES THAÏLANDAIS ET RIZ À LA CITRONNELLE

Le riz jasmin, subtilement parfumé à la citronnelle et à la cardamome, est un accompagnement idéal pour ce curry de légumes richement épicé.

Pour 4 personnes

INGRÉDIENTS
- 2 cuil. à café d'huile végétale
- 40 cl de lait de coco
- 30 cl de bouillon de légumes
- 225 g de pommes de terre nouvelles coupées en deux ou en quatre suivant la taille
- 8 petits épis de maïs
- 1 cuil. à café de sucre en poudre roux très fin
- 175 g de brocoli
- 1 poivron rouge épépiné et coupé en tranches dans le sens de la longueur
- 125 g de feuilles d'épinards hachées
- 2 cuil. à soupe de coriandre fraîche hachée
- sel et poivre noir moulu

Pour la pâte épicée
- 1 piment rouge frais épépiné et haché
- 3 piments verts frais épépinés et hachés
- 1 tige de citronnelle débarrassée des feuilles extérieures avec les 5 cm du bas hachés
- 2 échalotes hachées
- écorce d'1 citron vert finement râpée
- 2 gousses d'ail hachées
- 1 cuil. à soupe de coriandre moulue
- 1/2 cuil. à café de cumin moulu
- 1 cm de galanga frais haché menu ou 1/2 cuil. à café de galanga séché (facultatif)
- 2 cuil. à soupe de coriandre fraîche hachée
- 1 cuil. à soupe de racines et de tiges de coriandre fraîches hachées

Pour le riz
- 225 g de riz jasmin rincé
- 6 cosses de cardamome meurtries
- 1 tige de citronnelle sans les feuilles, coupée en 3 morceaux

CONSEIL

Les cosses de cardamome peuvent être marron foncé, crème ou gris clair. Les cosses marron sont généralement plus grosses, plus dures et moins savoureuses que les autres. Retirez-les toujours avant de servir.

1 Préparez la pâte épicée. Mettez tous les ingrédients dans un mixer et mixez jusqu'à obtenir une pâte. Faites chauffer l'huile dans une grande casserole à fond épais. Mettez la pâte à frire à feu moyen 1 à 2 min en remuant jusqu'à ce qu'elle soit parfumée.

2 Versez le lait de coco et le bouillon, puis portez à ébullition. Baissez le feu, ajoutez les pommes de terre et laissez mijoter à feu doux 15 min.

3 Pendant ce temps, mettez le riz dans une grande casserole avec les cardamomes et la citronnelle. Versez 50 centilitres d'eau, portez à ébullition, baissez le feu, couvrez et faites cuire 10 à 15 min, jusqu'à ce que le riz ait absorbé l'eau.

4 Dès que le riz est cuit et légèrement collant, salez à votre goût, puis remettez le couvercle et laissez reposer pendant une dizaine de min.

5 Dans la préparation aux pommes de terre, ajoutez le maïs, salez et poivrez à votre goût, puis faites cuire 2 min. Incorporez le sucre, le brocoli et le poivron rouge, et laissez cuire encore 2 min, jusqu'à ce que les légumes soient tendres.

6 Ajoutez les épinards et la moitié de la coriandre fraîche dans le mélange à base de légumes. Faites cuire 2 min, puis versez le curry dans un plat de service préchauffé.

7 Retirez les cosses de cardamome et la citronnelle du riz et jetez-les. Aérez le riz à l'aide d'une fourchette. Garnissez le curry avec le reste de la coriandre fraîche et servez accompagné du riz.

CURRY DE LÉGUMES FORESTIER

Ce curry aux légumes frais est très léger, proche d'une soupe aux saveurs prononcées. Dans les régions forestières de la Thaïlande, d'où il vient, ce curry serait préparé avec des feuilles d'arbres et des racines sauvages comestibles. Accompagnez-le de riz ou de nouilles pour un déjeuner léger ou un souper.

Pour 2 personnes

INGRÉDIENTS
- 100 g de haricots verts
- 8 petits épis de maïs coupés en deux dans le sens de la largeur
- 2 têtes de brocoli chinois hachées
- 100 g de germes de soja
- 1 cuil. à café de pâte de curry rouge thaïlandaise
- 5 cm de galanga frais ou de racine de gingembre fraîche
- 2 feuilles de citron vert cafre déchirées
- 1 cuil. à soupe de grains de poivre vert en bocal écrasés
- 2 cuil. à café de sucre en poudre
- 1 cuil. à café de sel

1 Faites chauffer 60 centilitres d'eau dans une casserole. Ajoutez la pâte de curry en mélangeant. Portez à ébullition.

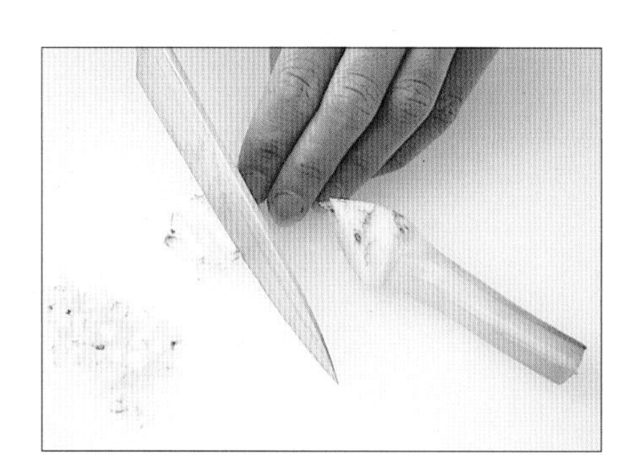

2 Épluchez et hachez le galanga frais ou la racine de gingembre à l'aide d'un couteau bien aiguisé.

3 Mettez dans la casserole le galanga ou le gingembre, les haricots verts, les feuilles de citron vert cafre, les épis de maïs, le brocoli et les germes de soja. Incorporez les grains de poivre écrasés, le sucre et le sel. Portez de nouveau à ébullition, puis baissez le feu et laissez mijoter 2 min. Servez aussitôt.

CURRY ROUGE AUX HARICOTS VERTS ET AU TOFU

Ce curry est l'une des recettes les plus adaptables qui soient et devrait faire partie du répertoire de tout cordon bleu qui se respecte. Le tofu prend le goût de la pâte épicée et augmente la valeur nutritionnelle du plat.

Pour 4 à 6 personnes

INGRÉDIENTS

- 1 cuil. à soupe de pâte de curry rouge thaïlandaise
- 125 g de haricots verts équeutés
- 175 g de tofu ferme, rincé, égoutté et coupé en dés de 2 cm
- 60 cl de lait de coco en boîte
- 3 cuil. à soupe de sauce au poisson thaïlandaise
- 2 cuil. à café de sucre de palme ou de sucre de canne
- 225 g de champignons de Paris
- 4 feuilles de citron vert cafre déchirées
- 2 piments rouges frais épépinés et coupés en tranches
- feuilles de coriandre fraîche, pour garnir

1 Versez environ un tiers du lait de coco dans un wok ou une casserole. Faites chauffer jusqu'à ce qu'il se sépare et qu'un reflet huileux apparaisse à la surface.

2 Incorporez la pâte de curry rouge, la sauce au poisson et le sucre, puis ajoutez les champignons. Mélangez et laissez cuire 1 min.

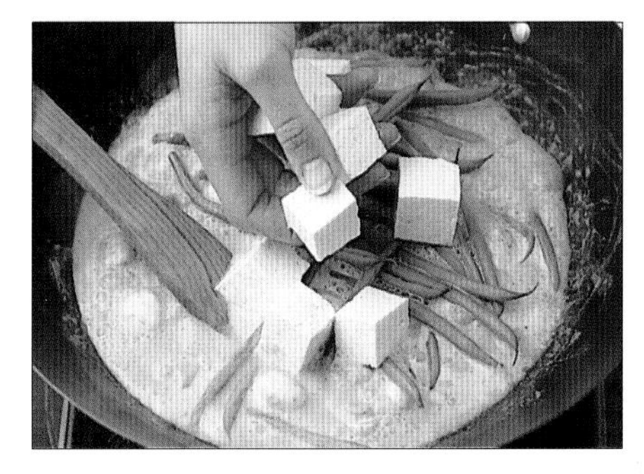

3 Versez le reste du lait de coco. Portez de nouveau à ébullition, puis ajoutez les haricots verts et les dés de tofu. Laissez mijoter à feu doux 4 à 5 min.

4 Ajoutez les feuilles de citron vert cafre et les piments rouges. Transférez le curry dans un plat de service, garnissez de feuilles de coriandre et servez aussitôt.

RAGOÛT DE PATATES DOUCES ET D'AUBERGINES AU LAIT DE COCO

Cette association de citronnelle, de gingembre et d'ail est particulièrement savoureuse. Les aubergines et les patates douces s'associent à merveille, tandis que le lait de coco introduit une note plus douce.

Pour 6 personnes

INGRÉDIENTS

- 700 g de patates douces épluchées et coupées en gros morceaux
- 400 g de petites aubergines ou 2 aubergines de taille moyenne
- 40 cl de lait de coco
- 4 cuil. à soupe d'huile d'arachide
- 225 g d'échalotes rouges thaïlandaises ou autres petites échalotes, ou petits oignons
- 1 cuil. à café de graines de fenouil écrasées
- 4 à 5 gousses d'ail coupées en rondelles fines
- 1 cuil. à café 1/2 de racine de gingembre fraîche hachée menu
- 50 cl de bouillon de légumes
- 2 tiges de citronnelle hachées menu
- 15 g de coriandre fraîche, feuilles et tiges hachées séparément
- 3 feuilles de citron vert cafre légèrement meurtries
- 2 à 3 petits piments rouges frais
- 3 à 4 cuil. à soupe de pâte de curry vert thaïlandais
- 1/2 à 1 cuil. à café de sucre de palme ou de sucre de canne
- 250 g de champignons coupés en fines lamelles
- 1 citron pressé
- sel et poivre noir moulu
- riz bouilli et 18 feuilles de basilic thaïlandais ou de basilic ordinaire frais, pour servir

1 Épluchez les aubergines. Coupez les petites en deux dans le sens de la longueur et les autres en gros morceaux.

2 Faites chauffer la moitié de l'huile dans une poêle profonde pourvue d'un couvercle. Mettez les aubergines à cuire à feu moyen en remuant de temps en temps, afin qu'elles soient légèrement dorées. Sortez-les de la poêle et réservez-les.

3 Coupez 4 à 5 échalotes en rondelles en laissant les autres entières. Faites dorer les échalotes entières dans la poêle en ajoutant un peu d'huile si nécessaire. Réservez. Ajoutez le reste de l'huile et faites revenir 5 min à feu doux les échalotes coupées en rondelles, les graines de fenouil, l'ail et le gingembre.

4 Versez le bouillon de légumes, puis ajoutez la citronnelle, les tiges de coriandre hachées, les feuilles de citron vert et les piments entiers. Couvrez et laissez mijoter à feu doux 5 min.

5 Incorporez 2 cuillerées à soupe de pâte de curry, ainsi que les patates douces. Laissez mijoter à feu doux 10 min, puis remettez les aubergines et les échalotes dorées. Laissez cuire 5 min.

6 Incorporez le lait de coco et le sucre. Salez et poivrez à votre goût, puis ajoutez les champignons et laissez mijoter à feu doux 5 min, jusqu'à ce que les légumes soient tendres.

7 Ajoutez le reste de pâte de curry et le jus de citron, ainsi que les feuilles de coriandre hachées. Ajustez l'assaisonnement si nécessaire. Transférez les légumes dans des bols préchauffés. Parsemez de feuilles de basilic et servez avec le riz.

À SAVOIR

Même si ce plat est appelé ragoût, la pâte de curry vert en est l'un des ingrédients les plus importants. Les quantités ne sont données qu'à titre indicatif ; vous pouvez en mettre moins si vous le souhaitez.

CURRY DE POTIRON AUX CACAHUÈTES

Ce curry, à la fois doux et consistant, est idéal pour les longues soirées d'automne ou d'hiver. Ses couleurs gaies remontent le moral, et son goût ravit le palais.

Pour 4 personnes

INGRÉDIENTS

- 450 g de potiron épluché, épépiné et coupé en dés
- 100 g de cacahuètes grillées, hachées
- 2 cuil. à soupe d'huile végétale
- 4 gousses d'ail écrasées
- 4 échalotes hachées menu
- 2 cuil. à soupe de pâte de curry jaune
- 60 cl de bouillon de légumes
- 2 feuilles de citron vert cafre déchirées
- 1 cuil. à soupe de galanga frais haché
- 225 g de patates douces coupées en dés
- 30 cl de lait de coco
- 100 g de champignons de Paris coupés en lamelles
- 1 cuil. à soupe de sauce de soja
- 2 cuil. à soupe de sauce au poisson thaïlandaise

Pour la garniture

- 50 g de graines de potiron rôties et de fleurs de piments verts fraîches

1 Faites chauffer l'huile dans une grande casserole. Mettez l'ail et les échalotes à fondre à feu moyen 10 min en remuant de temps en temps. Ne les laissez pas brûler.

2 Incorporez la pâte de curry jaune et faites frire à feu moyen 30 s, puis ajoutez le bouillon, les feuilles de citron vert cafre, le galanga, le potiron et les patates douces. Portez à ébullition en remuant souvent, puis baissez le feu et laissez mijoter 15 min.

3 Ajoutez les cacahuètes, le lait de coco et les champignons. Versez la sauce de soja et la sauce au poisson et laissez mijoter 5 min. Transférez dans des bols individuels préchauffés, garnissez de graines de potiron et de fleurs de piments et servez.

À SAVOIR

Bien égouttés, les légumes utilisés dans ces currys feraient une délicieuse farce de tarte ou de pâtisserie, même si ce n'est pas vraiment une tradition thaïlandaise.

CURRY DE MAÏS AUX NOIX DE CAJOU

Ce curry substantiel associe toutes les saveurs essentielles du sud de la Thaïlande. Il est délicieusement parfumé et son arôme est très doux.

Pour 4 personnes

INGRÉDIENTS

- 200 g d'épis de maïs en boîte entiers, égouttés
- 100 g de noix de cajou
- 2 cuil. à soupe d'huile végétale
- 4 échalotes hachées
- 1 cuil. à café de pâte de curry rouge thaïlandaise
- 400 g de pommes de terre épluchées et coupées en morceaux
- 1 tige de citronnelle hachée menu
- 200 g de tomates en boîte hachées
- 4 bâtons de céleri coupés en tranches
- 2 feuilles de citron vert cafre enroulées en forme de cylindre et coupées en tranches fines
- 1 cuil. à soupe de ketchup
- 1 cuil. à café de sauce de soja claire
- 1 cuil. à café de sucre de palme ou de sucre de canne
- 1 cuil. à café de sauce au poisson thaïlandaise
- 4 ciboules coupées en tranches fines
- 1 petit bouquet de basilic frais haché

À SAVOIR

La technique qui consiste à enrouler les feuilles de citron vert sur elles-mêmes en forme de cylindre s'appelle chiffonnade. Retirez la nervure centrale des feuilles avant de les enrouler.

1 Faites chauffer l'huile dans une grande poêle à fond épais ou un wok. Mettez les échalotes à fondre à feu moyen 2 à 3 min. Ajoutez les noix de cajou et faites-les dorer quelques minutes.

2 Incorporez la pâte de curry rouge. Faites frire 1 min, puis ajoutez les pommes de terre, la citronnelle, les tomates et 60 centilitres d'eau bouillante.

3 Portez de nouveau à ébullition, puis baissez le feu et laissez mijoter à feu doux 15 à 20 min.

4 Incorporez le maïs, le céleri, les feuilles de citron vert cafre, le ketchup, la sauce de soja, le sucre et la sauce au poisson. Laissez mijoter 5 min, puis répartissez dans 4 bols préchauffés. Parsemez de tranches de ciboule et de basilic et servez.

CURRY DE LÉGUMES THAÏLANDAIS AU TOFU

Les ingrédients thaïlandais traditionnels – piments, galanga, citronnelle et feuilles de citron vert cafre – donnent à ce curry un arôme merveilleusement parfumé. Le tofu doit mariner pendant au moins 2 heures ; pensez-y avant de vous lancer dans la préparation du repas.

Pour 4 personnes

INGRÉDIENTS

- 1 tête de brocoli de 225 g environ
- 1/2 chou-fleur de 225 g environ
- 175 g de haricots verts coupés en deux
- 125 g de shiitakes ou de champignons de Paris coupés en deux
- 175 g de tofu ferme
- 3 cuil. à soupe de sauce de soja foncée
- 1 cuil. à soupe d'huile de sésame
- 1 cuil. à café de sauce au piment
- 2,5 cm de racine de gingembre fraîche épluchée et râpée finement
- 2 cuil. à soupe d'huile végétale
- 1 oignon coupé en tranches
- 40 cl de lait de coco
- 1 poivron rouge épépiné et haché
- ciboules hachées, pour garnir
- riz jasmin ou nouilles bouillies, pour servir

Pour la pâte de curry

- 2 piments verts ou rouges frais épépinés et hachés
- 1 tige de citronnelle hachée
- 2,5 cm de galanga frais haché
- 2 feuilles de citron vert cafre
- 2 cuil. à café de coriandre moulue
- quelques brins de coriandre fraîche, avec les tiges

1 Rincez et égouttez le tofu. Coupez-le en dés de 2,5 cm à l'aide d'un couteau pointu. Mettez les dés dans un plat allant au four en une seule couche.

2 Dans une cruche, mettez la sauce de soja, l'huile de sésame, la sauce au piment et le gingembre râpé et versez sur le tofu. Mélangez doucement, couvrez avec du film plastique et laissez mariner au moins 2 h ou toute la nuit si possible, en retournant et en arrosant le tofu de temps en temps.

3 Préparez la pâte de curry. Mettez tous les ingrédients dans un mixer et mixez à fond. Ajoutez 3 cuillerées à soupe d'eau et mixez à nouveau jusqu'à obtention d'une pâte épaisse.

4 Préchauffez le four à 190 °C (th. 6). Coupez le brocoli et le chou-fleur en petits morceaux. Détaillez les tiges en tranches fines.

5 Faites chauffer l'huile végétale dans une poêle à frire. Mettez les tranches d'oignon à fondre à feu doux, 8 min environ. Incorporez la pâte de curry et le lait de coco. Ajoutez 15 centilitres d'eau et portez à ébullition.

6 Incorporez le poivron rouge, les haricots verts, le brocoli et le chou-fleur. Transférez dans une cocotte en terre cuite. Couvrez et placez en bas du four.

7 Remuez le tofu et la marinade, puis mettez le plat au four, vers le haut. Faites cuire 30 min. Sortez le plat et la cocotte du four. Mettez le tofu et la marinade du curry en même temps que les champignons et remuez bien.

8 Replacez la cocotte dans le four réglé sur 180 °C (th. 6) et faites cuire environ 15 min. Garnissez de ciboules et servez accompagné de riz ou de nouilles.

À SAVOIR

Le tofu est fait avec des germes de soja et se vend en blocs. Il est blanc crémeux et a une consistance solide qui ressemble à du gel. Le tofu a un goût fade et ses propriétés absorbantes lui permettent de s'imprégner du goût des marinades ou des autres aliments avec lesquels il cuit.

HARICOTS SERPENTS ET TOFU

Les haricots serpents sont également appelés « haricots d'un mètre de long ». C'est quelque peu exagéré, mais ces haricots peuvent effectivement atteindre 35 cm de long ou plus. Vous en trouverez dans les magasins de produits asiatiques. Vous pouvez également les remplacer par des haricots verts ordinaires.

Pour 4 personnes

INGRÉDIENTS
- 500 g de haricots verts longs coupés en petits segments
- 200 g de tofu soyeux coupé en dés
- 2 échalotes coupées en fines rondelles
- 20 cl de lait de coco
- 125 g de cacahuètes grillées, hachées
- 1 citron vert pressé
- 2 cuil. à café de sucre de palme ou de sucre de canne
- 4 cuil. à soupe de sauce de soja
- 1 cuil. à café de flocons de piment séché

VARIANTES
Cette recette est également délicieuse avec des haricots mange-tout. Vous pouvez aussi ajouter des poivrons rouges ou jaunes coupés en lanières.

1 Portez une casserole d'eau légèrement salée à ébullition. Plongez les haricots et faites cuire 30 s.

2 Égouttez-les immédiatement, rafraîchissez-les sous l'eau froide et égouttez à nouveau en secouant bien la passoire. Transférez-les dans un plat de service et réservez au chaud.

3 Mettez le tofu et les échalotes dans une casserole avec le lait de coco. Chauffez à feu doux en remuant jusqu'à ce que le tofu se désintègre.

4 Ajoutez les cacahuètes, le jus de citron, le sucre, la sauce de soja et les flocons de piment. Réchauffez en remuant. Versez la sauce sur les haricots, mélangez et servez.

CHAMPIGNONS À L'AIL ET À LA SAUCE PIMENTÉE

Lorsque l'on prépare un barbecue pour les amis ou la famille, il est parfois difficile de trouver des idées pour les végétariens. Ces brochettes de champignons sentent merveilleusement bon et sont délicieuses.

Pour 4 personnes

INGRÉDIENTS

- 12 gros champignons des prés ou pleurotes ou un mélange des deux
- 4 gousses d'ail hachées
- 6 racines de coriandre hachées
- 1 cuil. à soupe de sucre en poudre
- 2 cuil. à soupe de sauce de soja claire
- poivre noir moulu

Pour la sauce

- 1 cuil. à soupe de sucre en poudre
- 6 cuil. à soupe de vinaigre de riz
- 1 cuil. à café de sel
- 1 gousse d'ail écrasée
- 1 petit piment rouge frais épépiné et haché menu

1 Si vous utilisez des brochettes en bois, faites-les tremper dans l'eau froide 30 min pour les empêcher de brûler.

2 Pour préparer la sauce, faites chauffer le sucre, le vinaigre de riz et le sel dans une petite casserole en remuant de temps à autre, jusqu'à ce que le sucre et le sel soient dissous. Ajoutez l'ail et le piment, versez dans un bol de service et gardez au chaud.

3 Enfilez 3 demi-champignons sur chacune des 8 brochettes. Posez les brochettes côte à côte dans un plat peu profond.

4 Dans un mortier ou un moulin à épices, écrasez l'ail et les racines de coriandre. Mettez dans un bol et mélangez avec le sucre, la sauce de soja et un peu de poivre.

5 Badigeonnez les champignons avec le mélange à base de sauce de soja et laissez mariner 15 min. Préparez le barbecue ou préchauffez le gril et faites cuire les brochettes 2 à 3 min de chaque côté. Servez avec la sauce.

TEMPURA DE POIVRONS ET D'AUBERGINES AVEC SAUCE PIMENTÉE DOUCE

Ces légumes croquants enrobés d'une pâte extrêmement légère sont faciles à préparer et sont délicieux servis avec la sauce piquante. Même si à l'origine le tempura est une spécialité japonaise, il s'est répandu dans tout le Sud-Est asiatique, chaque pays apportant sa touche personnelle – dans le cas de la Thaïlande, une sauce pimentée douce.

Pour 4 personnes

INGRÉDIENTS
- 2 poivrons rouges
- 2 aubergines
- huile végétale pour friture

Pour la pâte du tempura
- 2 jaunes d'œufs
- 1 cuil. à café de sel
- 250 g de farine ordinaire

Pour la sauce
- 2 cuil. à café de sucre en poudre
- 1 piment rouge frais épépiné et haché menu
- 1 gousse d'ail écrasée
- 1/2 citron pressé
- 1 cuil. à café de vinaigre de riz
- 2 cuil. et 1/2 de sauce au poisson thaïlandaise
- 1/2 carotte finement râpée

1 Détaillez les aubergines en minces bâtons. Coupez les poivrons rouges en deux, épépinez-les et coupez-les en tranches.

2 Pour préparer la sauce, mélangez tous les ingrédients dans un bol et remuez jusqu'à ce que le sucre soit dissous. Couvrez avec du film plastique et réservez.

VARIANTE

La pâte de tempura est également délicieuse avec des morceaux de poisson, des grosses crevettes ou des petits calmars, ainsi qu'avec toutes sortes de légumes.

3 Préparez la pâte du tempura. Mettez les jaunes d'œufs dans une jatte et battez en versant 50 centilitres d'eau glacée. Ajoutez le sel et la farine en en réservant 2 cuillerées à soupe. Mélangez jusqu'à ce que la mixture ressemble à de la pâte à crêpes, en plus grumeleux. Si la pâte est trop épaisse, ajoutez de l'eau glacée. Ne la laissez pas reposer, utilisez-la immédiatement.

4 Versez l'huile de friture dans un wok ou une friteuse et chauffez jusqu'à ce qu'un morceau de pain brunisse en 30 s.

5 Prenez une petite poignée de bâtons d'aubergine et de tranches de poivron, farinez avec la farine réservée et trempez dans la pâte. Plongez aussitôt les légumes enrobés de pâte dans l'huile bouillante ; travaillez avec précaution car l'huile va bouillonner fortement. Répétez l'opération avec 2 ou 3 autres beignets, mais interrompez-vous à ce stade car l'huile risque de déborder.

6 Faites cuire les beignets 3 à 4 min jusqu'à ce qu'ils soient dorés et croustillants, puis sortez-les à l'aide d'une écumoire. Égouttez bien sur de l'essuie-tout et gardez au chaud.

7 Répétez l'opération jusqu'à ce que tous les légumes soient frits. Servez sans attendre accompagné de sauce.

POIVRONS FARCIS

Cette recette est originale car les poivrons farcis sont cuits à la vapeur et non au four. Le résultat est délicieusement léger et tendre.

Pour 4 personnes

INGRÉDIENTS

- 4 poivrons jaunes coupés en deux dans le sens de la longueur et épépinés
- 3 gousses d'ail hachées menu
- 2 racines de coriandre hachées menu
- 400 g de champignons coupés en quatre
- 1 cuil. à café de pâte de curry rouge
- 1 œuf légèrement battu
- 1 cuil. à soupe de sauce au poisson thaïlandaise
- 1 cuil. à soupe de sauce de soja claire
- 1/2 cuil. à café de sucre en poudre
- 3 feuilles de citron vert cafre hachées menu

VARIANTES

Si vous préférez, vous pouvez utiliser des poivrons rouges ou orangés, ou encore un mélange des deux.

1 Écrasez l'ail et la coriandre dans un mortier ou un moulin à épices. Transférez dans une jatte.

2 Mettez les champignons dans un mixer et hachez menu. Ajoutez au mélange à base d'ail, puis incorporez la pâte de curry, l'œuf, la sauce au poisson, la sauce de soja, le sucre et les feuilles de citron vert cafre.

3 Déposez les moitiés de poivrons dans le panier d'un cuit-vapeur. Farcissez-les à l'aide d'une cuillère sans trop tasser la farce sinon elle se desséchera. Portez l'eau du cuit-vapeur à ébullition, puis baissez le feu et laissez mijoter. Faites cuire les poivrons à la vapeur 15 min, jusqu'à ce qu'ils soient tendres. Servez très chaud.

LÉGUMES AIGRES-DOUX AU TOFU

Cette audacieuse et consistante friture rassasiera les convives les plus affamés. Les fritures sont toujours un bon choix lorsqu'on reçoit, car on peut préparer les ingrédients à l'avance et le temps de cuisson est très bref.

Pour 4 personnes

INGRÉDIENTS

- 250 g de feuilles chinoises (chou chinois) déchirées
- 250 g de tofu rincé, égoutté et coupé en dés d'1 cm
- 8 petits épis de maïs coupés en tranches diagonalement
- 2 poivrons rouges épépinés et coupés en tranches fines
- 200 g de haricots mange-tout équeutés et coupés en segments
- 4 échalotes
- 3 gousses d'ail
- 2 cuil. à soupe d'huile d'arachide
- 4 cuil. à café de bouillon de légumes
- 2 cuil. à soupe de sauce de soja claire
- 1 cuil. à soupe de sucre en poudre
- 2 cuil. à soupe de vinaigre de riz
- 1/2 cuil. à café de flocons de piment séché
- 1 petit bouquet de coriandre hachée

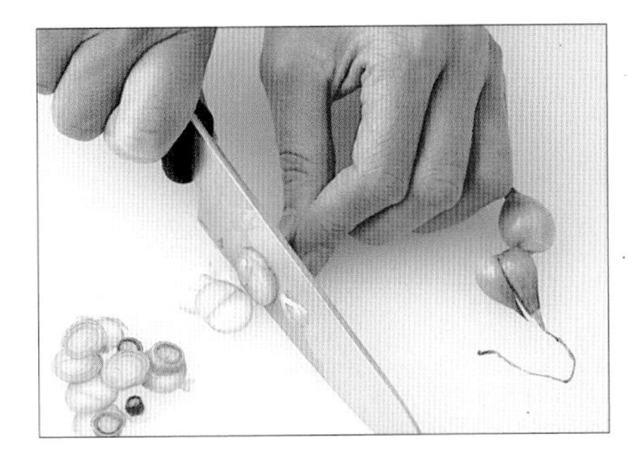

1 Coupez les échalotes en fines rondelles et hachez l'ail finement.

2 Faites chauffer l'huile dans un wok ou une grande poêle à frire et faites dorer les échalotes et l'ail à feu moyen 2 à 3 min. Ne laissez pas brûler l'ail car il prendrait un goût amer.

3 Ajoutez le chou, faites cuire 30 s en remuant, puis incorporez les épis de maïs.

4 Ajoutez les poivrons rouges, les haricots mange-tout et le tofu les uns après les autres, et remuez pendant 30 s après chaque addition.

5 Versez le bouillon et la sauce de soja. Mélangez le sucre et le vinaigre dans un petit bol jusqu'à ce que le sucre soit dissous, puis transférez dans le wok ou la poêle. Parsemez de flocons de piment et de coriandre, mélangez et servez.

FRITURE DE TOFU CROUSTILLANTE

Les asperges thaïlandaises sont plus fines que les asperges occidentales. Vous les trouverez dans les magasins thaïlandais, sinon utilisez des asperges vertes.

Pour 2 personnes

INGRÉDIENTS
- 250 g de dés de tofu frits
- 2 cuil. à soupe d'huile d'arachide
- 1 cuil. à soupe de pâte de curry vert thaïlandaise
- 2 cuil. à soupe de sauce de soja légère
- 2 feuilles de citron vert cafre enroulées en cylindres et coupées en tranches fines
- 2 cuil. à soupe de sucre en poudre
- 15 cl de bouillon de légumes
- 250 g d'asperges asiatiques épluchées et coupées en segments de 5 cm
- 2 cuil. à soupe de cacahuètes grillées, hachées menu

VARIANTE
Remplacez les asperges par de minces bâtonnets de carottes ou par des brocolis.

1 Préchauffez le gril. Posez les dés de tofu sur un gril et faites griller 2 à 3 min, puis retournez-les et attendez qu'ils soient complètement dorés. Ne les laissez surtout pas brûler. Réservez.

2 Faites chauffer l'huile dans un wok ou une poêle à frire à fond épais. Mettez la pâte de curry vert à cuire à feu moyen, 1 à 2 min, en remuant constamment.

3 Incorporez la sauce de soja, les feuilles de citron vert cafre, le sucre et le bouillon de légumes et mélangez bien. Portez à ébullition, puis baissez le feu et laissez mijoter à feu doux.

4 Ajoutez les asperges et laissez mijoter 5 min. Pendant ce temps, coupez les dés de tofu en 4 morceaux que vous mettez dans le wok ou la poêle avec les cacahuètes.

5 Mélangez afin que tous les ingrédients soient imprégnés de sauce. Transférez dans un plat préchauffé et servez aussitôt.

FRITURE DE GRAINES ET DE LÉGUMES

Le contraste entre les graines, les légumes croquants et la sauce très riche rend ce plat savoureux. Servez-le seul ou bien accompagné de riz ou de nouilles.

Pour 4 personnes

INGRÉDIENTS
- 2 cuil. à soupe de graines de sésame
- 2 cuil. à soupe de graines de tournesol
- 2 cuil. à soupe de graines de potiron
- 2 cuil. à soupe d'huile végétale
- 2 gousses d'ail hachées menu
- 1/2 cuil. à café de racine de gingembre fraîche épluchée et hachée menu
- 2 grosses carottes coupées en bâtonnets
- 2 grosses courgettes coupées en bâtonnets
- 100 g de pleurotes déchirées en morceaux
- 150 g de cresson ou de feuilles d'épinards hachées menu
- 1 petit bouquet de menthe ou de coriandre fraîche hachée
- 4 cuil. à soupe de sauce de soja foncée
- 2 cuil. à soupe de sauce de soja claire
- 1 cuil. à soupe de sucre de palme ou de sucre de canne
- 2 cuil. à soupe de vinaigre de riz

1 Faites chauffer l'huile dans un wok ou une grande poêle à frire. Mettez les 3 sortes de graines à cuire 1 min à feu moyen en remuant, puis ajoutez l'ail et le gingembre. Continuez à cuire jusqu'à ce que le gingembre devienne parfumé et que l'ail soit doré. Ne laissez pas l'ail brûler car il prendrait un goût amer.

2 Ajoutez les bâtonnets de carotte et de courgette ainsi que les pleurotes et faites frire 5 min tout en remuant, jusqu'à ce que les légumes soient tendres et dorés de toutes parts.

3 Ajoutez le cresson ou les feuilles d'épinards ainsi que les herbes fraîches. Faites cuire 1 min en remuant, puis incorporez les 2 sauces de soja, le sucre et le vinaigre. Faites frire 1 à 2 min sans cesser de remuer jusqu'à ce que tout soit bien mélangé et très chaud. Servez aussitôt.

CONSEIL

Les pleurotes ont un goût subtil, mais elles sont fragiles, aussi est-il préférable de les déchirer en morceaux en suivant les lignes des lamelles plutôt que de les couper avec un couteau.

PLATS À BASE DE RIZ

La Thaïlande est l'un des principaux producteurs mondiaux de riz à long grain et de riz gluant. Le riz parfumé thaïlandais, également appelé riz jasmin, est apprécié dans le monde entier en raison de son goût subtil. Il se marie avec les plats sucrés autant qu'avec les plats salés, et il est particulièrement délicieux lorsqu'il cuit avec du lait de coco ou qu'il est servi avec des lamelles de noix de coco rôties, comme dans la recette du riz frit thaïlandais. Les grains sont légèrement collants une fois cuits, mais beaucoup moins que ceux du riz gluant.

RIZ À LA NOIX DE COCO

Ce plat riche est en général servi avec une salade de papaye, qui équilibre la douceur du lait de coco et du sucre. C'est un mets réconfortant et délicieux qui plaît à tous.

Pour 4 à 6 personnes

INGRÉDIENTS
- 450 g de riz jasmin
- 50 cl de lait de coco
- 1/2 cuil. à café de sel
- 2 cuil. à soupe de sucre en poudre

CONSEIL
Pour les grandes occasions, servez le riz dans une moitié d'écorce de noix de coco et garnissez de lamelles de noix de coco fraîche.

1 Mettez 25 centilitres d'eau, le lait de coco, le sel et le sucre dans une casserole à fond épais. Lavez le riz dans plusieurs eaux jusqu'à ce que l'eau reste claire.

2 Ajoutez le riz jasmin, couvrez et portez à ébullition sur feu moyen. Baissez le feu et laissez mijoter à feu doux 15 à 20 min, jusqu'à ce que le riz soit tendre.

3 Éteignez le feu et laissez reposer le riz, toujours couvert, 5 à 10 min.

4 Aérez les grains à l'aide d'une fourchette et servez dans un plat préchauffé.

RIZ BRUN AU CITRON VERT ET À LA CITRONNELLE

Il est très rare de voir le riz brun cuisiné à la mode thaïlandaise, mais dans cette délicieuse recette le goût de noisette des grains est mis en valeur par le parfum des citrons verts et de la citronnelle.

Pour 4 personnes

INGRÉDIENTS

- 225 g de riz brun à longs grains
- 2 citrons verts
- 1 tige de citronnelle
- 1 cuil. à soupe d'huile d'olive
- 1 oignon haché
- 2,5 cm de racine de gingembre fraîche épluchée et hachée menu
- 1 cuil. à café et 1/2 de graines de coriandre
- 1 cuil. à café et 1/2 de graines de cumin
- 75 cl de bouillon de légumes
- 4 cuil. à soupe de coriandre fraîche hachée
- ciboules et lanières de noix de coco grillées, pour garnir
- tranches de citron vert, pour servir

1 Épluchez les citrons verts à l'aide d'un couteau cannelé en évitant de couper la peau blanche amère. Réservez l'écorce. Hachez la partie inférieure de la tige de citronnelle et réservez.

2 Rincez le riz à l'eau froide jusqu'à ce qu'elle reste claire. Versez dans une passoire et égouttez.

3 Faites chauffer l'huile dans une casserole. Mettez l'oignon, le gingembre, les graines de coriandre et de cumin, la citronnelle et l'écorce de citron à cuire à feu doux 2 à 3 min.

4 Ajoutez le riz et faites cuire 1 min en remuant constamment, puis versez le bouillon et portez à ébullition. Baissez le feu et couvrez. Faites cuire à feu doux 30 min, puis vérifiez la cuisson du riz. S'il est encore croquant, couvrez à nouveau et faites cuire 3 à 5 min de plus. Retirez du feu.

5 Incorporez la coriandre fraîche, aérez le riz à l'aide d'une fourchette, couvrez la casserole et laissez reposer 10 min. Transférez dans un plat de service préchauffé, garnissez de ciboules et de lanières de noix de coco grillées et servez avec des tranches de citron vert.

RIZ FESTIF

Ce joli plat thaïlandais est traditionnellement présenté en forme de cône entouré de toutes sortes de légumes d'accompagnement.

Pour 8 personnes

INGRÉDIENTS
- 450 g de riz jasmin
- 4 cuil. à soupe de riz bouilli
- 2 gousses d'ail écrasées
- 2 oignons coupés en tranches fines
- 1/2 cuil. à café de curcuma moulu
- 40 cl de lait de coco en boîte
- 1 à 2 tiges de citronnelle meurtries

Pour les accompagnements
- bandes d'omelette
- 2 piments rouges frais, épépinés et coupés en lanières
- morceaux de concombre
- tranches de tomate
- oignons frits
- beignets de crevettes

1 Mettez le riz jasmin dans une grande passoire, rincez-le bien puis égouttez-le.

À SAVOIR
Le riz jasmin se vend dans les magasins de produits asiatiques. Il est également appelé riz parfumé thaïlandais.

2 Faites chauffer l'huile dans une poêle équipée d'un couvercle. Mettez à cuire l'ail, les oignons et le curcuma 2 à 3 min à feu doux jusqu'à ce que les oignons deviennent translucides. Ajoutez le riz et mélangez.

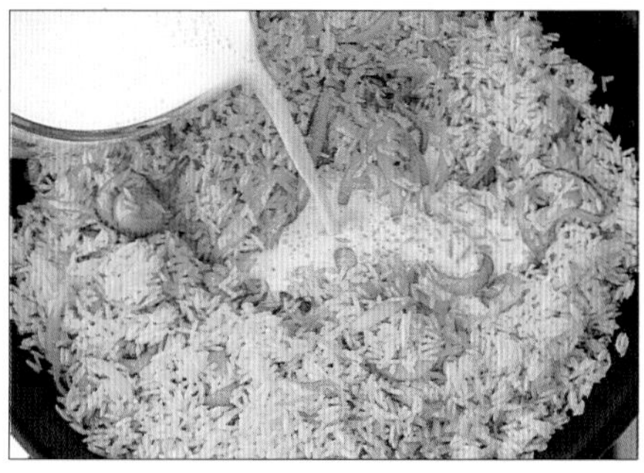

3 Versez 75 centilitres d'eau et le lait de coco puis ajoutez la citronnelle. Portez à ébullition en remuant. Couvrez et faites cuire à feu doux 12 min, jusqu'à ce que le riz ait absorbé tout le liquide.

4 Retirez la poêle du feu et soulevez le couvercle. Couvrez d'un torchon, remettez le couvercle et laissez reposer 15 min dans un endroit chaud. Retirez la citronnelle, déposez le riz sur un plat de service en lui donnant la forme d'un cône et garnissez avec les accompagnements. Servez aussitôt.

RIZ FRIT THAÏLANDAIS

Ce plat substantiel et savoureux associe du riz jasmin, des dés de poulet, du poivron rouge et des épis de maïs qui enrichissent le goût et apportent une note de couleur.

Pour 4 personnes

INGRÉDIENTS
- 350 g de riz jasmin rincé
- 50 g de lait de coco en poudre
- 2 cuil. à soupe d'huile d'arachide
- 2 gousses d'ail hachées
- 1 petit oignon haché menu
- 2,5 cm de racine de gingembre fraîche épluchée et râpée
- 225 g de blancs de poulet coupés en dés
- 1 poivron rouge épépiné et coupé en tranches
- 125 g d'épis de maïs entiers en boîte, égouttés
- 1 cuil. à café d'huile pimentée
- 1 cuil. à café de poudre de curry épicée
- 2 œufs battus
- sel
- ciboules coupées en lanières, pour garnir

1 Versez 50 centilitres d'eau dans une casserole et incorporez la poudre de lait de coco. Ajoutez le riz et portez à ébullition. Baissez le feu, couvrez et faites cuire 12 min, jusqu'à ce que le riz ait absorbé tout le liquide. Étalez le riz sur une plaque à four et laissez refroidir.

2 Faites chauffer l'huile dans un wok, mettez l'ail, l'oignon et le gingembre à revenir 2 min.

CONSEIL
Il est important de laisser le riz refroidir complètement avant de le faire frire.

3 Repoussez le mélange à base d'oignon sur les bords du wok, déposez les dés de poulet au milieu et faites cuire 2 min. Ajoutez le riz et mélangez bien. Faites frire à feu fort 3 min, jusqu'à ce que le poulet soit parfaitement cuit.

4 Incorporez le poivron rouge, le maïs, l'huile pimentée et la poudre de curry. Salez à votre goût. Faites revenir 1 min en mélangeant bien. Ajoutez les œufs et laissez cuire 1 min. Garnissez de lanières de ciboule et servez.

RIZ SAUTÉ

Cette recette est typique de la nourriture des rues que l'on mange à toute heure de la journée. On peut l'adapter selon les légumes dont on dispose, et l'on peut même ajouter de la viande ou des coquillages.

Pour 2 personnes

INGRÉDIENTS

- 100 g de riz jasmin cuit
- 2 cuil. à soupe d'huile végétale
- 2 gousses d'ail hachées menu
- 1 petit piment rouge frais épépiné et haché menu
- 50 g de noix de cajou grillées
- 50 g de noix de coco déshydratée grillée
- 1/2 cuil. à café de sucre de palme ou de sucre de canne
- 2 cuil. à soupe de sauce de soja claire
- 1 cuil. à soupe de vinaigre de riz
- 1 œuf
- 125 g de haricots verts coupés en deux
- 1/2 chou de printemps ou 125 g de légumes de printemps ou de pak-choï, hachés
- tranches de citron vert, pour servir

1 Faites chauffer l'huile dans un wok ou une grande poêle à frire à fond épais. Faites dorer l'ail à feu fort. Ne le laissez pas brûler car il prendrait un goût amer.

2 Ajoutez le piment rouge, les noix de cajou et la noix de coco. Faites sauter rapidement en empêchant la noix de coco de brûler. Incorporez le sucre, la sauce de soja et le vinaigre de riz. Faites cuire 1 à 2 min en remuant.

3 Poussez les ingrédients frits d'un côté du wok ou de la poêle et cassez l'œuf du côté vide. Dès qu'il est cuit, incorporez le mélange à base d'ail et de piment avec une cuillère en bois.

4 Ajoutez les haricots verts, le chou de printemps ou les légumes verts et le riz cuit. Faites cuire en remuant, puis transférez dans un plat et servez en proposant des tranches de citron vert séparément.

RIZ JASMIN SAUTÉ AUX CREVETTES ET AU BASILIC THAÏLANDAIS

Le basilic thaïlandais, également appelé basilic saint, a un goût unique, âcre et épicé. On en trouve dans la plupart des magasins de produits asiatiques.

Pour 4 à 6 personnes

INGRÉDIENTS

- 1 kg de riz jasmin cuit
- 350 g de crevettes cuites décortiquées
- 3 cuil. à soupe d'huile végétale
- 1 œuf battu
- 1 oignon haché
- 1 cuil. à soupe d'ail haché
- 1 cuil. à soupe de pâte de crevettes
- 50 g de petits pois décongelés
- sauce aux huîtres
- 2 ciboules hachées
- 15 à 20 feuilles de basilic thaïlandais hachées plus quelques brins, pour garnir

1 Faites chauffer 1 cuillerée à soupe d'huile dans un wok ou une poêle à frire. Versez l'œuf battu et tournez pour faire une omelette très fine.

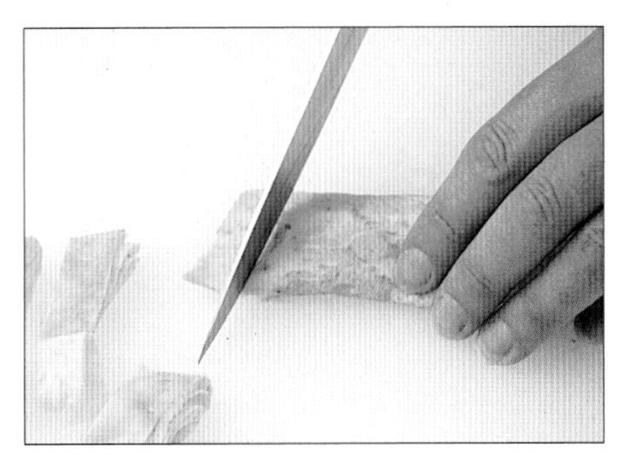

2 Laissez cuire l'omelette (d'un seul côté) à feu doux jusqu'à ce qu'elle soit dorée. Faites-la glisser sur une planche, enroulez-la et coupez-la en larges lanières. Réservez.

3 Faites chauffer le reste de l'huile dans le wok ou la poêle, mettez l'ail et l'oignon à revenir 2 à 3 min. Incorporez la pâte de crevettes et mélangez bien.

4 Ajoutez le riz cuit, les crevettes et les petits pois. Faites bien chauffer en mélangeant à fond.

5 Assaisonnez avec de la sauce aux huîtres sans en mettre trop car la pâte de crevettes est déjà très salée. Transférez dans un plat de service, garnissez de lanières d'omelette et d'un brin de basilic. Servez.

RIZ SAUTÉ AU PORC

Ce classique fait particulièrement bon effet garni de morceaux d'omelette, comme dans la recette du riz jasmin sauté aux crevettes et au basilic thaïlandais (p. 197).

Pour 4 à 6 personnes

INGRÉDIENTS
- 1 kg de riz cuit
- 125 g de viande de porc coupée en dés
- 3 cuil. à soupe d'huile végétale
- 1 cuil. à soupe d'ail haché
- 1 oignon haché
- 2 œufs battus
- 2 cuil. à soupe de sauce au poisson thaïlandaise
- 1 cuil. à soupe de sauce de soja foncée
- 1/2 cuil. à café de sucre en poudre

Pour la garniture
- 4 ciboules coupées en tranches fines
- 2 piments rouges coupés en tranches
- 1 citron vert coupé en tranches

À SAVOIR
Pour préparer 1 kilo de riz cuit, il vous faut environ 400 grammes de riz cru.

1 Faites chauffer l'huile dans un wok ou une grande poêle à frire. Faites fondre l'ail et l'oignon environ 2 min.

2 Ajoutez la viande de porc. Faites revenir jusqu'à ce qu'elle change de couleur et soit bien cuite.

3 Versez les œufs battus et faites cuire jusqu'à ce qu'ils se solidifient.

4 Ajoutez le riz et tournez de façon qu'il soit bien huilé et ne colle pas.

5 Ajoutez la sauce au poisson, la sauce de soja et le sucre, et mélangez. Laissez frire jusqu'à ce que le riz soit bien chaud. Répartissez dans des bols préchauffés, garnissez de tranches de ciboules, de piments et de citron vert. Servez aussitôt.

RIZ SAUTÉ AU BŒUF

L'une des grandes qualités de la cuisine thaïlandaise est la rapidité avec laquelle on peut préparer la viande de bonne qualité. Ce plat peut être sur la table en 15 minutes.

Pour 4 personnes

INGRÉDIENTS
- 250 g de riz jasmin cuit
- 200 g de steak de bœuf
- 1 cuil. à soupe d'huile végétale
- 2 gousses d'ail hachées menu
- 1 œuf
- 1/2 tête de brocoli de taille moyenne, hachée
- 2 cuil. à soupe de sauce de soja foncée
- 1 cuil. à soupe de sauce de soja claire
- 1 cuil. à café de sucre de palme ou de canne
- 1 cuil. à soupe de sauce au poisson thaïlandaise
- poivre noir moulu
- sauce au piment, pour servir

1 Coupez la viande en fines lanières à l'aide d'un couteau bien aiguisé.

2 Faites chauffer l'huile dans un wok ou une poêle à frire et mettez à dorer l'ail à feu doux/moyen. Ne le laissez pas brûler. Augmentez le feu, ajoutez la viande et faites cuire 2 min à feu fort.

3 Poussez les lanières de viande sur les bords du wok ou de la poêle et cassez l'œuf au milieu. Dès qu'il commence à se solidifier, mélangez-le avec la viande.

4 Incorporez le riz et mélangez tous les ingrédients en grattant le fond du wok ou de la poêle, puis ajoutez le brocoli, les 2 sauces de soja, le sucre et la sauce au poisson. Faites rissoler 2 min. Poivrez à votre goût et servez aussitôt accompagné de sauce au piment.

À SAVOIR

La sauce de soja est à base de germes de soja fermentés. La première extraction s'appelle sauce de soja claire et a un goût délicat. La sauce foncée a fermenté plus longtemps.

CURRY DE POULET AU RIZ

Ce plat, qui constitue un repas à part entière, est idéal pour recevoir de façon décontractée. On peut utiliser n'importe quelle sorte de viande à la place du poulet.

Pour 4 personnes

INGRÉDIENTS

- 1 poulet d'environ 1,5 kg ou morceaux de poulet désossés, dépiautés et coupés en bouchées
- 450 g de riz jasmin rincé et égoutté
- 4 cuil. à soupe d'huile végétale
- 4 gousses d'ail hachées menu
- 1 cuil. à café de garam masala
- 2 cuil. à café de sel
- 1 l de bouillon de poulet
- 1 petit bouquet de coriandre fraîche hachée pour garnir

CONSEIL

Vous aurez probablement besoin de faire dorer le poulet par lots successifs, aussi ne soyez pas tenté de tout mettre à la fois.

1 Faites chauffer l'huile dans un wok ou une cocotte. Mettez à dorer l'ail à feu doux/moyen. Ajoutez les morceaux de poulet, augmentez le feu et faites rissoler la viande de tous côtés (voir Conseil).

2 Ajoutez le garam masala, remuez bien, puis incorporez le riz égoutté. Salez et mélangez.

3 Versez le bouillon, mélangez à nouveau, puis couvrez et portez à ébullition. Baissez le feu et laissez mijoter 10 min, jusqu'à ce que le riz soit cuit.

4 Retirez du feu et laissez reposer 10 min à couvert. Aérez le riz à l'aide d'une fourchette et transférez le curry sur un plat. Parsemez de coriandre et servez aussitôt.

GÂTEAUX DE RIZ, SAUCE AUX CREVETTES ET AU COCO

Ces gâteaux de riz croquants demandent une préparation un peu longue mais néanmoins simple. Vous pouvez marier la délicieuse sauce avec d'autres plats, par exemple des boulettes de riz gluant.

Pour 4 à 6 personnes

INGRÉDIENTS
- 150 g de riz jasmin

Pour la sauce
- 100 g de crevettes cuites décortiquées et déveinées
- 25 cl de lait de coco
- 1 gousse d'ail hachée
- 1 petit bouquet de coriandre fraîche hachée
- 1 cuil. à soupe de sauce au poisson thaïlandaise
- 1 cuil. à soupe de sauce de soja claire
- 1 cuil. à soupe de jus de tamarin obtenu en mélangeant de la pulpe de tamarin avec de l'eau chaude
- 1 cuil. à café de sucre de palme ou de canne
- 2 cuil. à soupe de cacahuètes grillées, hachées
- 1 piment rouge frais épépiné et haché

1 Mettez le riz dans une passoire et rincez-le à l'eau froide, puis transférez-le dans une grande casserole à fond épais et ajoutez 40 centilitres d'eau bouillante. Remuez, portez à ébullition, puis baissez le feu et laissez mijoter environ 15 min à feu doux, sans couvrir, jusqu'à ce que l'eau soit complètement absorbée par le riz.

2 Réglez le feu aussi bas que possible – utilisez un diffuseur de chaleur si vous en possédez un. Faites cuire le riz 2 h ; il devrait alors être croustillant et coller au fond de la casserole. Les côtés du gâteau de riz doivent alors se décoller des parois.

3 Préchauffez le four à 180 °C (th. 6). Décollez le gâteau de riz en glissant la pointe d'un couteau tout autour des parois, soulevez et placez sur une plaque à four. Enfournez le gâteau de riz pendant 20 min jusqu'à ce qu'il soit doré et croustillant, puis laissez refroidir.

4 Pendant ce temps, préparez la sauce. Mettez tous les ingrédients dans un mixer et mixez jusqu'à obtention d'une pâte homogène. Versez dans un plat de service assez large. Servez le gâteau de riz avec la sauce. Vous pouvez le laisser entier ou coupé en tranches ou en morceaux.

VARIANTE

Si vous n'avez pas le temps de préparer les gâteaux de riz vous-même, utilisez ceux vendus en paquets dans les supermarchés. La texture en est différente et le goût assez insipide, mais la sauce arrangera les choses.

PLATS À BASE DE NOUILLES

En Thaïlande, il y a toujours un marchand de nouilles alentour. On en vend du matin au soir dans les restaurants spécialisés, sur les péniches ou sur les étals des marchands ambulants. La plupart sont faites avec du riz, mais il existe aussi des nouilles de haricots mung, très appréciées pour les fritures en raison de leur apparence vitreuse. Leur goût fade en fait un bon support pour d'autres saveurs, et elles sont en général servies très simplement avec un assortiment de sauces ou de condiments.

NOUILLES ORDINAIRES AUX QUATRE SAVEURS

Ce plat permet aux convives d'assaisonner leurs nouilles eux-mêmes en dosant les quatre saveurs à leur goût. En Thaïlande, les nouilles sont toujours servies accompagnées de bols de sauce et de condiments.

Pour 4 personnes

INGRÉDIENTS
- 350 g de nouilles sèches ou fraîches
- 4 petits piments rouges ou verts frais
- 4 cuil. de sauce au poisson thaïlandaise
- 4 cuil. de sauce de vinaigre de riz
- sucre en poudre
- poudre de piment douce ou épicée

1 Préparez les 4 saveurs. Pour la première, hachez finement 2 petits piments rouges ou verts en jetant ou non les graines, au choix. Mettez-les dans un bol et ajoutez la sauce au poisson thaïlandaise.

2 Pour la deuxième saveur, hachez finement les 2 autres piments et mélangez-les avec le vinaigre de riz dans un bol. Mettez le sucre et la poudre de piment dans des bols séparés, pour les deux dernières saveurs.

3 Faites cuire les nouilles en vous conformant aux instructions figurant sur le paquet. Égouttez, versez dans une jatte et servez aussitôt avec les 4 bols de saveurs.

NOUILLES THAÏLANDAISES À LA CIBOULETTE CHINOISE

Cette recette exige une préparation assez longue, mais le temps de cuisson est très rapide. Tout est cuit dans un wok très chaud et doit être mangé aussitôt. Délicieux et consistant, ce plat végétarien est idéal pour un déjeuner de week-end.

Pour 4 personnes

INGRÉDIENTS
- 350 g de nouilles de riz séchées
- 2 grosses bottes de ciboulette coupées en segments de 5 cm
- 1 cm de racine de gingembre fraîche épluchée et râpée
- 2 cuil. à soupe de sauce de soja claire
- 3 cuil. à soupe d'huile végétale
- 225 g de Quorn (microprotéine) coupé en petits dés
- 2 gousses d'ail écrasées
- 1 gros oignon coupé en fines lamelles
- 125 g de tofu séché coupé en tranches fines
- 1 piment vert frais épépiné et coupé en tranches fines
- 175 g de germes de soja
- 50 g de cacahuètes grillées, pilées
- 2 cuil. à soupe de sauce de soja foncée

Pour la garniture
- 2 cuil. à soupe de coriandre fraîche hachée et 1 citron coupé en tranches

1 Mettez les nouilles dans une jatte, recouvrez d'eau chaude et laissez tremper 30 min. Égouttez et réservez.

2 Dans une jatte, mélangez le gingembre, la sauce de soja claire et 1 cuillerée à soupe d'huile. Ajoutez le Quorn, puis laissez reposer 10 min. Égouttez et réservez la marinade.

3 Faites chauffer 1 cuillerée à soupe d'huile dans une poêle et mettez à cuire l'ail quelques instants. Ajoutez le Quorn égoutté et faites frire 3 à 4 min. Avec une écumoire, transférez le Quorn dans un plat et réservez.

4 Faites chauffer le reste de l'huile dans la poêle et mettez à fondre l'oignon 3 à 4 min. Ajoutez le tofu et le piment, faites revenir rapidement, puis incorporez les nouilles. Faites sauter à feu moyen 4 à 5 min.

5 Incorporez les germes de soja, la ciboulette et la plus grande partie des cacahuètes pilées en en gardant un peu pour la garniture. Mélangez bien, puis ajoutez le Quorn, la sauce de soja foncée et la marinade réservée.

6 Une fois le plat chaud, répartissez dans 4 assiettes et garnissez avec le reste des cacahuètes pilées, la coriandre et le citron.

NOUILLES SAUTÉES THAÏLANDAISES

Le phat thaï a une texture et un goût plaisants. Préparé avec des nouilles de riz, il est considéré comme l'un des plats nationaux de la Thaïlande.

Pour 4 à 6 personnes

INGRÉDIENTS

- 350 g de nouilles de riz
- 16 grosses crevettes crues
- 3 cuil. à soupe d'huile végétale
- 1 cuil. à soupe d'ail haché
- 2 œufs légèrement battus
- 1 cuil. à soupe de crevettes séchées rincées
- 2 cuil. à soupe de condiment de daikon
- 50 g de tofu frit coupé en petites tranches
- 1/2 cuil. à café de flocons de piment séché
- 1 grosse botte de ciboulette coupée en segments de 5 cm
- 225 g de germes de soja
- 50 g de cacahuètes grillées, pilées
- 1 cuil. à café de sucre cristallisé
- 1 cuil. à soupe de sauce de soja foncée
- 2 cuil. à soupe de sauce au poisson thaïlandaise
- 2 cuil. à soupe de jus de tamarin obtenu en diluant de la pâte de tamarin dans de l'eau chaude

Pour la garniture

- feuilles de coriandre fraîches
- tranches de citron vert

1 Décortiquez les crevettes en laissant les queues. Incisez le long du dos et retirez la veine noire.

2 Mettez les nouilles de riz dans une jatte, couvrez d'eau chaude et laissez tremper 20 à 30 min, puis égouttez et réservez.

3 Faites chauffer 1 cuillerée à soupe d'huile dans un wok. Mettez à dorer l'ail. Ajoutez les crevettes et faites cuire 1 à 2 min, jusqu'à ce qu'elles rosissent. Retirez du feu et réservez.

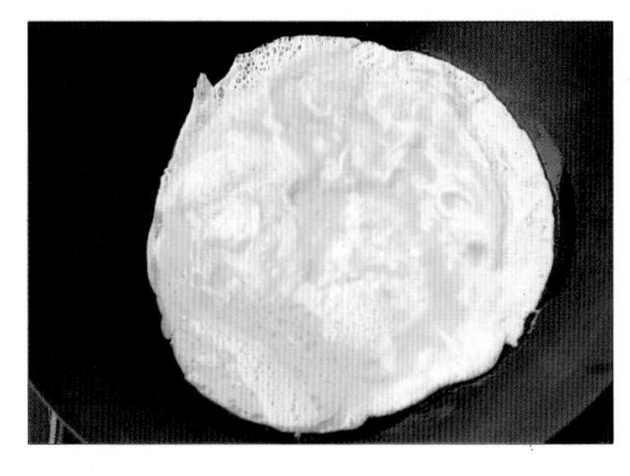

4 Faites chauffer 1 cuillerée à soupe d'huile dans le wok. Versez les œufs et remuez pour préparer des œufs brouillés. Sortez-les du wok et réservez-les avec les crevettes.

5 Faites chauffer le reste d'huile dans le wok. Ajoutez les crevettes séchées, le condiment de daikon, les tranches de tofu et les flocons de piment séché. Mélangez. Incorporez les nouilles et faites frire 5 min en remuant.

6 Ajoutez la ciboulette, la moitié des germes de soja et des cacahuètes. Incorporez le sucre cristallisé, puis assaisonnez de sauce de soja, sauce au poisson et jus de tamarin. Mélangez et faites cuire jusqu'à ce que les nouilles soient bien chaudes.

7 Remettez le mélange aux crevettes et aux œufs dans le wok et remuez. Garnissez avec le reste des germes de soja et des cacahuètes ainsi qu'avec des feuilles de coriandre et des tranches de citron vert. Servez.

À SAVOIR

Il existe de nombres espèces de crevettes allant du noir au blanc, mais presque toutes deviennent roses à la cuisson. Les vraies crevettes du Pacifique indien (il en existe plusieurs sortes) ont une texture agréable et un goût délicieux. Elles peuvent atteindre 28 cm de long. Cependant, toutes les grosses crevettes ne sont pas de la même qualité, et même les crevettes d'élevage coûtent assez cher.

NOUILLES SAUTÉES AUX ÉPICES

Ce plat peut être adapté de façon à inclure vos ingrédients préférés, à condition de bien respecter l'équilibre des saveurs, des textures et des couleurs.

Pour 4 personnes

INGRÉDIENTS

- 225 g de nouilles aux œufs
- 4 cuil. à soupe d'huile végétale
- 2 gousses d'ail hachées menu
- 175 g de filet de porc coupé en fines lanières
- 1 blanc de poulet d'environ 175 g coupé en fines lanières
- 125 g de crevettes décortiquées cuites, rincées s'il s'agit de crevettes en boîte
- 3 cuil. à soupe de jus de citron frais
- 3 cuil. à soupe de sauce au poisson thaïlandaise
- 2 cuil. à soupe de sucre roux
- 2 œufs battus
- 1/2 piment rouge frais épépiné et haché menu
- 50 g de germes de soja
- 4 cuil. à soupe de cacahuètes grillées, hachées
- 3 ciboules coupées en segments de 5 cm
- 3 cuil. à soupe de coriandre fraîche hachée

1 Portez une grande casserole d'eau à ébullition. Plongez les nouilles, retirez la casserole du feu et laissez reposer 5 min.

2 Pendant ce temps, faites chauffer 3 cuillerées à soupe d'huile dans un wok ou une grande poêle à frire, et mettez l'ail à cuire 30 s. Ajoutez le porc et le poulet et faites brunir, puis incorporez les crevettes et faites revenir 2 min.

3 Versez le jus de citron, puis la sauce au poisson et le sucre. Faites frire jusqu'à ce que le sucre soit dissous.

4 Égouttez les nouilles et transférez-les dans le wok ou la poêle avec 1 cuillerée à soupe d'huile. Mélangez tous les ingrédients.

5 Versez les œufs battus sur les nouilles et faites frire, puis ajoutez le piment haché et les germes de soja.

6 Partagez en deux portions égales les cacahuètes grillées, les ciboules et les feuilles de coriandre. Mettez l'une des portions dans la poêle et faites frire 2 min.

7 Transférez les nouilles dans un plat de service. Garnissez avec le reste de cacahuètes grillées, les ciboules et la coriandre hachée. Servez aussitôt.

CONSEIL

Gardez les germes de soja au réfrigérateur et utilisez dans les 24 h après l'achat car ils tendent à se ramollir et à devenir gluants très rapidement. Les germes de soja les plus couramment utilisés sont les haricots mung germés, mais vous pouvez utiliser d'autres variétés.

CHOW MEIN SPÉCIAL

Cette recette est une illustration de l'influence de la Chine sur la cuisine thaïlandaise. Le lap cheong est une saucisse chinoise séchée à l'air que l'on trouve dans la plupart des supermarchés chinois.

Pour 4 à 6 personnes

INGRÉDIENTS
- 450 g de nouilles aux œufs
- 3 cuil. à soupe d'huile végétale
- 2 gousses d'ail coupées en rondelles
- 1 cuil. à café de racine de gingembre fraîche hachée
- 2 piments rouges frais épépinés et hachés
- 2 lap cheong d'un poids total de 75 g, rincés et coupés en tranches (facultatif)
- 1 blanc de poulet coupé en tranches fines
- 16 grosses crevettes crues décortiquées, mais avec les queues et déveinées
- 125 g de haricots verts
- 225 g de germes de soja
- 1 petite botte de ciboulette
- 2 cuil. à soupe de sauce de soja
- 1 cuil. à soupe de sauce aux huîtres
- 1 cuil. à soupe d'huile de sésame
- sel et poivre noir moulu

Pour la garniture
- 2 ciboules et feuilles de coriandre hachées

1 Faites cuire les nouilles dans une grande casserole d'eau bouillante en vous conformant aux instructions figurant sur le paquet. Égouttez bien.

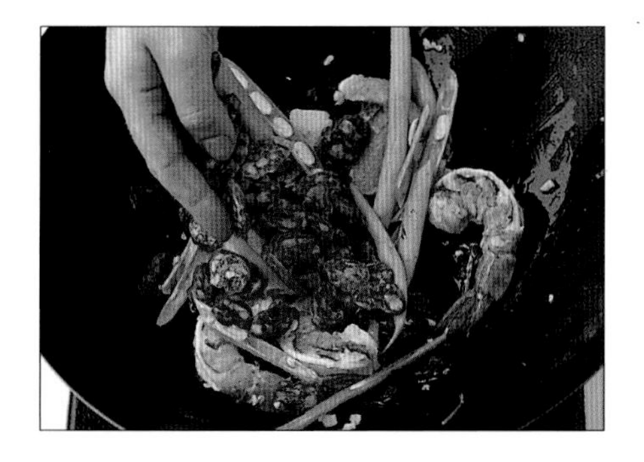

2 Faites chauffer 1 cuillerée à soupe d'huile dans un wok ou une grande poêle à frire et mettez à revenir l'ail, le gingembre et les piments 2 min. Ajoutez les lap cheong, le poulet, les crevettes et les haricots. Faites frire à feu fort 2 min, jusqu'à ce que le poulet et les crevettes soient bien cuits. Transférez dans une jatte et réservez.

3 Faites chauffer le reste de l'huile dans le wok. Mettez les germes de soja et la ciboulette à revenir 1 à 2 min.

4 Ajoutez les nouilles égouttées et mélangez sur le feu. Assaisonnez avec la sauce de soja et la sauce aux huîtres. Salez et poivrez à votre goût. Remettez le mélange à base de crevettes dans le wok, mélangez avec les nouilles et réchauffez à fond.

5 Incorporez l'huile de sésame. Versez le tout dans une jatte préchauffée, garnissez de ciboules et de feuilles de coriandre hachées, et servez.

MEE KROB

Le nom de ce plat, très populaire en Thaïlande, signifie « nouilles frites ». Le goût est un curieux mélange de doux et d'épicé, de salé et d'aigre, tandis que la consistance est à la fois caoutchouteuse et croustillante. Pour certains palais occidentaux, ce mets est un peu déroutant, mais passé le premier effet de surprise, il est délicieux.

Pour 1 personne

INGRÉDIENTS
- huile végétale pour friture
- 125 g de vermicelles de riz

Pour la sauce
- 2 cuil. à soupe d'huile végétale
- 125 g de tofu frit coupé en fines lanières
- 2 gousses d'ail hachées menu
- 2 petites échalotes hachées menu
- 1 cuil. à soupe de sauce de soja claire
- 2 cuil. à soupe de sucre de palme ou de canne
- 4 cuil. à soupe de bouillon de légumes
- 1 citron vert pressé
- 1/2 cuil. à café de flocons de piment séché

Pour la garniture
- 1 cuil. à soupe d'huile végétale
- 1 œuf légèrement battu
- 25 g de germes de soja
- 1 ciboule hachée menu
- 1 piment rouge frais épépiné et haché menu
- 1 tête d'ail en saumure entière, coupée en tranches en travers du bulbe de façon que chaque tranche ressemble à une fleur

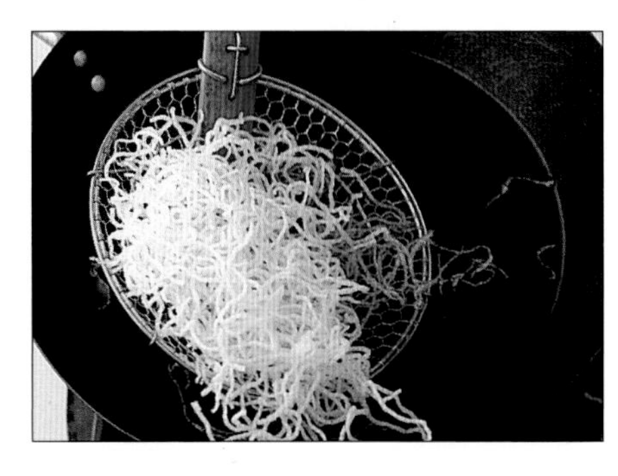

1 Faites chauffer l'huile pour friture dans un wok ou une grande poêle à frire. Mettez les nouilles à sauter jusqu'à ce qu'elles deviennent croustillantes et dorées. Égouttez sur de l'essuie-tout et réservez.

2 Préparez la sauce. Faites chauffer l'huile dans un wok, mettez le tofu frit à cuire à feu moyen afin qu'il devienne croustillant. Avec une écumoire, transférez-le sur une assiette.

3 Mettez l'ail et les échalotes à dorer dans le wok. Ajoutez la sauce de soja, le sucre, le bouillon de légumes, le jus de citron et les flocons de piment. Faites cuire en remuant afin que le mélange commence à caraméliser.

4 Ajoutez le tofu réservé et remuez jusqu'à ce qu'il ait absorbé une partie du liquide. Retirez le wok du feu et réservez.

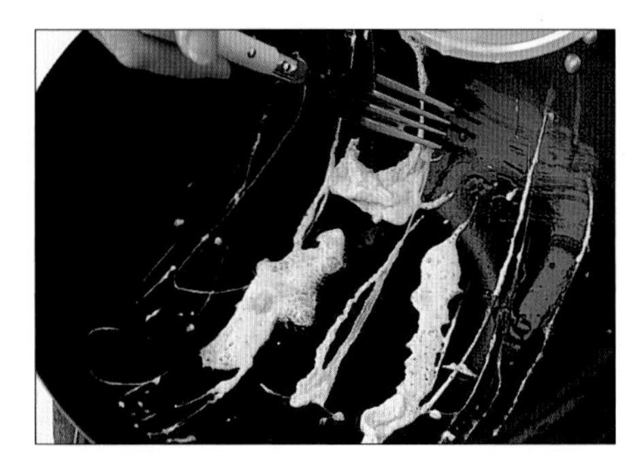

5 Pour la garniture à l'œuf, faites chauffer l'huile dans un wok ou une poêle. Versez l'œuf peu à peu en formant de petits filaments. Dès qu'ils durcissent, sortez-les du wok et posez-les sur un plat.

6 Émiettez les nouilles dans la sauce au tofu, mélangez, puis versez dans une jatte de service préchauffée. Parsemez de germes de soja, ciboule, filaments d'œuf frits, piment haché et « fleurs d'ail ».

À SAVOIR

La réussite des plats frits dépend en grande partie du type d'huile utilisée et de la température à laquelle on la chauffe. Une huile au goût fade, comme celle de tournesol, ne dénaturera pas la saveur des aliments. Toutes les huiles ont une température à partir de laquelle elles se décomposent et fument. La plupart des huiles végétales peuvent atteindre une température très élevée avant de fumer, la meilleure et la plus sûre étant l'huile d'arachide.

NOUILLES AUX LÉGUMES ÉPICÉES ET SUCRÉES

Ce plat de nouilles a la couleur du feu, mais le goût épicé est à peine perceptible. La sauce aux prunes et au gingembre lui donne un arôme fruité, tandis que le citron vert apporte une délicieuse note acidulée.

Pour 4 personnes

INGRÉDIENTS

- 125 g de nouilles de riz séchées
- 2 cuil. à soupe d'huile d'arachide
- 2,5 cm de racine de gingembre fraîche coupée en minces bâtonnets
- 1 gousse d'ail écrasée
- 125 g de pousses de bambou en boîte, coupées en minces bâtonnets
- 2 carottes de taille moyenne coupées en bâtonnets
- 125 g de germes de soja
- 1 petit chou blanc coupé en lanières
- 2 cuil. à soupe de sauce au poisson thaïlandaise
- 2 cuil. à soupe de sauce de soja
- 2 cuil. à soupe de sauce aux prunes
- 2 cuil. à café d'huile de sésame
- 1 cuil. à soupe de sucre de palme ou de canne
- 1/2 citron vert pressé
- 100 g de daikon coupé en bâtonnets
- 1 petit bouquet de coriandre fraîche hachée
- 4 cuil. à soupe de graines de sésame grillées, pour garnir

1 Faites cuire les nouilles dans une grande casserole d'eau bouillante selon les instructions figurant sur le paquet. Parallèlement, faites chauffer l'huile dans un wok ou une grande poêle et mettez à revenir le gingembre et l'ail 2 à 3 min à feu moyen.

2 Égouttez les nouilles et réservez. Mettez les pousses de bambou dans le wok, augmentez le feu et faites frire à feu fort 5 min. Ajoutez les carottes, les germes de soja et le chou et faites sauter 5 min, jusqu'à ce que les bords commencent à rissoler.

3 Incorporez les sauces, l'huile de sésame, le sucre et le jus de citron vert. Ajoutez le daikon et la coriandre, mélangez, puis versez dans 4 bols préchauffés. Parsemez de graines de sésame grillées et servez.

CONSEIL

Utilisez un grand couteau aiguisé pour couper le chou. Retirez les feuilles extérieures si elles sont dures, puis coupez le chou en quatre, ôtez la partie dure de chaque quartier, placez sur une planche à découper, côté plat tourné vers le bas, et détaillez le chou en tranches très fines.

CURRY DE NOUILLES DU SUD

Pour ajouter des protéines à ce plat, on peut utiliser du poulet ou du porc. Facile et rapide à préparer, c'est un snack idéal si l'on a peu de temps pour cuisiner.

Pour 2 personnes

INGRÉDIENTS
- 250 g de nouilles aux œufs de taille moyenne séchées
- 2 cuil. à soupe d'huile végétale
- 2 cuil. à café de pâte magique
- 1 tige de citronnelle hachée menu
- 1 cuil. à café de pâte de curry rouge thaïlandaise
- 100 g de blanc de poulet ou de filet de porc coupé en tranches
- 2 cuil. à soupe de sauce de soja claire
- 40 cl de lait de coco
- 2 feuilles de citron vert cafre enroulées en forme de cylindre et coupées en tranches fines
- 100 g de feuilles chinoises (chou chinois) coupées en lanières
- 100 g d'épinards ou de cresson coupés en lanières
- 1 citron vert pressé
- 1 petit bouquet de coriandre fraîche hachée, pour garnir

1 Faites chauffer l'huile dans un wok ou une grande poêle à fond épais. Mettez la pâte magique et la citronnelle et faites frire 4 à 5 s à feu doux ou moyen, jusqu'à ce qu'elles deviennent parfumées.

2 Incorporez la pâte de curry, puis ajoutez le poulet ou le porc. Faites revenir à feu moyen ou fort 2 min en remuant jusqu'à ce que la viande soit bien enrobée de pâte et dorée.

3 Ajoutez la sauce de soja, le lait de coco et les feuilles de citron vert. Portez au point d'ébullition puis versez les nouilles. Laissez mijoter à feu doux 4 min, en remuant de temps à autre.

4 Ajoutez les feuilles chinoises et les épinards ou le cresson, mélangez bien, puis incorporez le jus de citron vert. Transférez dans un saladier préchauffé, parsemez de coriandre hachée et servez.

NOUILLES CHIANGMAI

Ce plat de nouilles associe des nouilles bouillies molles et des nouilles frites croustillantes avec l'habituelle panoplie thaïlandaise de saveur douces amères et épicées.

Pour 4 personnes

INGRÉDIENTS
- 100 g de nouilles de riz séchées fines
- 25 cl de crème de coco
- 1 cuil. à soupe de pâte magique
- 1 cuil. à café de pâte de curry rouge thaïlandaise
- 450 g de cuisses de poulet désossées et coupées en petits morceaux
- 2 cuil. à soupe de sauce de soja foncée
- 2 poivrons rouges épépinés et coupés en petits dés
- 60 cl de bouillon de poulet ou de légumes

Pour les garnitures
- huile végétale pour friture
- 100 g de nouilles de riz séchées fines
- 2 gousses d'ail en saumure hachées
- 1 petit bouquet de coriandre fraîche hachée
- 2 citrons verts coupés en tranches

1 Versez la crème de coco dans un grand wok ou une poêle à frire et portez à ébullition sur feu moyen. Continuez de faire bouillir 8 à 10 min en remuant souvent, jusqu'à ce que le lait commence à cailler et qu'un reflet huileux apparaisse à la surface.

2 Mettez la pâte magique et la pâte de curry rouge à cuire 3 à 5 s, en remuant, afin que le mélange devienne parfumé.

3 Mettez les morceaux de poulet à cuire en remuant, jusqu'à ce qu'ils soient dorés. Incorporez la sauce de soja et les dés de poivrons et faites sauter 3 à 4 min. Versez le bouillon, portez à ébullition, puis baissez le feu et laissez mijoter 10 à 15 min, jusqu'à ce que le poulet soit bien cuit.

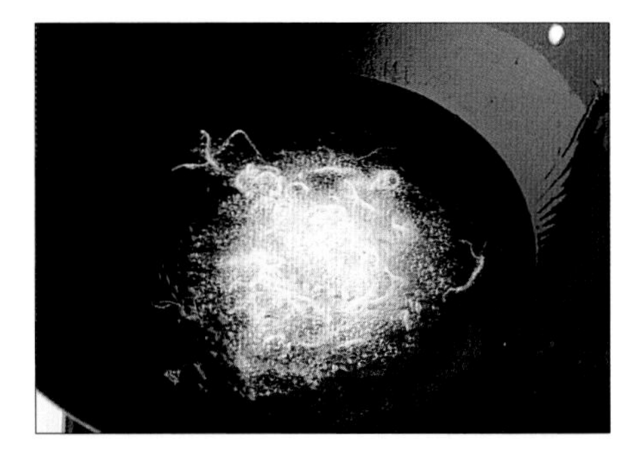

4 Parallèlement, préparez la garniture à base de nouilles. Faites chauffer l'huile dans une poêle à frire. Cassez les nouilles en deux, puis répartissez-les en 4 portions. Mettez-les dans l'huile à raison d'une portion à la fois. Elles vont aussitôt gonfler. Dès qu'elles deviennent croustillantes, retirez-les du feu à l'aide d'une écumoire puis égouttez-les sur de l'essuie-tout.

5 Portez une grande casserole d'eau à ébullition et faites cuire les nouilles fraîches ou séchées en vous conformant aux instructions figurant sur l'emballage. Égouttez-les bien, répartissez-les dans 4 assiettes préchauffées, puis versez la sauce au curry dessus. Garnissez chaque portion de nouilles frites, parsemez d'ail et de coriandre, puis servez aussitôt en présentant les tranches de citron vert séparément.

CONSEIL

Si vous voulez servir ce plat à des invités, vous pouvez gagner du temps en préparant la garniture de nouilles à l'avance. Faites frire les nouilles quelques heures avant de les utiliser et égouttez-les sur de l'essuie-tout. Transférez-les sur une grille à pâtisserie garnie d'essuie-tout et réservez.

NOUILLES CELLOPHANE AU PORC

Simple, délicieux et vite prêt, ce plat est une excellente manière d'accommoder les nouilles de haricots mung. Il est très apprécié dans toute la Thaïlande.

Pour 2 personnes

INGRÉDIENTS
- 200 g de nouilles Cellophane
- 1/2 cuil. à soupe d'huile végétale
- 1 cuil. à soupe de pâte magique
- 200 g de viande de porc hachée
- 1 piment rouge ou vert frais épépiné et haché menu
- 300 g de germes de soja
- 1 botte de ciboules hachées menu
- 2 cuil. à soupe de sauce de soja
- 2 cuil. à soupe de sauce au poisson thaïlandaise
- 2 cuil. à soupe de sauce au piment douce
- 1 cuil. à soupe de sucre de palme ou de canne
- 2 cuil. à soupe de vinaigre de riz

Pour la garniture
- 2 cuil. à soupe de sauce de cacahuètes grillées, hachées
- 1 petit bouquet de coriandre fraîche hachée

1 Mettez les nouilles dans une jatte, recouvrez d'eau bouillante et laissez tremper 10 min. Égouttez les nouilles et réservez.

2 Faites chauffer l'huile dans un wok ou une grande poêle à fond épais. Mettez la pâte magique à frire 2 à 3 s, puis ajoutez la viande de porc. Faites revenir la viande en la cassant avec une spatule en bois pendant 2 à 3 min, jusqu'à ce qu'elle brunisse.

3 Mettez le piment haché à frire 3 à 4 s, puis incorporez les germes de soja et les ciboules hachées en faisant revenir quelques secondes après chaque addition.

4 Coupez les nouilles en segments de 5 cm et mettez-les dans le wok en même temps que la sauce de soja, la sauce au poisson, la sauce au piment douce, le sucre et le vinaigre de riz.

5 Mélangez les ingrédients jusqu'à ce que les nouilles soient chaudes. Transférez sur un plat de service en donnant une forme de pyramide. Parsemez de cacahuètes et de coriandre et servez immédiatement.

VARIANTE

Ce plat est tout aussi délicieux avec du poulet. Remplacez la viande de porc par la même quantité de blancs de poulet.

NOUILLES ET LÉGUMES, SAUCE AU LAIT DE COCO

Lorsque l'on utilise les légumes à la mode thaïlandaise, le résultat est délicieux et plaît à tout le monde. Les nouilles rendent ce plat plus consistant et apportent un contraste de texture.

Pour 4 à 6 personnes

INGRÉDIENTS

- 150 g de nouilles aux œufs séchées
- 2 cuil. à soupe d'huile de tournesol
- 1 tige de citronnelle hachée menu
- 1 cuil. à soupe de pâte de curry rouge thaïlandaise
- 1 oignon coupé en tranches épaisses
- 3 courgettes coupées en tranches épaisses
- 125 g de chou frisé de Milan coupé en tranches épaisses
- 2 carottes coupées en tranches épaisses
- 150 g de brocoli, tige coupée en tranches épaisses et tête en gros morceaux
- 75 cl de lait de coco en boîte
- 50 cl de bouillon de légumes
- 1 cuil. à soupe de sauce au poisson thaïlandaise
- 2 cuil. à soupe de sauce de soja
- 4 cuil. à soupe de coriandre fraîche hachée

Pour la garniture

- 2 tiges de citronnelle
- 1 bouquet de coriandre fraîche
- 8 à 10 petits piments rouges frais

1 Faites chauffer l'huile dans un wok ou une grande poêle à frire. Mettez la citronnelle et la pâte de curry rouge à frire 2 à 3 s, puis faites fondre l'oignon à feu moyen environ 5 à 10 min, en remuant de temps en temps.

2 Ajoutez les courgettes, le chou, les carottes et les tranches de tige de brocoli. Mélangez les légumes ainsi que la mixture à base d'oignon à l'aide de 2 cuillères en bois. Baissez le feu et laissez mijotez 5 min en remuant de temps en temps.

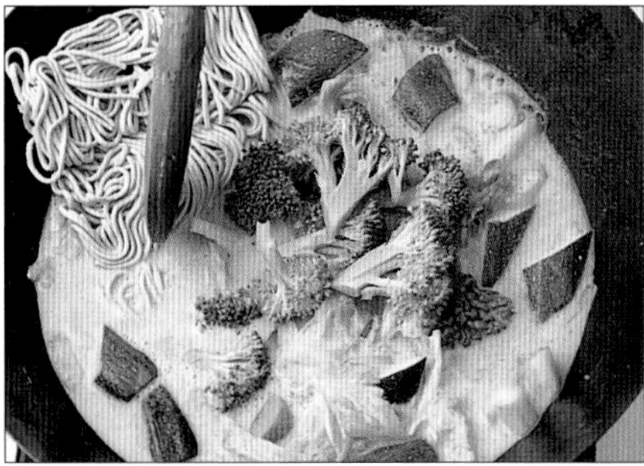

3 Augmentez le feu, versez le lait de coco et le bouillon de légumes et portez à ébullition sur feu moyen. Ajoutez les morceaux de tête de brocoli et les nouilles, baissez le feu et laissez mijoter à feu doux 20 min.

4 Pendant ce temps, préparez la garniture. Ouvrez les tiges de citronnelle en deux dans le sens de la longueur. Ramassez la coriandre de façon à en faire un bouquet et placez-le sur le bord incurvé d'un plat.

5 Placez les moitiés de tige de citronnelle dans le bouquet de coriandre et ajoutez les piments.

6 Incorporez la sauce au poisson, la sauce de soja et la coriandre hachée dans le mélange à base de nouilles. Transférez sur le plat à côté du bouquet d'herbes et servez aussitôt.

NOUILLES CROUSTILLANTES THAÏLANDAISES AU BŒUF

Avant d'être ajoutés à ce plat bien nourrissant, les vermicelles de riz sont frits et quadruplent ainsi de volume.

Pour 4 personnes

INGRÉDIENTS

- 175 g de vermicelles de riz
- 450 g de romsteck
- sauce teriyaki pour badigeonner
- huile d'arachide pour friture
- 8 ciboules coupées en tranches diagonalement
- 2 gousses d'ail écrasées
- 4 à 5 carottes coupées en bâtonnets
- 1 à 2 piments rouges frais épépinés et hachés menu
- 2 petites courgettes coupées en tranches diagonalement
- 1 cuil. à café de racine de gingembre fraîche râpée
- 4 cuil. à soupe de vinaigre de riz
- 6 cuil. à soupe de sauce de soja claire
- 50 cl de bouillon épicé

1 Aplatissez le steak de façon qu'il fasse environ 2,5 cm d'épaisseur. Mettez-le dans un plat peu profond, badigeonnez généreusement avec la sauce teriyaki et laissez mariner 2 à 4 h.

2 Séparez les vermicelles de riz en poignées faciles à manipuler. Versez de l'huile dans un grand wok à hauteur de 5 cm et faites chauffer très fort.

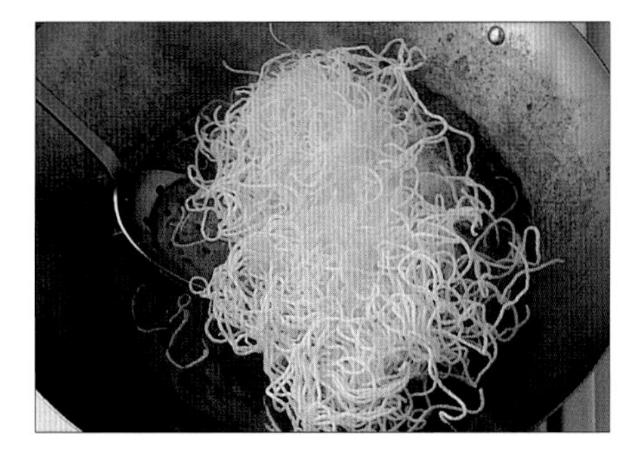

3 Mettez une poignée de vermicelles dans l'huile. Retournez-les presque aussitôt pour cuire l'autre côté, puis égouttez-les sur de l'essuie-tout. Répétez l'opération avec le reste des vermicelles. Transférez les nouilles cuites dans un wok séparé ou un saladier de service et gardez-les au chaud pendant que vous faites cuire le steak et les légumes.

4 Filtrez l'huile contenue dans le wok dans une jatte allant au feu et réservez. Faites chauffer 1 cuillerée à soupe d'huile d'arachide dans le wok nettoyé. Dès que l'huile se met à grésiller, faites frire le steak 30 s de chaque côté jusqu'à ce qu'il brunisse. Transférez sur une planche à découper et coupez en grosses tranches. La viande doit être bien dorée à l'extérieur et encore rose à l'intérieur. Réservez.

5 Ajoutez un peu d'huile dans le wok, mettez les ciboules, l'ail et les carottes à frire à feu moyen 5 à 6 min, jusqu'à ce que les carottes ramollissent et deviennent brillantes. Incorporez les piments, les courgettes et le gingembre et faites cuire 1 à 2 min.

6 Versez le vinaigre de riz, la sauce de soja et le bouillon. Faites cuire 4 min, jusqu'à ce que la sauce commence à épaissir. Remettez les tranches de steak dans le wok et continuez la cuisson 1 à 2 min.

7 Répandez le steak, les légumes et la sauce sur les nouilles, et mélangez avec précaution. Servez aussitôt.

CONSEIL

Dès que vous versez le mélange à base de viande sur les nouilles, elles se ramollissent dans la sauce. Si vous voulez en garder quelques-unes croustillantes, laissez-les à la surface pour éviter qu'elles entrent en contact avec le liquide.

ACCOMPAGNEMENTS

Le repas traditionnel thaïlandais au sens strict du terme consiste en plusieurs plats plutôt qu'en un seul plat de résistance entouré de plats d'accompagnement. Cependant, pour vous aider à programmer vos menus, ce chapitre présente tout un assortiment de recettes à base de légumes et de salades qui se marient particulièrement bien avec les plats de viande, de volaille, de poisson et de légumes. L'association classique de textures croustillantes et de saveurs douces amères, épicées et aromatiques, fournit un complément rafraîchissant et équilibrant aux currys et autres plats de résistance présentés dans cet ouvrage.

SALADE DE PAPAYE VERTE

Cette salade revêt diverses formes dans le Sud-Est asiatique. La papaye verte étant difficile à trouver, vous pouvez la remplacer par des carottes, des concombres ou même des pommes vertes râpés. Sinon, vous pouvez aussi utiliser du chou blanc coupé en tranches très fines.

Pour 4 personnes

INGRÉDIENTS
- 1 papaye verte
- 4 gousses d'ail hachées
- 1 cuil. d'échalotes hachées
- 3 à 4 piments rouges frais épépinés et coupés en tranches
- 1/2 cuil. à café de sel
- 2 à 3 haricots serpents ou 6 haricots verts coupés en segments de 2 cm
- 2 tomates coupées en tranches fines
- 3 cuil. à soupe de sauce au poisson thaïlandaise
- 1 cuil. à soupe de sucre en poudre
- 1 citron vert pressé
- 2 cuil. à soupe de cacahuètes grillées
- tranches de piment rouge frais, pour garnir

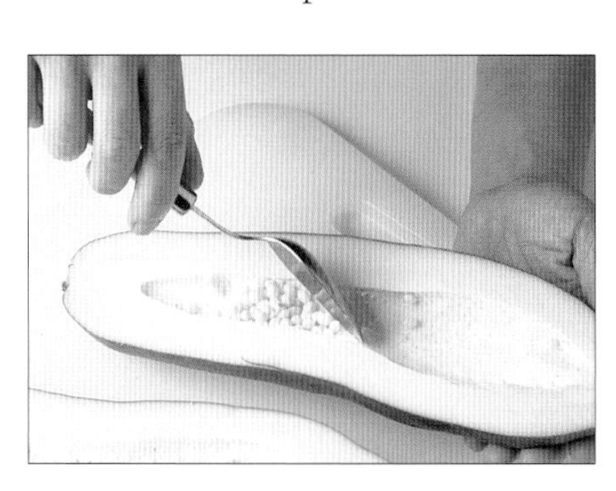

1 Coupez la papaye en deux dans le sens de la longueur. Retirez les graines à l'aide d'une cuillère et jetez-les, puis épluchez-la. Râpez la chair finement à l'aide d'un robot ou d'une râpe.

2 Mettez l'ail, les échalotes, les piments rouges et le sel dans un grand mortier et pilez le tout. Ajoutez la papaye par petites quantités en pilant jusqu'à ce qu'elle se ramollisse.

3 Ajoutez les haricots serpents ou les haricots verts coupés en segments et les tranches de tomates, puis écrasez-les à l'aide du pilon de façon à les incorporer.

4 Assaisonnez avec la sauce au poisson, le sucre et le jus de citron vert. Transférez la salade dans un plat de service et parsemez de cacahuètes grillées préalablement écrasées. Garnissez de piments rouges coupés en tranches et servez.

YAM DE LÉGUMES CRUS

Le mot « yam » sert à désigner un type de cuisine thaïlandaise unique. Les yams sont des salades de légumes crus ou très peu cuits assaisonnées avec une sauce épicée spéciale.

Pour 4 personnes

INGRÉDIENTS
- 50 g de cresson ou d'épinards hachés
- 1/2 concombre coupé en petits dés
- 2 bâtons de céleri coupés en petits dés
- 2 carottes coupées en petits dés
- 1 poivron rouge épépiné et coupé en petits dés
- 2 tomates épépinées et coupées en petits dés
- 1 petite botte de menthe fraîche hachée
- 100 g de nouilles Cellophane

Pour le yam
- 2 petits piments rouges frais épépinés et hachés menu
- 4 cuil. à soupe de sauce de soja claire
- 3 cuil. à soupe de jus de citron
- 1 cuil. à café de sucre de palme ou de canne
- 1 tête d'ail en saumure hachée menu, plus 1 cuil. à soupe de vinaigre du bocal
- 50 g de cacahuètes grillées, hachées
- 100 g de tofu séché haché menu
- 1 cuil. à soupe de graines de sésame grillées

1 Mettez le cresson ou les épinards, le concombre, le céleri, les carottes, le poivron rouge et les tomates dans une jatte. Ajoutez la menthe hachée et mélangez.

2 Faites tremper les nouilles dans de l'eau bouillante 3 min ou selon les instructions du paquet. Égouttez-les soigneusement et coupez-les en segments avec des ciseaux de cuisine. Ajoutez-les aux légumes.

3 Préparez le yam. Mettez les piments hachés dans une casserole avec la sauce de soja, le jus de citron, le sucre et 4 cuillerées à soupe d'eau. Mettez sur feu moyen et remuez jusqu'à ce que le sucre soit dissous. Ajoutez l'ail ainsi que le vinaigre contenu dans le bocal, puis incorporez les cacahuètes hachées, le tofu et les graines de sésame grillées.

4 Versez le yam sur les légumes et les nouilles, mélangez bien et servez.

VARIANTES

Pour cette recette, vous pouvez utiliser n'importe quels légumes convenant aux salades. Au lieu de les couper en dés, détaillez-les en minces bâtonnets. Les Thaïlandais aiment que les légumes contenus dans ces plats soient coupés en petits morceaux égaux de façon que les différentes saveurs et textures puissent être appréciées en une seule bouchée.

YAM MÉRIDIONAL

Les plats du sud de la Thaïlande sont très épicés et, en raison de la proximité de la Malaisie, la minorité musulmane du pays se trouve en grande partie concentrée dans cette région. C'est à cette minorité que l'on doit les riches saveurs de curry qui rappellent la cuisine indienne.

Pour 4 personnes

INGRÉDIENTS

- 100 g de feuilles chinoises (chou chinois) coupées en tranches
- 100 g de germes de soja
- 100 g de haricots verts équeutés
- 100 g de brocoli, de préférence à pousses violettes, divisé en fleurons
- 1 cuil. à soupe de graines de sésame grillées

Pour le yam

- 4 cuil. à soupe de crème de coco
- 1 cuil. à café de pâte de curry rouge thaïlandaise
- 100 g de pleurotes ou de champignons des prés coupés en lamelles
- 4 cuil. à soupe de lait de coco
- 1 cuil. à café de curcuma moulu
- 1 cuil. à café de jus de tamarin épais obtenu en diluant de la pâte de tamarin dans de l'eau chaude
- 1/2 citron pressé
- 4 cuil. à soupe de sauce de soja claire
- 1 cuil. à café de sucre de palme ou de canne

1 Blanchissez les fleurons de brocoli dans de l'eau bouillante 1 min ou faites-les cuire séparément. Égouttez, mettez dans un saladier de service et laissez refroidir. Faites cuire tous les autres légumes à la vapeur.

2 Pour le yam, faites chauffer dans un wok ou une poêle la crème de coco à feu doux, 2 à 3 min, jusqu'à ce qu'elle caille. Incorporez la pâte de curry rouge et prolongez la cuisson 30 s.

3 Augmentez le feu, ajoutez les champignons et faites cuire 2 à 3 min.

4 Ajoutez le lait de coco, puis le curcuma moulu, le jus de tamarin, le jus de citron, la sauce de soja et le sucre. Mélangez bien.

5 Versez le mélange sur les légumes préparés et mélangez à nouveau. Parsemez de graines de sésame grillées et servez aussitôt.

À SAVOIR

- Il n'est pas nécessaire d'acheter de la crème de coco exprès pour ce plat. Utilisez du lait de coco en boîte. Récupérez la pellicule de crème qui se forme à la surface et faites-en cuire 4 cuillerées à soupe avant d'ajouter la pâte de curry. Incorporez le lait de coco plus tard, comme dans la recette.
- Les pleurotes peuvent avoir un chapeau jaune, bleu paon ou couleur fauve.

SALADE DE FRUITS ET DE LÉGUMES THAÏLANDAISE

Cette salade de fruits est traditionnellement servie en même temps que le plat de résistance et joue le rôle de rafraîchissement pour faire contrepoint aux piments épicés présents dans les autres plats. Cet équilibre de saveurs harmonieux est typique de la cuisine thaïlandaise.

Pour 4 à 6 personnes

INGRÉDIENTS

1 petit ananas
1 petite mangue épluchée et coupée en tranches
1 pomme verte épluchée et coupée en tranches
6 ramboutans ou lychees épluchés et dénoyautés
125 g de haricots verts équeutés et coupés en deux
1 oignon rouge coupé en tranches
1 petit concombre coupé en bâtonnets
125 g de germes de soja
2 ciboules coupées en tranches
1 tomate mûre coupée en quartiers
225 g de salade romaine ou de laitue croquante

Pour la sauce au coco

2 cuil. à soupe de crème de coco
2 cuil. à soupe de sucre en poudre
un peu de sauce au piment
1 cuil. à soupe de sauce au poisson thaïlandaise
1 citron vert pressé

1 Préparez la sauce au coco. Versez la crème de coco, le sucre et 5 cuillerées à soupe d'eau bouillante dans un bocal muni d'un couvercle à pas de vis. Ajoutez la sauce au piment, la sauce au poisson et le jus de citron vert, fermez hermétiquement et secouez vigoureusement pour mélanger.

2 Coupez les deux extrémités de l'ananas à l'aide d'un couteau à scie, puis retirez la peau. Ôtez la partie centrale dure à l'aide d'un vide-pomme. Hachez la chair de l'ananas et réservez avec la pomme et les ramboutans ou lychees.

3 Portez à ébullition, sur feu moyen, une petite casserole d'eau légèrement salée. Plongez les haricots verts et faites-les cuire 3 à 4 min, jusqu'à ce qu'ils soient cuits mais encore croquants. Égouttez, rafraîchissez à l'eau froide, égouttez à nouveau et réservez.

4 Disposez tous les fruits et légumes sur un plat. Versez la sauce au coco dans un bol que vous servez séparément.

SALADE DE POUSSES DE BAMBOU

Cette salade très relevée est originaire du nord-est de la Thaïlande. Utilisez si possible des pousses de bambou entières en boîte car elles ont plus de goût que les pousses de bambou en tranches.

Pour 4 personnes

INGRÉDIENTS
- 400 g de pousses de bambou entières en boîte
- 25 g de riz gluant
- 2 cuil. à soupe d'échalotes hachées
- 1 cuil. à soupe d'ail haché
- 3 cuil. à soupe de ciboules hachées
- 2 cuil. à soupe de sauce au poisson thaïlandaise
- 2 cuil. à soupe de jus de citron vert frais
- 1 cuil. à café de sucre en poudre
- 1/2 cuil. à café de flocons de piment séché
- 20 à 25 petites feuilles de menthe fraîches
- 1 cuil. à soupe de graines de sésame grillées

À SAVOIR
Le riz gluant ne contient en fait aucun gluten – il est simplement collant.

1 Rincez les pousses de bambou à l'eau froide, puis égouttez-les et séchez-les bien sur de l'essuie-tout. Réservez.

2 Faites revenir le riz dans une poêle à frire, sans huile, jusqu'à ce qu'il soit doré. Laissez-le un peu refroidir, puis versez-le dans un mortier et pilez à l'aide d'un pilon.

3 Transférez dans une jatte, ajoutez les échalotes, l'ail, les ciboules, la sauce au poisson, le jus de citron vert, le sucre, les piments et la moitié des feuilles de menthe. Mélangez bien.

4 Incorporez les pousses de bambou. Parsemez de graines de sésame grillées et de feuilles de menthe, puis servez.

SALADE DE CHOU

Voici une manière simple et délicieuse d'accommoder un légume quelque peu ordinaire. Cette salade colorée est imprégnée des saveurs thaïlandaises classiques.

Pour 4 à 6 personnes

INGRÉDIENTS

- 1 petit chou haché
- 2 cuil. à soupe d'huile végétale
- 2 gros piments rouges frais épépinés et coupés en fines lanières
- 6 gousses d'ail coupées en fines rondelles
- 6 échalotes coupées en fines rondelles
- 2 cuil. à soupe de cacahuètes grillées hachées, pour garnir

Pour l'assaisonnement

- 2 cuil. à soupe de sauce au poisson thaïlandaise
- écorce râpée d'1 citron vert
- 2 cuil. à soupe de jus de citron vert frais
- 12 cl de lait de coco

VARIANTE

D'autres légumes, tels le chou-fleur, le brocoli ou les feuilles chinoises (chou chinois), peuvent être cuits ainsi.

1 Pour préparer l'assaisonnement, versez dans une jatte la sauce au poisson, l'écorce et le jus de citron vert ainsi que le lait de coco. Mélangez en fouettant et réservez.

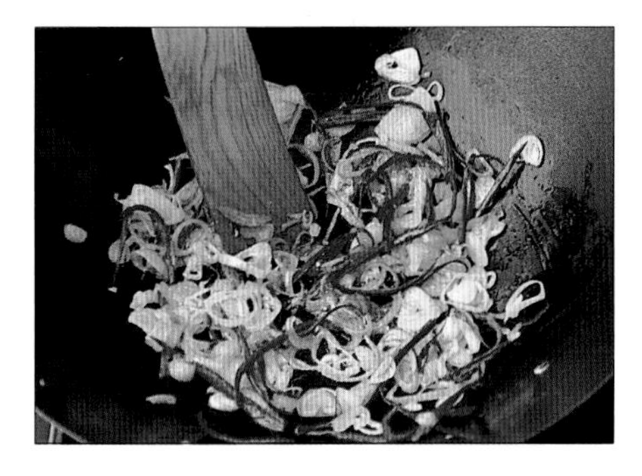

2 Faites chauffer l'huile dans un wok. Mettez à frire les piments, l'ail et les échalotes 3 à 4 min à feu doux, jusqu'à ce que les échalotes soient croustillantes. Sortez le tout du wok avec une écumoire et réservez.

3 Portez une grande casserole d'eau légèrement salée à ébullition, et faites blanchir le chou 2 à 3 min. Égouttez-le bien et mettez-le dans une jatte.

4 Fouettez à nouveau l'assaisonnement, versez-le sur le chou et mélangez. Transférez la salade dans un saladier de service, parsemez de mélange aux échalotes frites et cacahuètes. Servez aussitôt.

FEUILLES DE LAITUE AUX CHAMPIGNONS PARFUMÉS

Cet accompagnement simple et rapide à préparer se sert dans des feuilles de salade qui permettent de le déguster avec les doigts – un régal pour les enfants !

Pour 2 personnes

INGRÉDIENTS
- 2 petites laitues
- 2 cuil. à soupe d'huile végétale
- 2 gousses d'ail hachées menu
- 1 tige de citronnelle hachée menu
- 2 feuilles de citron vert cafre enroulées en cylindre et coupées en tranches fines
- 200 g de pleurotes coupées en lamelles
- 1 petit piment rouge frais épépiné et haché menu
- 1/2 citron pressé
- 2 cuil. à soupe de sauce de soja claire
- 1 cuil. à café de sucre de palme ou de canne
- 1 petit bouquet de menthe fraîche sans les tiges

1 Faites chauffer l'huile dans un wok ou une poêle à frire. Faites dorer l'ail à feu moyen en remuant de temps en temps. Ne le laissez pas brûler car il prendrait un goût amer.

2 Dans le même temps, séparez les feuilles de laitue et réservez-les.

3 Augmentez le feu et ajoutez la citronnelle, les feuilles de citron vert cafre et les pleurotes. Faites frire 2 min.

4 Ajoutez le piment, le jus de citron, la sauce de soja et le sucre. Mélangez, puis faites cuire 2 min.

5 Disposez les feuilles de laitue sur un grand plat. Sur chaque feuille, mettez un peu du mélange à base de champignons ainsi qu'une feuille de menthe. Servez.

ASPERGES À LA THAÏLANDAISE

Cette manière tout à fait nouvelle de préparer les asperges permet de préserver leur consistance croquante. L'addition de galanga et de piments rehausse leur goût.

Pour 4 personnes

INGRÉDIENTS
- 350 g de tiges d'asperges
- 2 cuil. à soupe d'huile végétale
- 1 gousse d'ail écrasée
- 1 cuil. à soupe de graines de sésame grillées
- 2,5 cm de galanga frais coupé en lanières
- 1 piment rouge frais épépiné et haché menu
- 1 cuil. à soupe de sauce au poisson thaïlandaise
- 1 cuil. à soupe de sauce de soja claire
- 1 cuil. à café de sucre de palme ou de canne

VARIANTES
Vous pouvez essayer cette recette avec des brocolis, du pak-choï ou des haricots verts.

1 Cassez les tiges des asperges au point de jonction entre la partie ligneuse et la pointe tendre. Jetez la partie ligneuse.

2 Faites chauffer l'huile dans un wok et mettez à frire l'ail, les graines de sésame et le galanga quelques secondes, jusqu'à ce que l'ail commence à dorer.

3 Ajoutez les pointes d'asperges et le piment, remuez, puis versez la sauce au poisson, la sauce de soja, 3 cuillerées à soupe d'eau et le sucre. À l'aide de 2 cuillères, mélangez sur le feu pendant 2 min, jusqu'à ce que le liquide réduise et que les asperges commencent à se ramollir.

4 Transférez avec précaution sur un plat préchauffé et servez aussitôt.

PAK-CHOÏ ASSAISONNÉ AU CITRON VERT

L'assaisonnement au coco est ici traditionnellement préparé avec de la sauce au poisson, mais les végétariens peuvent la remplacer par une sauce aux champignons. Attention, c'est un plat très épicé !

Pour 4 personnes

INGRÉDIENTS
- 2 pak-choï hachés
- 2 cuil. à soupe d'huile
- 3 piments rouges frais coupés en fines lanières
- 4 gousses d'ail coupées en fines rondelles
- 6 ciboules coupées en tranches diagonalement
- 1 cuil. à soupe de cacahuètes écrasées

Pour l'assaisonnement
- 2 cuil. à soupe de jus de citron vert frais
- 1 à 2 cuil. à soupe de sauce au poisson thaïlandaise
- 25 cl de lait de coco

1 Pour préparer l'assaisonnement, versez le jus de citron vert et la sauce au poisson dans une jatte et mélangez bien, puis incorporez le lait de coco en fouettant.

2 Faites chauffer l'huile dans un wok et mettez à frire les lanières de piments 2 à 3 min, jusqu'à ce qu'elles soient croustillantes. Transférez sur un plat à l'aide d'une écumoire. Mettez l'ail dans le wok et faites dorer 30 à 60 s. Transférez sur le plat.

3 Faites frire la partie blanche des ciboules 2 à 3 min, puis ajoutez la partie verte et faites cuire à nouveau 1 min. Transférez sur le plat.

4 Portez une grande casserole d'eau légèrement salée à ébullition et plongez le pak-choï. Remuez deux fois, puis égouttez.

5 Placez le pak-choï dans un saladier de service, ajoutez l'assaisonnement et mélangez en remuant. Parsemez de cacahuètes écrasées et de mélange à base de piments frits. Servez chaud ou froid.

VARIANTE

Si vous n'appréciez pas les mets épicés, remplacez les piments par des lanières de poivron rouge.

LÉGUMES SAUTÉS AU NAM PRIK

Le nam prik est la sauce thaïlandaise par excellence. Il peut être servi comme condiment, mais on l'utilise en général comme sauce pour accompagner les légumes frais ou cuits.

Pour 4 personnes

INGRÉDIENTS

- 1 aubergine coupée en deux dans le sens de la longueur et coupée en longues tranches fines
- 1/2 courge musquée, petite, épluchée, épépinée et coupée en longues tranches fines
- 2 courgettes épluchées et coupées en longues tranches fines
- 3 gros œufs
- 7 cuil. à soupe d'huile végétale ou de tournesol
- sel et poivre noir moulu
- nam prik ou sauce au piment douce, pour servir (voir À savoir)

1 Fouettez les œufs dans une jatte. Ajoutez les aubergines, la courge musquée et les courgettes. Mélangez soigneusement pour bien enrober d'œuf, salez et poivrez.

2 Faites chauffer l'huile dans un wok. Mettez à frire les légumes en vous assurant que chaque tranche est suffisamment enduite d'œuf. Ne faites pas cuire plus de 8 tranches à la fois car l'huile refroidirait trop.

À SAVOIR

Le nam prik est une sauce complexe qui compte parmi ses ingrédients des crevettes séchées, de minuscules aubergines, de la pâte de crevettes et du jus de citron et de citron vert.

3 Sortez les tranches de légumes frites du wok à l'aide d'une écumoire et égouttez sur de l'essuie-tout. Gardez au chaud pendant que vous faites cuire le reste des légumes. Transférez dans un plat préchauffé et servez avec le nam prik ou la sauce au piment douce.

BELLES-DE-JOUR À LA VAPEUR AVEC AIL ET ÉCHALOTES FRITS

Les belles-de-jour ont plusieurs noms ; on les appelle aussi épinards d'eau, volubilis d'eau ou chou des marais. C'est un légume feuillu vert aux longues tiges jointes et aux feuilles en forme de flèches. Une fois cuites, les tiges restent croquantes tandis que les feuilles se recroquevillent comme des épinards.

Pour 4 personnes

INGRÉDIENTS
- 2 bouquets de belles-de-jour d'un poids total de 250 g coupées en segments de 2,5 cm
- 2 cuil. à soupe d'huile végétale
- 4 échalotes coupées en fines rondelles
- 6 grosses gousses d'ail coupées en rondelles
- sel de mer
- 2 pincées de flocons de piment séché

VARIANTES

Vous pouvez remplacer les belles-de-jour par des épinards ou par de jeunes ciboules, des brocolis ou des bettes.

1 Mettez les belles-de-jour dans un cuit-vapeur que vous placez au-dessus d'une casserole d'eau bouillante. Faites cuire 30 s jusqu'à ce qu'elles commencent à se recroqueviller. Au besoin, procédez par lots. Étalez les feuilles sur un grand plat de service.

2 Faites chauffer l'huile dans un wok et mettez à frire les échalotes et l'ail à feu moyen ou fort. Versez le mélange sur les belles-de-jour, salez et parsemez de flocons de piment séché. Servez aussitôt.

LÉGUMES CUITS À LA VAPEUR AVEC SAUCE ÉPICÉE CHIANGMAI

En Thaïlande, on associe volontiers les légumes cuits à la vapeur aux légumes crus afin de créer des contrastes de texture qui sont l'une des caractéristiques de la gastronomie nationale. C'est aussi une manière très saine de les servir.

Pour 4 personnes

INGRÉDIENTS
1 tête de brocoli divisée en fleurons
125 g de haricots verts équeutés
125 g d'asperges épluchées
1/2 tête de chou-fleur divisée en fleurons
8 petits épis de maïs
125 g de haricots mange-tout
sel

Pour la sauce
1 piment vert frais épépiné
4 gousses d'ail épluchées
4 échalotes épluchées
2 tomates coupées en deux
5 aubergines
2 cuil. à soupe de jus de citron
2 cuil. à soupe de sauce de soja
1/2 cuil. à café de sel
1 cuil. à café de sucre en poudre

VARIANTES
Vous pouvez utiliser un mélange d'autres légumes si vous le souhaitez. Remplacez par exemple le chou-fleur par du pak-choï, les épis de maïs par des petites carottes crues et les haricots mange-tout par des champignons.

1 Mettez les brocolis, les haricots verts, les asperges et le chou-fleur dans un cuit-vapeur et faites cuire au-dessus d'une casserole d'eau bouillante 4 min, jusqu'à ce qu'ils soient tendres mais encore croquants. Transférez-les dans une jatte et ajoutez les épis de maïs et les haricots mange-tout. Salez, mélangez bien et réservez.

2 Pour préparer la sauce, préchauffez le gril, enveloppez le piment, les gousses d'ail, les échalotes, les tomates et les aubergines dans du papier aluminium, faites griller 10 min en retournant le paquet une ou deux fois.

3 Ouvrez le papier aluminium et versez le contenu dans un mortier ou un mixer. Ajoutez le jus de citron, la sauce de soja, le sel et le sucre. Pilez ou mixez jusqu'à obtention d'une pâte assez liquide.

4 Versez la sauce dans un saladier ou répartissez dans 4 bols individuels. Servez garni des légumes cuits à la vapeur et des légumes crus.

À SAVOIR
Les choux-fleurs à fleurons vert clair ont un goût plus délicat que les variétés à fleurons blancs.

ANANAS FRIT AU GINGEMBRE

Ce plat est un accompagnement intéressant pour des viandes grillées, comme le porc ou l'agneau, ou des poissons au goût prononcé, tels que le thon ou l'espadon.

Pour 4 personnes

INGRÉDIENTS
- 1 ananas
- 5 cm de racine de gingembre fraîche épluchée et hachée
- 1 cuil. à soupe d'huile végétale
- 2 gousses d'ail hachées menu
- 2 échalotes hachées menu
- 2 cuil. à soupe de sauce de soja claire
- 1/2 citron vert pressé
- 1 gros piment rouge frais épépiné et coupé en fines lanières

1 Épluchez l'ananas, retirez la partie centrale dure et coupez la chair en dés.

2 Faites chauffer l'huile dans un wok ou une poêle à frire. Mettez à dorer l'ail et les échalotes à feu moyen 2 à 3 min. Ne laissez pas l'ail brûler car il prendrait un goût amer.

3 Ajoutez l'ananas, faites frire 2 min, jusqu'à ce que les dés commencent à dorer sur les bords.

4 Incorporez le gingembre, la sauce de soja, le jus de citron vert et le piment en lanières, mélangez bien, faites cuire à feu doux 2 min, puis servez.

ÉCHALOTES THAÏLANDAISES ÉPICÉES EN SAUMURE

Préparer des échalotes en saumure exige un peu de patience, le temps que le vinaigre et les épices agissent, mais le résultat en vaut la peine. Coupées en tranches fines, les échalotes sont souvent utilisées comme condiment dans le Sud-Est asiatique.

Pour 2 ou 3 bocaux

INGRÉDIENTS
- 500 g d'échalotes thaïlandaises roses épluchées
- 5 à 6 petits piments rouges ou vert œil d'oiseau
- 2 grosses gousses d'ail épluchées, coupées en deux et débarrassées des pousses vertes

Pour le vinaigre
- 3 cuil. à soupe de sucre en poudre
- 2 cuil. à café de sel
- 5 cm de racine de gingembre fraîche épluchée et coupée en tranches
- 1 cuil. à soupe de graines de coriandre
- 2 tiges de citronnelle coupées en deux dans le sens de la longueur
- 4 feuilles de citron vert cafre ou bandes d'écorce de citron vert
- 60 cl de vinaigre de cidre
- 1 cuil. à soupe de coriandre fraîche hachée

1 Les piments peuvent être laissés entiers ou bien coupés en deux et épépinés. La saumure sera plus épicée si vous gardez les graines. Si vous laissez les piments entiers, piquez-les en plusieurs endroits à l'aide d'un cure-dents. Portez une grande casserole d'eau à ébullition. Faites blanchir les piments, les échalotes et l'ail 1 à 2 min, puis égouttez. Rincez tous les légumes à l'eau froide, puis égouttez à nouveau.

2 Préparez le vinaigre. Mettez le sucre, le sel, le gingembre, les graines de coriandre, la citronnelle et les feuilles ou l'écorce de citron vert dans une casserole, ajoutez le vinaigre et portez à ébullition. Baissez le feu et faites mijoter 3 à 4 min. Laissez refroidir.

3 Retirez et jetez le gingembre, puis portez à nouveau le vinaigre à ébullition. Mettez la coriandre fraîche, l'ail et les piments à cuire 1 min.

4 Transférez les échalotes dans un bocal stérilisé. Ajoutez la citronnelle, les feuilles de citron vert, les piments, l'ail et versez le vinaigre chaud par-dessus. Laissez refroidir, fermez hermétiquement et placez 2 mois dans un endroit sombre et frais.

CONSEILS

- Lorsque vous préparez un condiment, assurez-vous que les récipients et les casseroles utilisés pour le vinaigre ne seront pas attaqués chimiquement par l'acide du vinaigre. La porcelaine, la faïence, le verre et l'acier inoxydable conviennent. Les bocaux en verre sont parfaits.
- Aucun couvercle en métal ne doit entrer en contact avec le condiment. L'acide contenu dans le vinaigre attaquerait le métal. Utilisez des couvercles en verre ou revêtus de plastique. Sinon, couvrez le bocal de Cellophane ou de paraffine pour empêcher le contact direct avec le métal.
- Soyez très prudent lorsque vous manipulez des bocaux chauds. Après les avoir stérilisés, laissez-les un peu refroidir avant de les remplir. Cependant, il ne faut pas les laisser refroidir complètement, car ils éclateraient lors du transfert du vinaigre brûlant.

DESSERTS

Après un repas thaïlandais épicé, on sert habituellement un plateau de fruits frais, souvent superbement sculptés. On propose aussi des glaces, en particulier des sorbets à base de pastèque ou de jus de citron vert frais. Les Thaïlandais aiment aussi les confiseries sirupeuses, et il leur arrive souvent de s'acheter des douceurs sur les étals des marchés nocturnes, où les friandises sont joliment présentées sur des feuilles de palmier ou entourées d'une décoration de minuscules fleurs. Les bananes et ananas frits sont très populaires.

SORBET DE PASTÈQUE

Après un repas thaïlandais épicé, la seule chose qui soit plus rafraîchissante qu'une pastèque est ce sorbet à la pastèque. Sa préparation est la simplicité même.

Pour 4 à 6 personnes

INGRÉDIENTS
- 500 g de pastèque
- 6 cuil. à soupe de sucre en poudre
- 4 feuilles de citron vert cafre déchirées en petits morceaux

1 Mettez le sucre, 10 centilitres d'eau et les feuilles de citron vert dans une casserole. Faites chauffer à feu doux jusqu'à ce que le sucre soit dissous. Versez dans une jatte et laissez refroidir.

2 Coupez la pastèque en tranches à l'aide d'un grand couteau. Retirez la peau et les graines et hachez la chair.

3 Mettez la chair de pastèque dans un mixer et mixez bien, puis incorporez le sirop de sucre. Réfrigérez ce mélange pendant 3 à 4 h.

4 Filtrez le mélange et transférez-le dans un récipient allant au congélateur. Congelez pendant 2 h, puis battez à l'aide d'une fourchette pour briser les cristaux de glace. Remettez le mélange au congélateur pour 3 h, en le battant toutes les demi-heures. Laissez au congélateur jusqu'à ce que la préparation soit dure.

5 Vous pouvez aussi utiliser une sorbetière. Versez le mélange réfrigéré dans l'appareil et barattez-le jusqu'à ce qu'il soit assez ferme pour pouvoir en prélever des boules. Servez aussitôt ou mettez dans un récipient allant au congélateur et congelez.

6 Transférez la glace dans le réfrigérateur environ 30 min avant de servir pour lui permettre de ramollir et de développer pleinement son arôme.

CRÈME GLACÉE AU COCO ET À LA CITRONNELLE

Le mariage de la crème fraîche et du lait de coco fait une crème glacée merveilleusement riche. Le parfum de citronnelle est subtil et délicieux.

Pour 4 personnes

INGRÉDIENTS
- 15 cl de lait de coco
- 2 tiges de citronnelle
- 450 g de crème fraîche épaisse
- 4 gros œufs
- 7 cuil. à soupe de sucre en poudre
- 1 cuil. à café d'extrait de vanille

1 Coupez les tiges de citronnelle en deux dans le sens de la longueur. Brisez-les en morceaux à l'aide d'un rouleau à pâtisserie ou d'un maillet, en écrasant bien les morceaux de façon à libérer l'arôme.

2 Versez la crème fraîche et le lait de coco dans une casserole. Ajoutez les tiges de citronnelle et faites chauffer à feu doux en remuant souvent jusqu'à ce que le mélange commence à frissonner.

3 Mettez les œufs, le sucre et l'extrait de vanille dans une jatte. Fouettez à l'aide d'un fouet électrique jusqu'à ce que le mélange devienne léger et mousseux.

4 Versez la préparation au coco en la filtrant dans un récipient supportant la chaleur. Incorporez le mélange aux œufs en fouettant, puis posez le récipient sur une casserole d'eau bouillante et continuez de fouetter afin que l'ensemble épaississe. Retirez du feu et laissez refroidir. Réfrigérez la crème anglaise à la noix de coco 3 à 4 h.

5 Versez le mélange dans un récipient pouvant être placé au congélateur et congelez pendant 4 h, en battant deux ou trois fois toutes les heures à l'aide d'une fourchette, pour briser les cristaux de glace.

6 Vous pouvez aussi utiliser une sorbetière. Versez le mélange réfrigéré dans l'appareil et barattez jusqu'à ce qu'il durcisse. Servez aussitôt ou transférez dans un récipient allant au congélateur et congelez.

7 Transférez le récipient au réfrigérateur environ 30 min avant de servir afin que la crème glacée ramollisse un peu. Servez en boules.

VARIANTE

Pour préparer une crème glacée au coco et à la mangue, réduisez en purée le contenu de 2 boîtes de mangues au sirop de 400 grammes chacune et ajoutez-les à la crème anglaise à la noix de coco avant de réfrigérer. Vous aurez alors suffisamment de crème glacée pour 6 personnes.

PAPAYES AU SIROP DE FLEURS DE JASMIN

Ce sirop parfumé peut être préparé à l'avance avec des fleurs de jasmin provenant du jardin ou d'une plante d'intérieur. Il est délicieux avec des papayes, mais il se marie avec d'autres sortes de desserts. Essayez-le avec de la crème glacée ou avec des lychees ou des mangues.

Pour 2 personnes

INGRÉDIENTS
- 2 papayes mûres
- 3 cuil. à soupe de sucre de palme ou de canne
- 20 à 30 fleurs de jasmin plus quelques-unes pour décorer (facultatif)
- 1 citron vert pressé

CONSEIL
Même si les fleurs de jasmin blanches sont comestibles, il faut vous assurer qu'elles n'ont pas été vaporisées avec des pesticides ou d'autres produits chimiques dangereux. Il ne suffit pas toujours de les laver pour faire partir tous les résidus.

1 Versez 10 centilitres d'eau et le sucre dans une grande casserole. Faites chauffer à feu doux en remuant de temps en temps jusqu'à ce que le sucre soit dissous, puis laissez mijoter 4 min sans remuer.

2 Transférez dans une jatte, laissez un peu refroidir, puis ajoutez les fleurs de jasmin. Laissez mariner au moins 20 min.

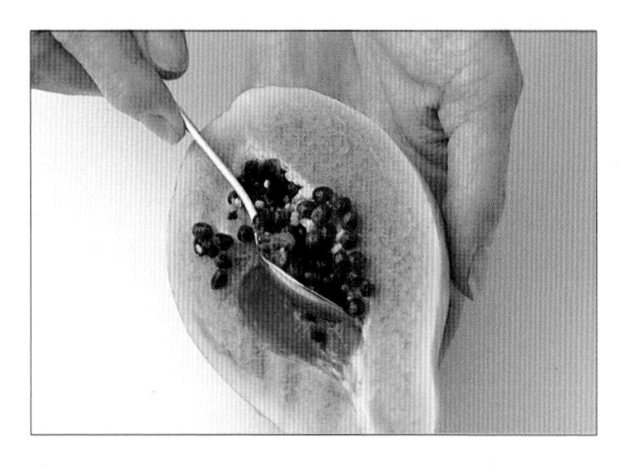

3 Épluchez les papayes et coupez-les en deux dans la longueur. Jetez les graines. Déposez les papayes sur 2 assiettes de service et pressez le citron vert par-dessus.

4 Filtrez le sirop à travers une passoire dans un bol. Répandez-le sur les papayes. Vous pouvez décorer avec quelques fleurs de jasmin fraîches.

PURÉE DE MANGUE ET DE CITRON VERT

Dans cette recette, pour plus de commodité, on a utilisé des mangues en boîte, mais ce dessert est meilleur lorsqu'il est préparé avec des mangues fraîches. Choisissez une variété comme la voluptueuse Alphonso mango, merveilleusement parfumée et dont le goût est délicieux.

Pour 4 personnes

INGRÉDIENTS
- 400 g de tranches de mangue en boîte
- écorce râpée d'1 citron vert
- 1/2 citron vert pressé
- 15 cl de crème fraîche épaisse
- 6 cuil. à soupe de yoghourt à la grecque
- tranches de mangue fraîche pour décorer (facultatif)

CONSEIL

Quand vous préparez la mixture à base de crème fraîche et de yoghourt avec la purée de mangue, fouettez juste assez pour mélanger, de manière à préserver la légèreté de la crème fouettée. Si vous souhaitez que ce dessert soit panaché, vous pouvez tout mélanger en même temps, très légèrement.

1 Égouttez les tranches de mangue en boîte et mettez-les dans le bol d'un mixer. Ajoutez l'écorce râpée et le jus de citron vert. Mixez jusqu'à obtention d'une purée lisse et homogène. Vous pouvez aussi écraser les tranches de mangue à l'aide d'un presse-purée, puis passez le tout en pressant dessus à l'aide d'une cuillère en bois au-dessus d'une jatte.

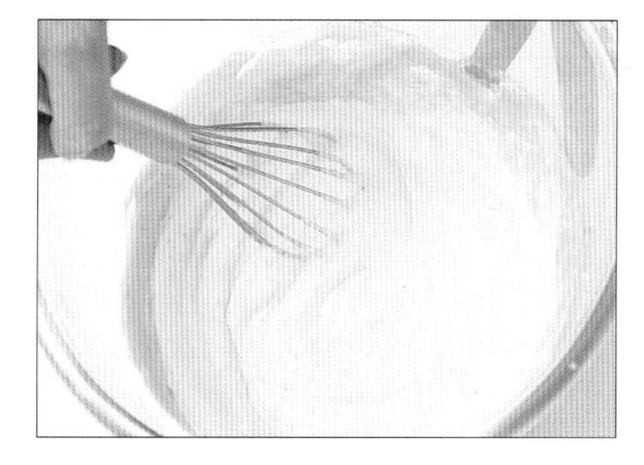

2 Versez le mélange à la mangue dans une jatte, ajoutez le yoghourt et mélangez. Incorporez la crème fraîche et fouettez afin d'obtenir une purée épaisse.

3 Versez dans 4 grands verres et réfrigérez 1 à 2 h. Avant de servir, décorez chaque verre de tranches de mangue fraîche, si vous le souhaitez.

COMPOTE DE POTIRON À LA CRÈME DE COCO

Les fruits cuits dans le lait de coco sont un dessert très populaire en Thaïlande. On peut préparer de cette façon les potirons, les bananes et les melons.

Pour 4 à 6 personnes

INGRÉDIENTS
- 1 kg de potiron kabocha
- 75 cl de lait de coco
- 175 g de sucre en poudre
- 1 pincée de sel
- 4 à 6 brins de menthe fraîche, pour décorer

CONSEIL
Pour le décor, lavez les graines de potiron afin d'en retirer les fibres, puis séchez-les sur de l'essuie-tout. Faites-les rôtir dans une poêle à frire sans huile ou étalez-les sur une plaque à four et mettez à rôtir jusqu'à ce qu'elles soient dorées, en les retournant souvent pour les empêcher de brûler.

1 Coupez le potiron en deux à l'aide d'un grand couteau pointu, puis retirez la peau et jetez-la. Ôtez les graines, réservez-en quelques-unes et jetez le reste. Coupez la chair du potiron en morceaux de 5 cm de long et 2 cm d'épaisseur.

2 Versez le lait de coco dans une casserole. Ajoutez le sucre et le sel et portez à ébullition. Incorporez le potiron et laissez mijoter 10 à 15 min, jusqu'à ce qu'il soit tendre. Servez chaud dans des assiettes. Décorez chaque portion d'un brin de menthe et de graines de potiron grillées (voir Conseil).

MANGUES ET RIZ GLUANT

Le riz gluant est tout aussi bon en dessert qu'avec les plats salés, et le parfum délicat ainsi que la chair veloutée des mangues le complètent à merveille. Préparez ce mets un jour à l'avance.

Pour 4 personnes

INGRÉDIENTS
- 2 mangues mûres
- 125 g de riz blanc gluant
- 20 cl de lait de coco épais
- 3 cuil. à soupe de sucre en poudre
- 1 pincée de sel
- lanières d'écorce de citron vert, pour décorer

1 Rincez plusieurs fois le riz gluant à l'eau froide, puis laissez-le tremper toute une nuit dans un récipient rempli d'eau froide.

CONSEIL
Comme la crème, la partie la plus riche et la plus épaisse du lait de coco monte à la surface. Lorsque vous ouvrez une boîte de lait de coco, écrémez le dessus et utilisez-le avec des fruits ou ajoutez-le à un plat salé épicé juste avant de servir.

2 Égouttez le riz et mettez-le dans un cuit-vapeur garni de mousseline. Couvrez et faites cuire au-dessus d'une casserole d'eau frémissante pendant environ 20 min, jusqu'à ce que le riz soit tendre.

3 Réservez 3 cuillerées à soupe de la crème qui s'est formée à la surface du lait de coco. Versez le reste dans une casserole et ajoutez le sucre et le sel. Faites chauffer en remuant continuellement jusqu'à ce que le sucre soit dissous, puis portez à ébullition. Retirez la casserole du feu, versez le lait de coco dans un bol et laissez refroidir.

4 Transférez le riz cuit dans une jatte et versez dessus le mélange à base de lait de coco. Mélangez bien, puis laissez reposer 10 à 15 min.

5 Pendant ce temps, épluchez les mangues, décollez la chair du noyau central et coupez-les en tranches.

6 Répartissez le riz dans 4 assiettes. Disposez les tranches de mangue d'un côté, puis versez le reste de crème de coco. Décorez avec des lanières d'écorce de citron vert et servez.

ANANAS FRIT THAÏLANDAIS

Ce dessert est facile et rapide à préparer – de l'ananas frit dans du beurre avec du sucre roux et du jus de citron et parsemé de noix de coco grillée. Le goût légèrement acidulé du fruit en fait un mets très rafraîchissant à la fin d'un repas.

Pour 4 personnes

INGRÉDIENTS
- 1 ananas
- 40 g de beurre
- 1 cuil. à soupe de noix de coco déshydratée
- 4 cuil. à soupe de sucre roux
- 4 cuil. à soupe de jus de citron vert frais
- tranches de citron vert pour décorer
- yoghourt nature épais et crémeux, pour servir

1 À l'aide d'un couteau pointu, coupez le haut de l'ananas et la peau en ayant soin de retirer les « yeux ». Partagez l'ananas en deux, retirez la partie centrale dure et jetez-la. Coupez la chair en tranches d'1 cm dans le sens de la longueur.

2 Faites fondre le beurre dans une grande poêle à frire à fond épais ou dans un wok. Ajoutez les tranches d'ananas et laissez cuire à feu moyen 1 à 2 min de chaque côté, jusqu'à ce qu'elles soient dorées.

3 Parallèlement, faites frire la noix de coco sans huile dans une petite poêle. Retirez du feu et réservez.

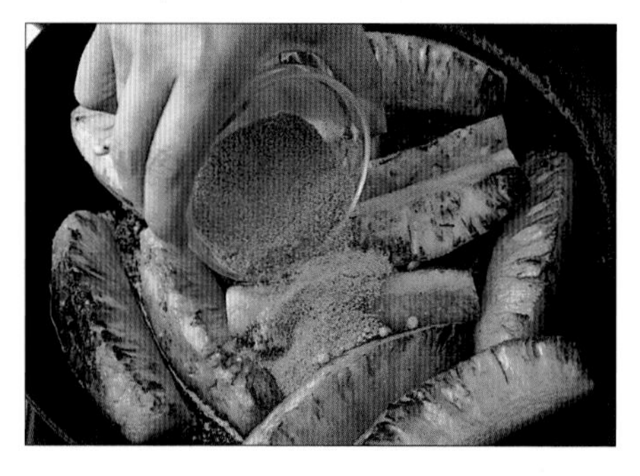

4 Saupoudrez l'ananas de sucre dans la poêle, ajoutez le jus de citron vert et faites cuire en remuant jusqu'à ce que le sucre soit dissous. Répartissez les tranches d'ananas dans 4 assiettes, parsemez de noix de coco, décorez avec les tranches de citron vert et servez avec le yoghourt.

BEIGNETS DE BANANES

Ces beignets ont autant de succès auprès des adultes que des enfants. En Thaïlande, ils sont vendus sur les étals des marchands ambulants à toute heure du jour et de la nuit.

Pour 4 personnes

INGRÉDIENTS
- 4 bananes fermes
- 125 g de farine ordinaire
- 1/2 cuil. à café de bicarbonate de soude
- 1 pincée de sel
- 2 cuil. à soupe de sucre en poudre
- 1 œuf battu
- 2 cuil. à soupe de copeaux de noix de coco ou 1 cuil. à soupe de graines de sésame
- huile végétale pour friture
- brins de menthe fraîche, pour décorer
- 2 cuil. à soupe de miel liquide, pour servir (facultatif)

1 Dans une jatte, mélangez la farine, le bicarbonate de soude et le sel. Incorporez le sucre, l'œuf et 6 cuillerées à soupe d'eau pour obtenir une pâte légère, en fouettant.

2 Incorporez les copeaux de noix de coco ou les graines de sésame, toujours en fouettant.

3 Épluchez les bananes. Coupez chaque banane en deux dans la longueur, puis de nouveau en deux transversalement afin d'obtenir 16 morceaux de la même taille. Ne faites cette opération qu'au moment de commencer la cuisson, car les bananes se décolorent vite.

VARIANTES
Cette recette est tout aussi bonne avec d'autres fruits comme des rondelles d'ananas ou des tranches de pommes.

4 Faites chauffer l'huile dans un wok. Trempez les morceaux de bananes dans la pâte, plongez-en quelques-uns dans l'huile et faites frire jusqu'à ce qu'ils deviennent dorés. Sortez-les du wok et égouttez-les sur de l'essuie-tout.

5 Faites cuire le reste des morceaux de bananes de la même façon. Décorez avec des brins de menthe et servez aussitôt, arrosé de miel si vous le souhaitez.

NECTARINES À LA CRÈME ANGLAISE

Faire cuire les pêches ou les nectarines à la vapeur accentue leur couleur naturelle et leur douceur. Ainsi, cette recette permet de tirer le meilleur parti de fruits insuffisamment mûrs ou peu parfumés.

Pour 4 à 6 personnes

INGRÉDIENTS
- 6 nectarines
- 1 gros œuf
- 3 cuil. à soupe de sucre de palme ou de canne
- 2 cuil. à soupe de lait de coco

CONSEIL
Le sucre de palme est fait avec la sève de certains palmiers asiatiques, comme le cocotier et le palmyrah. On le trouve dans les magasins de produits asiatiques. Si vous l'achetez sous forme de bloc, râpez-le avant de l'utiliser.

1 Coupez les nectarines en deux. À l'aide d'une cuillère à café, retirez les noyaux et un peu de la chair qui les entoure.

2 Battez l'œuf légèrement, puis ajoutez le sucre et le lait de coco. Continuez jusqu'à ce que le sucre soit dissous.

3 Transférez les nectarines dans un cuit-vapeur et remplissez les cavités aux trois quarts avec le mélange à la crème. Faites cuire à la vapeur sur une casserole d'eau frémissante 5 à 10 min. Retirez du feu et laissez refroidir complètement avant de disposer dans des assiettes et de servir.

CRÊPES À LA NOIX DE COCO

En Thaïlande, ces crêpes légères et sucrées sont souvent vendues par les marchands ambulants ; elles font un délicieux dessert.

Pour 8 personnes

INGRÉDIENTS
- 75 g de farine ordinaire
- 4 cuil. à soupe de farine de riz
- 3 cuil. à soupe de sucre en poudre
- 50 g de noix de coco déshydratée
- 1 œuf
- 25 cl de lait de coco
- huile végétale pour friture
- tranches de citron vert et sirop d'érable, pour servir

1 Mettez la farine ordinaire, la farine de riz, le sucre et la noix de coco dans une jatte. Mélangez et faites un puits au milieu. Cassez l'œuf dans le puits et ajoutez le lait de coco.

2 À l'aide d'une fourchette ou d'un fouet, battez l'œuf dans le lait de coco, puis incorporez graduellement les ingrédients secs en fouettant constamment jusqu'à obtention d'une pâte. Le mélange ne sera pas homogène à cause de la noix de coco, mais il ne doit pas y avoir de gros grumeaux.

CONSEIL
Le sirop d'érable n'est pas produit en Thaïlande, évidemment, mais les piments non plus. Il est servi avec les crêpes dans le monde entier. Achetez du sirop d'érable pur pour avoir un goût vraiment excellent.

3 Faites chauffer un peu d'huile dans une poêle antiadhésive de 13 cm de diamètre. Versez environ 3 cuillerées à soupe de pâte et étalez-la rapidement en une couche fine à l'aide du dos d'une cuillère. Faites cuire à feu fort 30 à 60 s, jusqu'à ce que des bulles se forment à la surface de la crêpe. Retournez-la à l'aide d'une spatule et faites cuire l'autre côté jusqu'à ce qu'il soit doré.

4 Faites glisser la crêpe sur une assiette et gardez-la dans un four réglé à faible température. Confectionnez d'autres crêpes de la même façon. Servez chaud avec des tranches de citron vert et du sirop d'érable.

CRÈME ANGLAISE À LA NOIX DE COCO

Ce dessert traditionnel peut être cuit au four ou à la vapeur, et il est souvent servi avec du riz gluant sucré et un assortiment de fruits frais. Les mangues et les tamarilles se marient particulièrement bien avec la crème anglaise et le riz.

Pour 4 personnes

INGRÉDIENTS
- 4 œufs
- 6 cuil. à soupe de sucre roux
- 25 cl de lait de coco
- 1 cuil. à café d'extrait de vanille, de rose ou de jasmin
- feuilles de menthe fraîches et sucre glace, pour décorer
- fruit coupé en tranches, pour servir

1 Préchauffez le four à 150 °C (th. 4). Fouettez les œufs et le sucre dans une jatte jusqu'à obtenir un mélange homogène, puis incorporez le lait de coco, en fouettant.

2 Versez le mélange dans une cruche en le filtrant, puis répartissez-le dans 4 pots en verre allant au feu ou dans 4 ramequins.

3 Placez-les dans un plat allant au four. Remplissez le plat d'eau très chaude à mi-hauteur.

4 Faites cuire au four 35 à 40 min, jusqu'à ce que la crème anglaise prenne. Vérifiez sa fermeté à l'aide d'une brochette.

5 Sortez le plat du four, retirez les pots en verre ou les ramequins et laissez refroidir.

6 Vous pouvez démouler les crèmes anglaises sur des assiettes de service si vous le souhaitez. Décorez avec des feuilles de menthe et du sucre glace et servez accompagné de tranches de fruits.

LOSANGES À LA NOIX DE COCO

On propose des desserts de ce genre dans tout le Sud-Est asiatique, souvent avec des mangues, de l'ananas ou des goyaves. Vous pouvez utiliser du riz pilé prêt à l'emploi, mais le résultat sera meilleur si vous pilez vous-même du riz jasmin.

Pour 4 à 6 personnes

INGRÉDIENTS
- 75 g de riz jasmin mis à tremper toute une nuit dans 20 cl d'eau
- 35 cl de lait de coco
- 15 cl de crème fraîche
- 50 g de sucre en poudre
- framboises et feuilles de menthe fraîches, pour décorer

Pour le coulis
- 75 g de cassis
- 2 cuil. à soupe de sucre en poudre
- 75 g de framboises fraîches ou congelées

1 Mettez le riz et son eau de trempage dans un mixer et mixez jusqu'à obtention d'un mélange qui ressemble à une soupe.

2 Faites chauffer le lait de coco et la crème fraîche dans une casserole antiadhésive jusqu'au point d'ébullition, puis incorporez le mélange à base de riz. Faites cuire à feu très doux 10 min en remuant constamment.

3 Ajoutez le sucre et continuez de faire cuire 10 à 15 min, jusqu'à ce que la préparation prenne une consistance crémeuse.

4 Garnissez un moule triangulaire avec du papier sulfurisé et versez dedans le riz à la noix de coco, puis réfrigérez jusqu'à ce que le dessert soit ferme au toucher.

5 Pendant ce temps, préparez le coulis. Mettez les cassis dans une jatte et saupoudrez de sucre. Laissez reposer 30 min environ. Transférez les fruits dans une passoire placée au-dessus d'une jatte. Écrasez-les contre les parois de la passoire à l'aide d'une cuillère afin d'en extraire le jus. Goûtez et ajoutez du sucre si nécessaire.

6 Découpez la crème de coco en losanges avec précaution. Versez un peu de coulis sur chaque assiette à dessert, disposez les losanges dessus et décorez avec des framboises fraîches et des feuilles de menthe. Servez aussitôt.

VARIANTE

Vous pouvez remplacer les framboises et les cassis par des mûres et des groseilles.

PUDDING DE TAPIOCA

Ce pudding à base de tapioca à gros grains et de lait de coco est beaucoup plus léger que la version occidentale. Vous pouvez le faire plus ou moins sucré. Servez-le chaud, avec des lychees ou des longanes – également appelés « yeux de dragons ».

Pour 4 personnes

INGRÉDIENTS
- 125 g de tapioca
- 175 g de sucre en poudre
- 1 pincée de sel
- 25 cl de lait de coco
- 250 g de fruits tropicaux préparés
- écorce de citron vert coupée en fines lanières et copeaux de noix de coco fraîche (facultatif), pour décorer

1 Mettez le tapioca dans une jatte et recouvrez d'eau chaude. Laissez tremper 1 h pour que les grains gonflent. Égouttez.

2 Versez 47,5 cl d'eau dans une grande casserole et portez à ébullition sur feu moyen. Ajoutez le sucre et le sel et mélangez pour dissoudre.

3 Incorporez le tapioca et le lait de coco, baissez le feu et laissez mijoter à feu doux 10 min, jusqu'à ce que le tapioca devienne transparent.

4 Versez dans un saladier ou 4 quatre bols et servez chaud, avec des fruits tropicaux. Décorez d'écorce de citron vert et de copeaux de noix de coco si vous le souhaitez.

PUDDING DE RIZ À LA MODE THAÏLANDAISE

Le riz gluant noir, également appelé riz collant noir, a de longs grains foncés et un goût de noisette qui rappelle celui du riz sauvage. Ce pudding cuit au four a un goût caractéristique et une apparence très particulière.

Pour 4 à 6 personnes

INGRÉDIENTS
- 175 g de riz gluant noir (ou blanc)
- 2 cuil. à soupe de sucre roux
- 475 g de lait de coco
- 3 œufs
- 2 cuil. à soupe de sucre en poudre

1 Mélangez le riz gluant et le sucre roux dans une casserole. Versez la moitié du lait de coco et 25 centilitres d'eau.

2 Portez à ébullition, baissez le feu et laissez mijoter 15 à 20 min jusqu'à ce que le riz ait absorbé la plus grande partie du liquide, en remuant de temps en temps. Préchauffez le four à 150 °C (th. 4).

3 Versez le mélange à base de riz dans un plat allant au four ou répartissez-le dans des ramequins individuels. Dans une jatte, battez les œufs, le reste du lait de coco et le sucre.

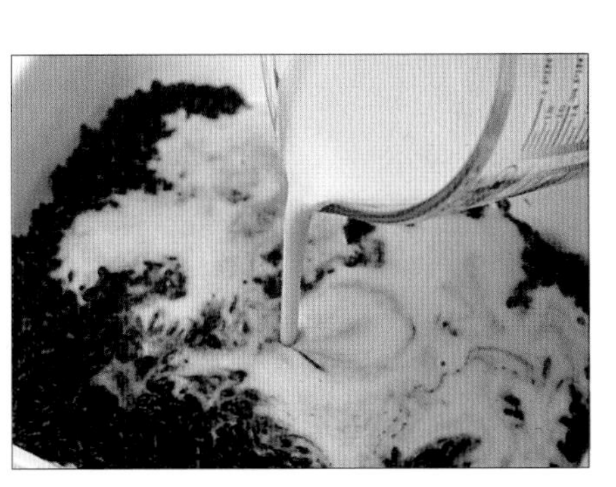

4 Filtrez le mélange à base d'œuf dans une cruche, puis étalez-le régulièrement sur le riz contenu dans le plat ou les ramequins.

5 Placez le plat ou les ramequins dans un plat à rôtir, remplissez-le d'eau chaude jusqu'à mi-hauteur.

6 Couvrez avec du papier aluminium et cuisez au four 30 à 60 min, jusqu'à ce que le pudding durcisse. Servez chaud ou froid.

À SAVOIR

Dans tout le Sud-Est asiatique, on utilise généralement le riz gluant noir pour les desserts et le riz gluant blanc pour les plats salés.

INDEX

D

E

F

G

H

J

L